教員採用試験

2026
年度版

新ポケットランナー

小学校全科

東京教友会

TAC出版
TAC PUBLISHING Group

まえがき

このたびランナー刊行の出版社が，一ツ橋書店からTAC出版にかわった。ランナー初版刊行の背景に関する詳細は，直近の2023年度版の「まえがき」にゆずる。大きい版（以下親ラン），その親ランを要約した小さい版の新ポケットランナー（以下ポケラン）があるのは周知であろう。

ポケラン待望の声すなわち，例えば，交通機関の時刻表を睨めつつ，列車，電車，バス等の待ち時間を有効活用したい。電車内などで，暇があればすぐにポケットから取り出して，寸暇を惜しんで，いつでも，どこでも読める小型版のランナーが欲しいとの読者の熱望に応えての書である。

朱熹作と伝わる漢詩『偶成』に「少年易老學難成　一寸光陰不可輕　未覺池塘春草夢　階前梧葉已秋聲」との漢詩は学びの姿勢を説く。日本風土でも自戒すべき言葉として「只今日今時ばかりと思ふて時光をうしなはず，学道に心をいるべきなり。」（正法眼蔵随聞記）が見える。まさに巷間に知られる「今でしょう！」である。いつでも，どこでも，寸暇を惜しんでポケットからポケランを取り出して，脳に忘れる暇が無いように要点を注入していく便をはかったのが要点確認版のポケランである。まずポケランで要点・概要を把握する。次いで親ランで内容詳細確認をする道程である。ポケランの記事が親ランを補填している例もある。ポケランと親ランとの相互交流がある。

活用法の一例として，まずポケランで簡潔に全体の要点と骨子とを把握する。次に親ランを見て詳しく確かめる。ポケランを見て親ランの詳細がイメージできるようになること。次に親ランを見て要約できるかを自問する。

ところで，筆者が対応してきたゼミ生には，入手しているランナーに対して，そのかかわる姿勢には３タイプがあるようである。ランナーを学習するタイプ，ランナーで学習するタイプ，ランナーでも学習するタイプの３タイプがある。この３タイプは，周知の，教科書を学ぶか，教科書で学ぶか，教科書でも学ぶかという，教科書裁判の喧しい時節に随所で喧しく論議されたことである。ランナーに対するあなたのタイプは例えばどのタイプでしょうか。これを意識化すると脳の生理過程が尖鋭化するはずです。あなた自身のランナーを作成する挑戦をしてみてください。

東京教友会代表　責任編集　小山一乗

本書の特長・学習法

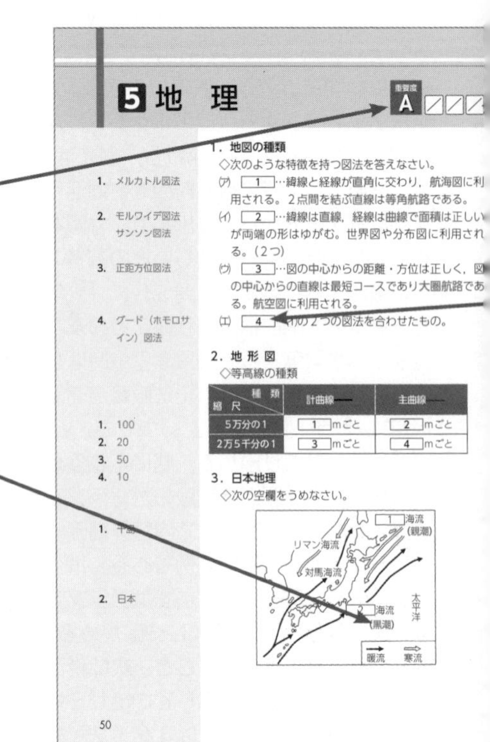
5 地　理

重要度 A

1. 地図の種類
◇次のような特徴を持つ図法を答えなさい。
(ア) [1]…緯線と経線が直角に交わり，航海図に利用される。2点間を結ぶ直線は等角航路である。
(イ) [2]…緯線は直線，経線は曲線で面積は正しいが両端の形はゆがむ。世界図や分布図に利用される。（2つ）
(ウ) [3]…図の中心からの距離・方位は正しく，図の中心からの直線は最短コースであり大圏航路である。航空図に利用される。
(エ) [4]…(イ)の2つの図法を合わせたもの。

1. メルカトル図法
2. モルワイデ図法 サンソン図法
3. 正距方位図法
4. グード（ホモロサイン）図法

2. 地 形 図
◇等高線の種類

縮尺＼種類	計曲線──	主曲線──
5万分の1	[1] mごと	[2] mごと
2万5千分の1	[3] mごと	[4] mごと

1. 100
2. 20
3. 50
4. 10

3. 日本地理
◇次の空欄をうめなさい。

1. 千島
2. 日本

50

各項目に重要度を記載

過去の出題傾向をもとにして，学習上の重要度を記載しています。Aが最重要なもの，Bが標準程度の重要度のもの，Cが重要度は低いが一定の学習は必要なものです。

色文字も隠して知識を確実に

穴埋め以外にも，重要語句は色ゴチックで記載しています。この色ゴチックの重要語句も赤シートで隠して読むことで，より効果的な「二段階学習」ができます。

ぜひチャレンジしてみましょう！

本書を使った効果的な二段階学習法

①赤シートで**解答欄**を隠して穴埋め問題を解く。
②赤シートで**本文の色文字**を隠して色文字部分を答えられるようにする。
③完全にマスターしたら**日付欄**に日付を記入。
④上記の学習を3回繰り返す。
⑤試験直前になったら**重要度A**の問題をもう一度解く。

学習進度を示す日付欄

日付欄に学習をした日付を記入して学習進度を確認できます。重要度の高い項目は繰り返し学習するようにしましょう。

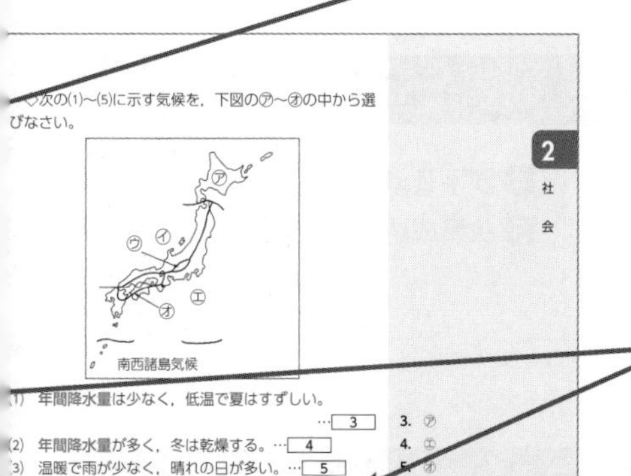

◇次の(1)～(5)に示す気候を，下図の㋐～㋔の中から選びなさい。

(1) 年間降水量は少なく，低温で夏はすずしい。…[3]　3. ㋐

(2) 年間降水量が多く，冬は乾燥する。…[4]　4. ㋓

(3) 温暖で雨が少なく，晴れの日が多い。…[5]　5. ㋔

穴埋め問題で実戦型演習

解答欄を赤シートで隠して穴埋め問題を解くことで実践型の学習をすることができます。穴埋めで問われた重要語句は確実に覚えていきましょう。

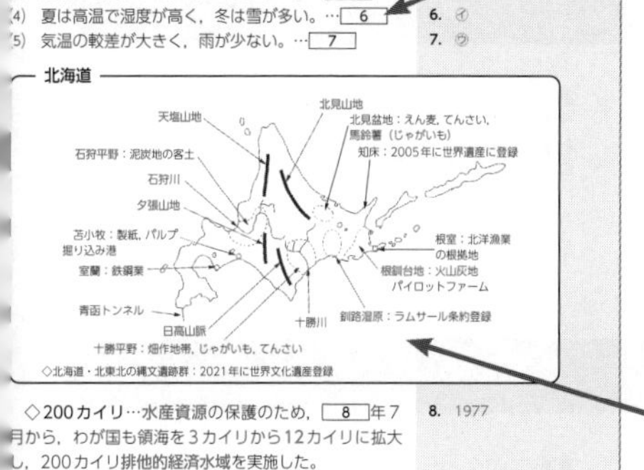

(4) 夏は高温で湿度が高く，冬は雪が多い。…[6]　6. ㋑

(5) 気温の較差が大きく，雨が少ない。…[7]　7. ㋒

◇200カイリ…水産資源の保護のため，[8]年7月から，わが国も領海を3カイリから12カイリに拡大し，200カイリ排他的経済水域を実施した。　8. 1977

◇北方領土…択捉島，国後島，色丹島，歯舞群島

51

図表もチェック

発展学習のため，適宜まとめ図表を記載しています。重要語句は色文字表記していますので，チェックしておきましょう。

繰り返し学習することで弱点を完全に克服できます。試験直前に重要度の高い問題を解くことで合格率アップ。電車やバスの中でも学べるので効率的な学習が可能です。

新ポケットランナー

小学校全科

CONTENTS

1 国　語 1

1 学習指導要領 …… 2
2 漢字Ⅰ（熟語と読み） …… 13
3 漢字Ⅱ（同音異義語・同訓異字） …… 16
4 漢字Ⅲ（筆順と画数） …… 17
5 故事成語とことわざ …… 18

2 社　会 21

1 学習指導要領 …… 22
2 公民―政治 …… 30
3 公民―経済・労働・国際 …… 34
4 歴史 …… 38
5 地理 …… 50

3 算　数 59

1 学習指導要領 …… 60
2 数と計算 …… 71
3 グラフ …… 77
4 図形 …… 81
5 場合の数・確率，統計 …… 87

4 理　科 91

1 学習指導要領 …… 92
2 生命・地球 …… 98
3 物質・エネルギー …… 110

5 生　活 119

1 学習指導要領 …… 120

6 音　楽 125

1 学習指導要領 …… 126
2 共通教材 …… 139
3 鑑賞教材 …… 147

7 図画工作 155

1 学習指導要領 …… 156
2 立体 …… 164
3 デザイン …… 166
4 工具 …… 170
5 鑑賞 …… 172
6 絵画 …… 178

8 家　庭 183

1 学習指導要領 …… 184
2 食事と生活 …… 190
3 住まいと生活 …… 196
4 衣服と生活 …… 198

9 体　育 205

1 学習指導要領 …… 206
2 体力・保健 …… 220
3 運動 …… 222

10 外国語科・外国語活動 229

1 学習指導要領 …… 230

11 特別の教科 道徳 247

1 学習指導要領 ………………………… 248

12 総合的な学習の時間 255

1 学習指導要領 ………………………… 256

1
国　語

1 学習指導要領

1. 正確
2. 適切
3. 特質
4. 伝え合う力
5. 言語感覚

1．目　標

言葉による**見方・考え方**を働かせ，**言語活動**を通して，国語で[1]に理解し[2]に表現する資質・能力を次のとおり育成することを目指す。

(1) **日常生活**に必要な国語について，その[3]を理解し**適切**に使うことができるようにする。

(2) **日常生活**における人との関わりの中で[4]を高め，**思考力**や**想像力**を養う。

(3) 言葉がもつよさを認識するとともに，[5]を養い，国語の大切さを**自覚**し，国語を**尊重**してその能力の向上を図る態度を養う。

2．指導計画の作成と各学年にわたる内容の取扱い

1. 言葉による見方・考え方
2. 特徴
3. 使い方

▶指導計画作成上の配慮事項

○　主体的・対話的で深い学び

(1) 単元など内容や時間のまとまりを見通して，その中で育む資質・能力の育成に向けて，児童の**主体**的・**対話**的で深い学びの実現を図るようにすること。その際，[1]を働かせ，**言語活動**を通して，言葉の[2]や[3]などを理解し自分の**思い**や**考え**を深める学習の充実を図ること。

○　弾力的な指導に関する事項

(2) 各学年の内容の指導については，必要に応じて当該学年より前の学年において**初歩**的な形で取り上げたり，その後の学年で程度を高めて取り上げたりするなどして，**弾力**的に指導すること。

○　関連的な指導に関する事項

(3) 各学年の内容の〔知識及び技能〕に示す事項については，〔**思考力**，**判断力**，**表現力**等〕に示す事項の指導を通して指導することを基本とし，必要に応じて，特定の事項だけを取り上げて指導したり，それらをまとめて指導したりするなど，指導の**効果**を高めるよう工夫すること。なお，その際，当該指導

のねらいを明確にするとともに，単元など内容や時間の**まとまり**を見通して資質・能力が偏りなく育成されるよう計画的に指導すること。

○　「A 話すこと・聞くこと」に関する事項

(4)　第１学年及び第２学年では年間[4]単位時間程度，第３学年及び第４学年では年間[5]単位時間程度，第５学年及び第６学年では年間[6]単位時間程度を配当すること。

4. 35
5. 30
6. 25

○　「B 書くこと」に関する事項

(5)　第１学年及び第２学年では年間[7]単位時間程度，第３学年及び第４学年では年間[8]単位時間程度，第５学年及び第６学年では年間[9]単位時間程度を配当すること。

7. 100
8. 85
9. 55

○　「C 読むこと」に関する事項

(6)　「C 読むこと」に関する指導については，[10]を高め，**日常生活**において**読書活動**を活発に行うようにするとともに，**他教科**等の学習における**読書**の指導や**学校図書館**における指導との関連を考えて行うこと。

10. 読書意欲

○　生活科や幼児教育との関連についての事項

(7)　低学年においては，**他教科**等との関連を積極的に図り，指導の効果を高めるようにするとともに，**幼稚園教育要領**等に示す幼児期の終わりまでに育ってほしい姿との関連を考慮すること。特に，[11]においては，生活科を中心とした**合科**的・**関連**的な指導や，**弾力**的な時間割の設定を行うなどの工夫をすること。

11. 小学校入学当初

○　外国語科などとの関連についての事項

(8)　**言語能力**の向上を図る観点から，**外国語活動**及び**外国語科**など他教科等との関連を積極的に図り，指導の**効果**を高めるようにすること。

○　障害のある児童などに関する事項

(9)　障害のある児童などについては，学習活動を行う場合に生じる困難さに応じた指導内容や指導方法の工夫を**計画**的，**組織**的に行うこと。

○　道徳科などとの関連に関する事項

(10)　第１章総則の第１の２の(2)に示す**道徳教育**の目標

（P.248参照）に基づき，**道徳科**などとの関連を考慮しながら，第３章特別の教科**道徳**の第２に示す内容について，国語科の**特質**に応じて適切な指導をすること。

▶〔知識及び技能〕に関する事項の取扱い

ア　日常の**言語活動**を振り返ることなどを通して，児童が，実際に話したり聞いたり書いたり読んだりする場面を意識できるよう指導を工夫すること。

イ　理解したり表現したりするために必要な**文字**や**語句**については，［ 12 ］や［ 13 ］を利用して調べる活動を取り入れるなど，**調べる**習慣が身に付くようにすること。

ウ　第３学年における［ 14 ］の指導に当たっては，総合的な学習の時間に示す，**コンピュータ**で**文字**を入力するなどの学習の基盤として必要となる**情報手段**の基本的な操作を習得し，児童が**情報**や**情報手段**を主体的に選択し活用できるよう配慮することとの関連が図られるようにすること。

エ　漢字の指導について

㋐　学年ごとに配当されている漢字は，児童の**学習負担**に配慮しつつ，必要に応じて，当該学年以前の学年又は当該学年以降の学年において指導することもできること。

㋑　当該学年より後の学年に配当されている漢字及びそれ以外の漢字については，**振り仮名**を付けるなど，児童の**学習負担**に配慮しつつ提示することができること。

㋒　**他教科**等の学習において必要となる漢字については，当該教科等と**関連**付けて指導するなど，その確実な定着が図られるよう指導を工夫すること。

㋓　漢字の指導においては，**学年別漢字配当表**に示す漢字の字体を**標準**とすること。

オ　我が国の**言語文化**に関する指導については，**各学年**で行い，［ 15 ］に親しめるよう配慮すること。

▶書写に関する事項

㋐　文字を正しく整えて書くことができるようにする

12. 辞書
13. 事典
14. ローマ字
15. 古典

とともに，書写の能力を学習や生活に役立てる態度を育てるよう配慮すること。

(イ) 硬筆を使用する書写の指導は各学年で行うこと。

(ウ) 毛筆を使用する書写の指導は第［16］学年以上の各学年で行い，各学年年間［17］単位時間程度を配当するとともに，毛筆を使用する書写の指導は硬筆による書写の能力の基礎を養うよう指導すること。

(エ) 第１学年及び第２学年の書写の「筆順に従って丁寧に書くこと」の指導については，適切に運筆する能力の向上につながるよう，指導を工夫すること。

16. 3
17. 30

3．各学年の目標

	第１学年及び第２学年	第３学年及び第４学年	第５学年及び第６学年
知識及び技能	(1) 日常生活に必要な国語の知識や技能を身に付けるとともに，我が国の［1］に親しんだり理解したりすることができるようにする。		
思考力、判断力、表現力等	(2) ［2］や感じたり想像したりする力を養い，	(2) ［5］や豊かに感じたり想像したりする力を養い，	
	日常生活における人との関わりの中で［3］を高め，		
	自分の思いや［4］ができるようにする。	自分の思いや［6］ができるようにする。	自分の思いや［7］ができるようにする。
学びに向かう力、人間性等	(3) 言葉がもつよさを［8］とともに，	(3) 言葉がもつよさに［10］とともに，	(3) 言葉がもつよさを［12］とともに，
	［9］をし，国語を大切にして，	［11］をし，国語を大切にして，	［13］をし，国語の大切さを自覚して，
	思いや考えを伝え合おうとする態度を養う。		

1. 言語文化
2. 順序立てて考える力
3. 伝え合う力
4. 考えをもつこと
5. 筋道立てて考える力
6. 考えをまとめること
7. 考えを広げること
8. 感じる
9. 楽しんで読書
10. 気付く
11. 幅広く読書
12. 認識する
13. 進んで読書

4．各学年の内容

〔知識及び技能〕

(1)　言葉の特徴や使い方に関する事項

	第１学年及び第２学年	第３学年及び第４学年	第５学年及び第６学年
言葉の働き	ア　言葉には，事物の内容を表す働きや，［ 1 ］があることに気付くこと。	ア　言葉には，考えたことや［ 2 ］があることに気付くこと。	ア　言葉には，［ 3 ］をつくる働きがあることに気付くこと。
話し言葉と書き言葉	イ　音節と文字との関係，［ 4 ］による語の意味の違いなどに気付くとともに，姿勢や口形，発声や発音に注意して話すこと。	イ　相手を見て話したり聞いたりするとともに，言葉の［ 7 ］や［ 8 ］，間の取り方などに注意して話すこと。	イ　話し言葉と書き言葉との違いに気付くこと。
	ウ　［ 5 ］，拗音，促音，撥音などの表記，助詞の「は」，「へ」及び「を」の使い方，句読点の打ち方，かぎ（「 」）の使い方を理解して文や文章の中で使うこと。また，平仮名及び片仮名を読み，書くとともに，［ 6 ］で書く語の種類を知り，文や文章の中で使うこと。	ウ　漢字と仮名を用いた表記，［ 9 ］，改行の仕方を理解して文や文章の中で使うとともに，句読点を適切に打つこと。また，第３学年においては，日常使われている簡単な単語について，［ 10 ］で表記されたものを読み，ローマ字で書くこと。	ウ　文や文章の中で漢字と仮名を適切に使い分けるとともに，送り仮名や［ 11 ］に注意して正しく書くこと。
漢字	エ　第１学年においては，別表の学年別漢字配当表（以下「学年別漢字配当表」という）の第１学年に配当されている漢字を読み，漸次書き，文や文章の中で使うこと。第２学年においては，学年別漢字配当表の第２学年までに配当されている漢字を読むこと。また，第１学年に配当されている漢字を書き，文や文章の中で使うとともに，	エ　第３学年及び第４学年の各学年においては，学年別漢字配当表の当該学年までに配当されている漢字を読むこと。また，当該学年の前の学年までに配当されている漢字を書き，文や文章の中で使うとともに，当該学年に配当されている漢字を漸次書き，文や文章の中で使うこと。	エ　第５学年及び第６学年の各学年においては，学年別漢字配当表の当該学年までに配当されている漢字を読むこと。また，当該学年の前の学年までに配当されている漢字を書き，文や文章の中で使うとともに，当該学年に配当されている漢字を漸次書き，文や文章の中で使うこと。

1. 経験したことを伝える働き
2. 思ったことを表す働き
3. 相手とのつながり
4. アクセント
5. 長音
6. 片仮名
7. 抑揚
8. 強弱
9. 送り仮名の付け方
10. ローマ字
11. 仮名遣い

	第２学年に配当されている漢字を漸次書き，文や文章の中で使うこと。		
語彙	オ　[12]を増し，話や文章の中で使うとともに，言葉には[13]があることに気付き，語彙を豊かにすること。	オ　様子や行動，[14]を増し，話や文章の中で使うとともに，言葉には[15]があることを理解し，語彙を豊かにすること。	オ　[16]を増し，話や文章の中で使うとともに，語句と語句との関係，語句の構成や変化について理解し，語彙を豊かにすること。また，[17]や言葉の使い方に対する感覚を意識して，語や語句を使うこと。
文や文章	カ　文の中における主語と述語との関係に気付くこと。	カ　主語と述語との関係，[18]，指示する語句と接続する語句の役割，[19]について理解すること。	カ　文の中での[20]や語順，文と文との接続の関係，話や文章の構成や展開，話や文章の種類とその特徴について理解すること。
言葉遣い	キ　丁寧な言葉と普通の言葉との違いに気を付けて使うとともに，敬体で書かれた文章に慣れること。	キ　丁寧な言葉を使うとともに，[21]に注意しながら書くこと。	キ　日常よく使われる[22]を理解し使い慣れること。
表現の技法			ク　[23]や反復などの表現の工夫に気付くこと。
音読、朗読	ク　語のまとまりや[24]などに気を付けて音読すること。	ク　[25]や内容の大体を意識しながら音読すること。	ケ　文章を音読したり[26]したりすること。

12. 身近なことを表す語句の量
13. 意味による語句のまとまり
14. 気持ちや性格を表す語句の量
15. 性質や役割による語句のまとまり
16. 思考に関わる語句の量
17. 語感
18. 修飾と被修飾との関係
19. 段落の役割
20. 語句の係り方
21. 敬体と常体との違い
22. 敬語
23. 比喩
24. 言葉の響き
25. 文章全体の構成
26. 朗読

1. 共通
2. 相違
3. 理由や事例
4. 原因と結果

5. 比較や分類
6. 引用
7. 情報と情報との関係付け

⑵ 情報の扱い方に関する事項

	第１学年及び第２学年	第３学年及び第４学年	第５学年及び第６学年
情報と情報との関係	ア [1], [2], 事柄の順序など情報と情報との関係について理解すること。	ア 考えとそれを支える [3], 全体と中心など情報と情報との関係について理解すること。	ア [4] など情報と情報との関係について理解すること。
情報の整理		イ [5] の仕方，必要な語句などの書き留め方，[6] の仕方や出典の示し方，辞書や事典の使い方を理解し使うこと。	イ [7] の仕方，図などによる語句と語句との関係の表し方を理解し使うこと。

1. 昔話
2. 神話・伝承
3. 言葉遊び
4. 短歌
5. 俳句
6. 慣用句
7. 故事成語
8. 古文
9. 漢文
10. 古典

11. へんやつくり
12. 語句の由来

⑶ 我が国の言語文化に関する事項

	第１学年及び第２学年	第３学年及び第４学年	第５学年及び第６学年
伝統的な言語文化	ア [1] や [2] などの読み聞かせを聞くなどして，我が国の伝統的な言語文化に親しむこと。	ア 易しい文語調の [4] や [5] を音読したり暗唱したりするなどして，言葉の響きやリズムに親しむこと。	ア 親しみやすい [8] や [9], 近代以降の文語調の文章を音読するなどして，言葉の響きやリズムに親しむこと。
	イ 長く親しまれている [3] を通して，言葉の豊かさに気付くこと。	イ 長い間使われてきたことわざや [6], [7] などの意味を知り，使うこと。	イ [10] について解説した文章を読んだり作品の内容の大体を知ったりすることを通して，昔の人のものの見方や感じ方を知ること。
言葉の由来や変化		ウ 漢字が，[11] などから構成されていることについて理解すること。	ウ [12] などに関心をもつとともに，時間の経過による言葉の変化や世代による言葉の違いに気付き，共通語と方言との違いを理解すること。また，仮名及び漢字の由来，特質などについて理解すること。

書写	ウ(ア) 姿勢や筆記具の持ち方を正しくして書くこと。	エ(ア) 文字の組立て方を理解し，形を整えて書くこと。	エ(ア) 用紙全体との関係に注意して，文字の大きさや配列などを決めるとともに，書く速さを意識して書くこと。
	(イ) 点画の書き方や文字の形に注意しながら，筆順に従って丁寧に書くこと。	(イ) 漢字や仮名の大きさ，配列に注意して書くこと。	(イ) 毛筆を使用して，穂先の動きと点画のつながりを意識して書くこと。
	(ウ) 点画相互の接し方や交わり方，長短や方向などに注意して，文字を正しく書くこと。	(ウ) 毛筆を使用して点画の書き方への理解を深め，筆圧などに注意して書くこと。	(ウ) 目的に応じて使用する筆記具を選び，その特徴を生かして書くこと。
読書	エ 読書に親しみ，いろいろな本があることを知ること。	オ [13]読書に親しみ，読書が，必要な知識や情報を得ることに役立つことに気付くこと。	オ [14]読書に親しみ，読書が，自分の考えを広げることに役立つことに気付くこと。

13. 幅広く
14. 日常的に

〔思考力・判断力・表現力等〕

A 話すこと・聞くこと

(1) 指導事項

	第1学年及び第2学年	第3学年及び第4学年	第5学年及び第6学年
話すこと	ア 身近なことや[1]などから話題を決め，伝え合うために必要な事柄を選ぶこと。	ア 目的を意識して，日常生活の中から話題を決め，集めた材料を[3]したり分類したりして，伝え合うために必要な事柄を選ぶこと。	ア 目的や意図に応じて，日常生活の中から話題を決め，集めた材料を分類したり[5]たりして，伝え合う内容を検討すること。
	イ 相手に伝わるように，行動したことや経験したことに基づいて，話す事柄の[2]を考えること。	イ 相手に伝わるように，理由や事例などを挙げながら，[4]が明確になるよう話の構成を考えること。	イ 話の内容が明確になるように，事実と感想，意見とを区別するなど，[6]を考えること。

1. 経験したこと
2. 順序
3. 比較
4. 話の中心
5. 関係付け
6. 話の構成

7. 声の大きさや速さ
8. 言葉の抑揚や強弱
9. 資料

10. 中心
11. 意図

12. 相手の発言
13. 共通点や相違点
14. 計画的

（話すこと）	ウ　伝えたい事柄や相手に応じて［7］などを工夫すること。	ウ　話の中心や話す場面を意識して，［8］，間の取り方などを工夫すること。	ウ　［9］を活用するなどして，自分の考えが伝わるように表現を工夫すること。
聞くこと	エ　話し手が知らせたいことや自分が聞きたいことを落とさないように集中して聞き，話の内容を捉えて感想をもつこと。	エ　必要なことを記録したり質問したりしながら聞き，話し手が伝えたいことや自分が聞きたいことの［10］を捉え，自分の考えをもつこと。	エ　話し手の目的や自分が聞こうとする［11］に応じて，話の内容を捉え，話し手の考えと比較しながら，自分の考えをまとめること。
話し合うこと	オ　互いの話に関心をもち，［12］を受けて話をつなぐこと。	オ　目的や進め方を確認し，司会などの役割を果たしながら話し合い，互いの意見の［13］に着目して，考えをまとめること。	オ　互いの立場や意図を明確にしながら［14］に話し合い，考えを広げたりまとめたりすること。

B　書くこと

（1）指導事項

1. 比較
2. 関係付け

3. 事柄の順序
4. 段落相互の関係
5. 文章全体の構成

	第1学年及び第2学年	第3学年及び第4学年	第5学年及び第6学年
題材の設定・情報の収集・内容の検討	ア　経験したことや想像したことなどから書くことを見付け，必要な事柄を集めたり確かめたりして，伝えたいことを明確にすること。	ア　相手や目的を意識して，経験したことや想像したことなどから書くことを選び，集めた材料を［1］したり分類したりして，伝えたいことを明確にすること。	ア　目的や意図に応じて，感じたことや考えたことなどから書くことを選び，集めた材料を分類したり［2］たりして，伝えたいことを明確にすること。
構成の検討	イ　自分の思いや考えが明確になるように，［3］に沿って簡単な構成を考えること。	イ　書く内容の中心を明確にし，内容のまとまりで段落をつくったり，［4］に注意したりして，文章の構成を考えること。	イ　筋道の通った文章となるように，［5］や展開を考えること。

考えの形成・記述	ウ　語と語や文と文との[6]に注意しながら，内容の**まとまり**が分かるように書き表し方を工夫すること。	ウ　自分の考えとそれを支える[7]との関係を明確にして，書き表し方を工夫すること。	ウ　目的や意図に応じて**簡単**に書いたり**詳しく**書いたりするとともに，事実と感想，意見とを[8]して書いたりするなど，**自分の考え**が伝わるように書き表し方を工夫すること。
			エ　[9]したり，図表や**グラフ**などを用いたりして，自分の考えが伝わるように書き表し方を**工夫**すること。
推敲	エ　文章を[10]を付けるとともに，**間違い**を正したり，語と語や文と文との続き方を確かめたりすること。	エ　**間違い**を正したり，[11]を意識した表現になっているかを確かめたりして，文や文章を整えること。	オ　文章全体の**構成**や[12]などに着目して，文や文章を整えること。
共有	オ　文章に対する**感想**を伝え合い，自分の文章の内容や表現の**よいところ**を見付けること。	オ　書こうとしたことが明確になっているかなど，文章に対する感想や**意見**を伝え合い，自分の文章の**よいところ**を見付けること。	カ　文章全体の構成や**展開**が明確になっているかなど，文章に対する感想や意見を伝え合い，自分の文章の**よいところ**を見付けること。

6. 続き方
7. 理由や事例
8. 区別
9. 引用
10. 読み返す習慣
11. 相手や目的
12. 書き表し方

C　読むこと

(1) 指導事項

	第1学年及び第2学年	第3学年及び第4学年	第5学年及び第6学年
構造と内容の把握	ア [1]や事柄の順序などを考えながら，内容の大体を捉えること。	ア [3]に着目しながら，考えとそれを支える理由や事例との関係などについて，叙述を基に捉えること。	ア 事実と感想，意見などとの関係を叙述を基に押さえ，[5]を捉えて要旨を把握すること。
	イ 場面の様子や登場人物の行動など，[2]を捉えること。	イ 登場人物の行動や気持ちなどについて，[4]を基に捉えること。	イ 登場人物の[6]や心情などについて，[7]を基に捉えること。
精査・解釈	ウ 文章の中の[8]や文を考えて選び出すこと。	ウ 目的を意識して，[10]や文を見付けて[11]すること。	ウ 目的に応じて，文章と[13]などを結び付けるなどして必要な情報を見付けたり，[14]について考えたりすること。
	エ 場面の様子に着目して，[9]を具体的に想像すること。	エ 登場人物の気持ちの変化や性格，情景について，[12]と結び付けて具体的に想像すること。	エ 人物像や物語などの全体像を具体的に想像したり，[15]を考えたりすること。
考えの形成	オ 文章の内容と[16]とを結び付けて，感想をもつこと。	オ 文章を読んで理解したことに基づいて，感想や考えをもつこと。	オ 文章を読んで理解したことに基づいて，[17]をまとめること。
共有	カ 文章を読んで感じたことや分かったことを共有すること。	カ 文章を読んで感じたことや考えたことを共有し，一人一人の感じ方などに違いがあることに気付くこと。	カ 文章を読んでまとめた意見や感想を共有し，自分の考えを広げること。

1. 時間的な順序
2. 内容の大体
3. 段落相互の関係
4. 叙述
5. 文章全体の構成
6. 相互関係
7. 描写
8. 重要な語
9. 登場人物の行動
10. 中心となる語
11. 要約
12. 場面の移り変わり
13. 図表
14. 論の進め方
15. 表現の効果
16. 自分の体験
17. 自分の考え

● Reference

■各領域の指導時数

	1年	2年	3年	4年	5年	6年
総授業時数	306	315	245	245	175	175
話すこと・聞くこと	35	35	30	30	25	25
書くこと	100	100	85	85	55	55
書写〔毛筆〕	-	-	30	30	30	30
読むこと・その他	定めない (171)	定めない (180)	定めない (100)	定めない (100)	定めない (65)	定めない (65)

2 漢字Ⅰ（熟語と読み）

1．次の漢字の読み仮名を書きなさい。

①希　有　②頒　布
③雪　崩　④生　憎
⑤辛　辣　⑥匿　名
⑦造　詣　⑧嫌　悪
⑨些　細　⑩精　進
⑪詩　歌　⑫虚　空
⑬会　釈　⑭遊　説
⑮納　得　⑯欠　伸
⑰黄　昏　⑱境　内

①けう　②はんぷ
③なだれ　④あいにく
⑤しんらつ　⑥とくめい
⑦ぞうけい　⑧けんお
⑨ささい　⑩しょうじん
⑪しいか(しか)　⑫こくう
⑬えしゃく　⑭ゆうぜい
⑮なっとく　⑯あくび
⑰たそがれ　⑱けいだい

2．次の下線部のカタカナを漢字になおしなさい。

①ケイイを知る　②カチュウに身を投じる
③天気ガイキョウ　④黄桃のシュウカク
⑤証人をショウカン　⑥宝石のカンテイ家
⑦円高差益をカンゲン　⑧コウキある伝統
⑨セイリョク的な活動　⑩キョウゲキ作戦
⑪キョウリョウな考え　⑫キョウコクを歩く
⑬歯をキョウセイする　⑭部屋のイチグウ
⑮良いタイグウ　⑯ケンギをかけられる

①経緯　②渦中
③概況　④収穫
⑤召喚　⑥鑑定
⑦還元　⑧光輝
⑨精力　⑩挟撃
⑪狭量　⑫峡谷
⑬矯正　⑭一隅
⑮待遇　⑯嫌疑

3．次の漢字の読み仮名を書きなさい。

①挿　す　②提げる
③漁　る　④欣　ぶ
⑤潜　る　⑥崇める
⑦傲　る　⑧捻　る
⑨凌　ぐ　⑩労　る
⑪虐げる　⑫蔑　む
⑬因　る　⑭寿　ぐ
⑮叫　ぶ　⑯弁える
⑰斥ける　⑱祀　る
⑲奔　る　⑳背　く

（解答は送りがな含）
①さす　②さげる
③あさる　④よろこぶ
⑤もぐる　⑥あがめる
⑦おごる　⑧ひねる
（ねじる）
⑨しのぐ　⑩いたわる
⑪しいたげる　⑫さげすむ
⑬よる　⑭ことほぐ
⑮さけぶ　⑯わきまえる
⑰しりぞける　⑱まつる
⑲はしる　⑳そむく

4．次の漢字を読みなさい。

①安　穏　②剽　軽
③憔　悴　④桎　梏
⑤庫　裏　⑥鼓　吹
⑦科　白　⑧真　摯
⑨憤　怒　⑩緻　密
⑪絢　爛　⑫必　定
⑬漸　増　⑭松　明
⑮遵　守　⑯迂　闊

①あんのん　②ひょうきん
③しょうすい　④しっこく
⑤くり　⑥こすい
⑦せりふ　⑧しんし
⑨ふんぬ（ふんど）
⑩ちみつ
⑪けんらん　⑫ひつじょう
⑬ぜんぞう　⑭たいまつ
⑮じゅんしゅ　⑯うかつ

5．次のカタカナを漢字になおしなさい。

①政策のタイコウ　②シュショウな態度
③ショウゾウ画を飾る　④酒をジョウゾウする
⑤ブンジョウ地を買う　⑥社長レイジョウ
⑦新古今集のセンジャ　⑧ソコクに帰る
⑨デモ行進をソシする　⑩事件のチョウホンニン
⑪ハンザツな文章　⑫車トウサイ用
⑬ハクシャクの家柄　⑭商品のハンニュウ

①大綱　②殊勝
③肖像　④醸造
⑤分譲　⑥令嬢
⑦撰者　⑧祖国
⑨阻止　⑩張本人
⑪煩雑　⑫搭載
⑬伯爵　⑭搬入

6．次の漢字を読みなさい。

①寛　ぐ　②煎　る
③厭　う　④敲　く
⑤痺れる　⑥適　う
⑦論　う　⑧撞　く
⑨稼　ぐ　⑩嘲　る
⑪慮　る　⑫拭　う
⑬赴　く　⑭尖　る
⑮弄　ぶ　⑯抉　る
⑰怯える　⑱具える
⑲披　く　⑳迫　る

（解答は送りがな含）
①くつろぐ　②いる
③いとう　④たたく
⑤しびれる　⑥かなう
⑦あげつらう　⑧つく
⑨かせぐ　⑩あざける
⑪おもんぱかる　⑫ぬぐう
⑬おもむく　⑭とがる
⑮もてあそぶ　⑯えぐる
⑰おびえる　⑱そなえる
⑲ひらく　⑳せまる

7．次の反対の熟語を答えなさい。

①自　然　②容　易
③禁　止　④勝　利
⑤利　益　⑥開　始
⑦反　抗　⑧欠　如

①人工　②困難
③許可　④敗北
⑤損失　⑥終了
⑦服従　⑧充足

8．次の熟語のうち，「重箱読み」（音・訓）のものにはA，「湯桶読み」（訓・音）のものにはB，どちらにも当てはまらないものにはCを書きなさい。

①合　図　②役　場
③青　空　④学　校
⑤消　印　⑥仕　業
⑦身　分　⑧素　顔

①B　②A
③C　④C
⑤B　⑥A
⑦B　⑧A

9．次のカタカナを漢字になおしなさい。

①センモン家の意見　②イガイな出来事
③謝恩会にショウタイ　④ヨウイには解けない
⑤キケンな場所　⑥会社のギョウセキ
⑦楽器のエンソウ　⑧水平とスイチョク
⑨テンケイ的な努力家　⑩シュウカンシ
⑪水がジョウハツする　⑫ショウガイ物競走
⑬トクレイを認める　⑭貿易マサツ
⑮センサイな神経　⑯シセイ方針演説
⑰ユイゴンを残す　⑱ハイグウシャの有無
⑲イケイの念を抱く　⑳シニセの跡取り

①専門　②意外
③招待　④容易
⑤危険　⑥業績
⑦演奏　⑧垂直
⑨典型　⑩週刊誌
⑪蒸発　⑫障害
⑬特例　⑭摩擦
⑮繊細　⑯施政
⑰遺言　⑱配偶者
⑲畏敬　⑳老舗

10．次の（　）に，月の名前と，その読み仮名を書きなさい。

1月…（　①　）
2月…（　②　）
3月…（　③　）
4月…（　④　）
5月…（　⑤　）
6月…（　⑥　）
7月…（　⑦　）
8月…（　⑧　）
9月…（　⑨　）
10月…（　⑩　）
11月…（　⑪　）
12月…師走，しわす

①睦月，むつき
②如月，きさらぎ
③弥生，やよい
④卯月，うづき
⑤皐月，さつき
⑥水無月，みなづき
⑦文月，ふづき
⑧葉月，はづき
⑨長月，ながつき
⑩神無月，かんなづき
⑪霜月，しもつき

3 漢字Ⅱ（同音異義語・同訓異字）

重要度 A ／／／

1. 合
2. 会
3. 遭
4. 表
5. 現
6. 著
7. 痛
8. 傷
9. 悼
10. 打
11. 討
12. 撃
13. 犯
14. 侵
15. 冒
16. 努
17. 勤
18. 務
19. 止
20. 留
21. 泊
22. 納
23. 収
24. 治
25. 修
26. 掛
27. 懸
28. 架
29. 欠
30. 図
31. 計
32. 測

1．次のカタカナの部分を漢字になおしなさい。

⑴アう
- 計算が，意見が [1]
- 客と [2]
- 交通事故に，雨に [3]

⑵アラワす
- 図で，言葉で [4]
- 姿を，正体を [5]
- 書物を [6]

⑶イタむ
- 心が，傷が [7]
- 道路が，家が [8]
- 故人を [9]

⑷ウつ
- 終止符を，胸を [10]
- あだを [11]
- 動物を，銃を [12]

⑸オカす
- 法を，罪を [13]
- 権利を [14]
- 危険を [15]

⑹ツトめる
- サービスに [16]
- 会社に，役所に [17]
- 市長を，助役を [18]

⑺トまる
- 水が，息が [19]
- 目に，心に [20]
- 宿に，港に [21]

⑻オサめる
- 税金を，品物を [22]
- 成功を，効果を [23]
- 国を，人民を [24]
- 学問を，身を [25]

⑼カける
- 電話を，号令を [26]
- 命を，賞金を [27]
- 橋を，電線を [28]
- 常識に，人数が [29]

⑽ハカる
- 解決を，便宜を [30]
- 将来を，時間を [31]
- 面積を，高さを [32]

4 漢字Ⅲ（筆順と画数）

重要度 A ／／／

1．次の漢字の書き順で正しいものを選びなさい。

①右 a. ノナ右 b. 一ナ右　②上 a. ｰ⺊上 b. ｜⺊上

③何 a. 亻仁何何 b. 亻仁们何　④性 a. 丨忄忭性 b. 丷忄忭性

⑤発 a. ヲ ヺ癶発 b. ヲ癶癶発　⑥馬 a. ｜厂π馬 b. 一厂π馬 c. ｜厂巨馬

⑦角 a. ⺈⺈角角角 b. ⺈⺈角角角　⑧書 a. ⺕聿聿書 b. ⺕聿⺕書

⑨感 a. ｜厂后咸感 b. 一厂后咸感 c. ｜厂后咸感　⑩歯 a. ｜⺊⺌⺍歯歯 b. 一⺊⺌⺍歯歯 c. ｜⺊⺌⺍歯歯

⑪皮 a. ｣厂广皮皮 b. ⺀厂广皮皮　⑫全 a. 𠆢亼全全全 b. 𠆢亼今全全

⑬服 a. 月刖肌服 b. 月刖肌服　⑭有 a. ノナ有 b. 一ナ有

⑮健 a. 亻伊健健健 b. 亻伊律健　⑯成 a. ｣厂万成成 b. 一厂万成

①a ②b　③a ④b　⑤a ⑥a　⑦b ⑧b　⑨c ⑩c　⑪a ⑫b　⑬b ⑭a　⑮b ⑯a

2．次の部首の名前と画数を書きなさい。

① 隹
② 疒
③ 斤
④ 髟
⑤ 衤
⑥ 支
⑦ 戈
⑧ 夊
⑨ 匚
⑩ 弋

①ふるとり　8画
②やまいだれ　5画
③おのづくり　4画
④かみがしら　10画
⑤ころもへん　5画
⑥しにょう　4画
⑦ほこづくり　4画
⑧すいにょう　3画
⑨かくしがまえ　2画
⑩しきがまえ　3画

5 故事成語とことわざ

重要度 A ／／／

1．次の空欄に適当な漢字を入れなさい。

①暗中□□　②異□同音
③□心伝心　④一□打尽
⑤我田□□　⑥画竜点□
⑦□炉□扇　⑧換骨奪□
⑨呉越□□　⑩自画自□
⑪心□一転　⑫□出鬼没
⑬晴□雨読　⑭大器□□
⑮日□月歩　⑯不倶□天
⑰一□当千　⑱□賞必罰
⑲□心暗鬼　⑳□和雷同
㉑金□玉条　㉒新進気□

①模索　②口
③以　④網
⑤引水　⑥睛
⑦夏，冬　⑧胎
⑨同舟　⑩賛
⑪機　⑫神
⑬耕　⑭晩成
⑮進　⑯戴
⑰騎　⑱信
⑲疑　⑳付（附）
㉑科　㉒鋭

2．①～⑩のことわざの意味に似ていることわざを，㋐～㋙の中から選びなさい。

①あぶはちとらず　②紺屋の白袴
③三つ子の魂百まで　④まかぬ種ははえぬ
⑤長いものにはまかれよ　⑥かえるの子はかえる
⑦かっぱの川流れ　⑧良薬は口に苦し
⑨月とすっぽん　⑩のれんにうでおし

㋐雀百まで踊り忘れず
㋑うりのつるになすびはならぬ
㋒火のない所に煙はたたぬ
㋓二兎を追うものは一兎をも得ず
㋔ちょうちんにつりがね
㋕忠言耳にさからう
㋖医者の不養生
㋗ぬかに釘
㋘寄らば大樹のかげ
㋙弘法にも筆の誤り

①―㋓　②―㋖
③―㋐　④―㋒
⑤―㋘　⑥―㋑
⑦―㋙　⑧―㋕
⑨―㋔　⑩―㋗

▶日本文学史年表（人名，作品名，備考）

奈良	太安万侶（おおのやすまろ）（筆録）	『古事記』	稗田阿礼（ひえだのあれ）に誦み習わせた
	舎人親王（とねりしんのう）	『日本書紀』	日本最古の歴史書
	大伴家持（おおとものやかもち）（撰者）	『万葉集』	日本最古の和歌集
平安	紀貫之（きのつらゆき）（撰者）	『古今和歌集』	日本初の勅撰和歌集
	紫式部	『源氏物語』	長編小説
	清少納言	『枕草子』	随筆
	菅原孝標女（すがわらのたかすえのむすめ）	『更級日記（さらしなにっき）』	平安女流日記文学
	藤原道綱の母	『蜻蛉日記（かげろうにっき）』	
鎌倉	藤原定家（撰者）	『新古今和歌集』	伝統主義。八代集最後の和歌集
	西行（さいぎょう）	『山家集』	
	源実朝	『金槐和歌集（きんかいわかしゅう）』	
	鴨長明	『方丈記』	社会の転換期を深く思索している
	兼好法師	『徒然草』	
	阿仏尼（あぶつに）	『十六夜日記（いざよいにっき）』	紀行文
	作者不詳	『平家物語』	中世戦記文学の代表的作品
	慈円（じえん）	『愚管抄』	滅びゆく貴族社会をみつめた史論書
室町～戦国	北畠親房（きたばたけちかふさ）	『神皇正統記』	歴史哲学書
	二条良基	『菟玖波集（つくばしゅう）』	連歌の勅撰集
	飯尾宗祇	『新撰菟玖波集（しんせんつくばしゅう）』	正風連歌の確立
	山崎宗鑑	『犬筑波集（いぬつくばしゅう）』	俳諧連歌の祖
	世阿弥（ぜあみ）元清	『風姿花伝』	能楽の理論を著す（『花伝書』）
江戸	井原西鶴	『好色一代男』	浮世草子のはじめ
	近松門左衛門	『曽根崎心中』	人形浄瑠璃の脚本を多く残す
	松尾芭蕉	『おくのほそ道』	奥羽・北陸地方を旅した紀行文
	与謝蕪村	『蕪村七部集』	写実的で鋭い感覚の俳諧
	小林一茶	『おらが春』	身近な生活を表現
明治～昭和	二葉亭四迷（ふたばていしめい）	『浮雲』	言文一致運動の先駆
	尾崎紅葉	『金色夜叉（こんじきやしゃ）』	擬古典派，硯友社が中心
	田山花袋（たやまかたい）	『田舎教師』	自然主義，個人内の経験を重視
	夏目漱石	『心』『道草』	反自然主義
	谷崎潤一郎	『細雪（ささめゆき）』『刺青』	新ロマン主義
	志賀直哉	『暗夜行路』	白樺派（しらかばは）
	芥川龍之介	『羅生門』『鼻』	新思潮派
	小林多喜二	『蟹工船（かにこうせん）』	プロレタリア文学
	堀　辰雄	『風立ちぬ』	新興芸術派
	川端康成	『伊豆の踊子』	新感覚派

2
社　会

1 学習指導要領

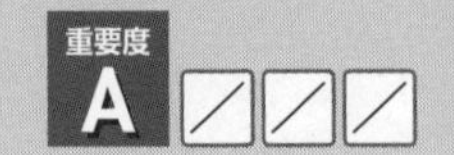

1. 目　標

1. 社会的な見方・考え方
2. 平和
3 公民
4. 調査活動
5. 技能
6. 多角的
7. 社会への関わり方
8. 選択
9. 判断
10. 主体的
11. 地域社会の一員
12. 国民

> [1]を働かせ，課題を**追究**したり解決したりする活動を通して，**グローバル化**する国際社会に主体的に生きる[2]で民主的な国家及び社会の**形成者**に必要な[3]としての資質・能力の基礎を次のとおり育成することを目指す。
>
> (1) 地域や我が国の国土の**地理的環境**，現代社会の仕組みや働き，地域や我が国の歴史や伝統と文化を通して**社会生活**について理解するとともに，様々な資料や[4]を通して情報を適切に調べまとめる[5]を身に付けるようにする。
>
> (2) 社会的事象の特色や相互の関連，意味を[6]に考えたり，社会に見られる**課題**を把握して，その解決に向けて[7]を選択・判断したりする力，考えたことや[8]・[9]したことを適切に**表現**する力を養う。
>
> (3) 社会的事象について，よりよい社会を考え[10]に問題解決しようとする態度を養うとともに，**多角的**な思考や理解を通して，地域社会に対する誇りと愛情，[11]としての自覚，我が国の国土と歴史に対する**愛情**，我が国の将来を担う[12]としての自覚，世界の国々の人々と共に生きていくことの大切さについての自覚などを養う。

2. 指導計画の作成と内容の取扱い

▶指導計画の作成

1. 問題解決への見通し
2. 社会的事象の見方・考え方

(1) 単元など内容や時間のまとまりを見通して，その中で育む資質・能力の育成に向けて，児童の**主体的・対話的**で深い学びの実現を図るようにすること。その際，[1]をもつこと，[2]を働かせ，事象の**特色**や**意味**などを考え[3]などに関する知識を獲得すること，学習の**過程**や**成果**を振り返り学んだことを活用することなど，学習の問題を**追究・解決**する活動の充実を図ること。

⑵ 各学年の目標や内容を踏まえて，事例の取り上げ方を工夫して，内容の**配列**や授業時数の**配分**などに留意して効果的な年間指導計画を作成すること。

⑶ 我が国の［ 4 ］の名称と位置，世界の大陸と［ 5 ］の名称と位置については，学習内容と関連付けながら，その都度，［ 6 ］や［ 7 ］などを使って確認するなどして，**小学校卒業**までに身に付け活用できるように工夫して指導すること。

⑷ 障害のある児童などについては，学習活動を行う場合に生じる**困難さ**に応じた指導内容や指導方法の工夫を計画的，組織的に行うこと。

⑸ 第１章総則の第１の２の⑵に示す道徳教育の目標（P.248参照）に基づき，道徳科などとの関連を考慮しながら，第３章特別の教科道徳の第２に示す内容について，社会科の特質に応じて適切な指導をすること。

▶内容の取扱い

⑴ 各学校においては，**地域**の実態を生かし，児童が興味・関心をもって学習に取り組めるようにするとともに，観察や見学，聞き取りなどの**調査活動**を含む具体的な体験を伴う学習やそれに基づく［ 8 ］の一層の充実を図ること。また，社会的事象の特色や意味，社会に見られる課題などについて，**多角的**に考えたことや選択・判断したことを**論理的**に説明したり，**立場**や**根拠**を明確にして**議論**したりするなど［ 9 ］に関わる学習を一層重視すること。

⑵ **学校図書館**や公共図書館，コンピュータなどを活用して，**情報**の収集やまとめなどを行うようにすること。また，全ての学年において，［ 10 ］を活用すること。

⑶ **博物館**や資料館などの施設の活用を図るとともに，身近な地域及び国土の遺跡や**文化財**などについての［ 11 ］を取り入れるようにすること。また，内容に関わる専門家や関係者，関係の諸機関との連携を図るようにすること。

3. 概念
4. 47都道府県
5. 主な海洋
6. 地図帳
7. 地球儀
8. 表現活動
9. 言語活動
10. 地図帳
11. 調査活動

(4) 児童の発達の段階を考慮し，社会的事象については，児童の考えが深まるよう様々な見解を提示するよう配慮し，多様な見解のある事柄，未確定な事柄を取り上げる場合には，[12]に基づいて指導するとともに，特定の事柄を強調し過ぎたり，一面的な見解を十分な配慮なく取り上げたりするなどの偏った取扱いにより，児童が**多角的**に考えたり，事実を客観的に捉え，[13]に判断したりすることを妨げることのないよう留意すること。

12. 有益適切な教材
13. 公正

3．各学年の目標

〔知識及び技能に関する目標〕

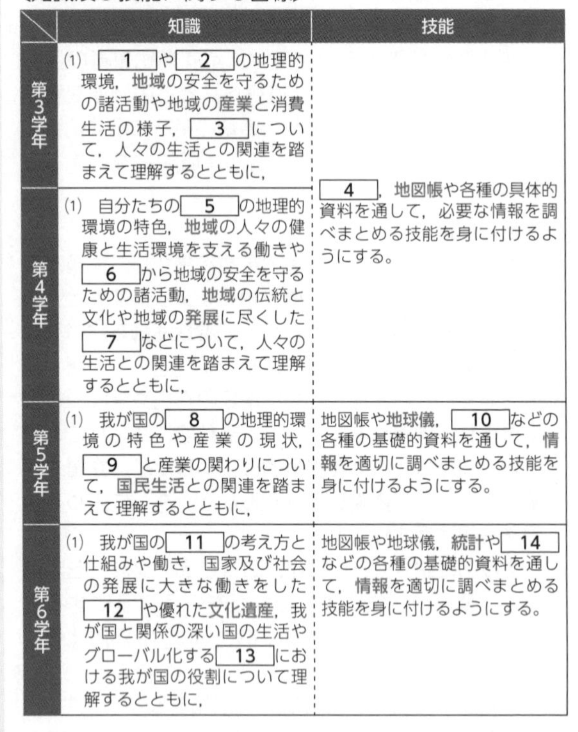

	知識	技能
第3学年	(1) [1]や[2]の地理的環境，地域の安全を守るための諸活動や地域の産業と消費生活の様子，[3]について，人々の生活との関連を踏まえて理解するとともに，	[4]，地図帳や各種の具体的資料を通して，必要な情報を調べまとめる技能を身に付けるようにする。
第4学年	(1) 自分たちの[5]の地理的環境の特色，地域の人々の健康と生活環境を支える働きや[6]から地域の安全を守るための諸活動，地域の伝統と文化や地域の発展に尽くした[7]などについて，人々の生活との関連を踏まえて理解するとともに，	
第5学年	(1) 我が国の[8]の地理的環境の特色や産業の現状，[9]と産業の関わりについて，国民生活との関連を踏まえて理解するとともに，	地図帳や地球儀，[10]などの各種の基礎的資料を通して，情報を適切に調べまとめる技能を身に付けるようにする。
第6学年	(1) 我が国の[11]の考え方と仕組みや働き，国家及び社会の発展に大きな働きをした[12]や優れた文化遺産，我が国と関係の深い国の生活やグローバル化する[13]における我が国の役割について理解するとともに，	地図帳や地球儀，統計や[14]などの各種の基礎的資料を通して，情報を適切に調べまとめる技能を身に付けるようにする。

1. 身近な地域
2. 市区町村
3. 地域の様子の移り変わり
4. 調査活動
5. 都道府県
6. 自然災害
7. 先人の働き
8. 国土
9. 社会の情報化
10. 統計
11. 政治
12. 先人の業績
13. 国際社会
14. 年表

〔思考力，判断力，表現力等に関する目標〕

	思考力・判断力	表現力
第3・4学年	(2) 社会的事象の特色や相互の関連，意味を考える力，社会に見られる課題を把握して，その解決に向けて社会への関わり方を**選択・判断**する力，	考えたことや選択・判断したことを**表現**する力を養う。
第5・6学年	(2) 社会的事象の特色や相互の関連，意味を［ 1 ］に考える力，社会に見られる**課題**を把握して，その**解決**に向けて社会への関わり方を選択・判断する力，	考えたことや選択・判断したことを**説明**したり，それらを基に［ 2 ］したりする力を養う。

1. 多角的
2. 議論

〔学びに向かう力，人間性等に関する目標〕

	学びに向かう力，人間性等	愛情や自覚等
第3・4学年	(3) 社会的事象について，［ 1 ］に学習の問題を**解決**しようとする態度や，よりよい社会を考え学習したことを［ 2 ］に生かそうとする態度を養うとともに，	思考や理解を通して，**地域社会**に対する誇りと愛情，［ 3 ］としての自覚を養う。
第5学年		**多角的**な思考や理解を通して，我が国の**国土**に対する愛情，我が国の産業の発展を願い我が国の将来を担う［ 4 ］としての自覚を養う。
第6学年		**多角的**な思考や理解を通して，我が国の歴史や伝統を大切にして国を愛する心情，我が国の将来を担う**国民**としての自覚や［ 5 ］として世界の国々の人々と共に生きることの大切さについての自覚を養う。

1. 主体的
2. 社会生活
3. 地域社会の一員
4. 国民
5. 平和を願う日本人

4．社会科の内容

▶第3学年

(1) 身近な地域や［ 1 ］の様子

内容の取扱い
* 「身近な地域や市区町村の様子」については，学年の導入で扱うこととし，「自分たちの市」に重点を置く。
* 「白地図などにまとめる」際に，「地図帳」を参照し，方位や主な［ 2 ］について扱うこと。

(2) 地域に見られる生産や販売の仕事

内容の取扱い
* 「生産の仕事」では，事例として農家，工場などの中から選択して取り上げること。
* 「販売の仕事」では，商店を取り上げ，「他地域や外国との関わり」を扱う際には，地図帳などを使用して都道府県や国の名称と位置などを調べるようにすること。
* 我が国や外国には［ 3 ］があることを理解し，それを尊重する態度を養うよう配慮すること。

(3) 地域の安全を守る働き

内容の取扱い
* 消防署や警察署などの関係機関が「緊急時に対処する体制をとっていること」と「防止に努めていること」については，火災と事故はいずれも取り上げること。その際，どちらかに重点を置くなど効果的な指導を工夫すること。
* 社会生活を営む上で大切な［ 4 ］やきまりについて扱うとともに，地域や自分自身の安全を守るために自分たちにできることなどを考えたり選択・判断したりできるよう配慮すること。

(4) 市の様子の移り変わり

内容の取扱い
* 「年表などにまとめる」際には，時期の区分について，昭和・平成など元号を用いた言い表し方などがあることを取り上げること。
* 「公共施設」については，市が公共施設の整備を進めてきたことを取り上げること。その際，［ 5 ］の役割に触れること。
* 「人口」を取り上げる際には，［ 6 ］，国際化などに触れ，これからの市の発展について考えることができるよう配慮すること。

1. 市区町村
2. 地図記号
3. 国旗
4. 法
5. 租税
6. 少子高齢化

▶第4学年

(1) 都道府県の様子

(2) 人々の健康や［ 1 ］を支える事業

内容の取扱い
* 現在に至るまでに仕組みが計画的に改善され公衆衛生が向上してきたことに触れること。
* 飲料水，電気，ガスの中から選択して取り上げること。
* ごみ，下水のいずれかを選択して取り上げること。
* 節水や節電など自分たちにできることを考えたり選択・判断したりできるよう配慮すること。
* 社会生活を営む上で大切な法やきまりについて扱うとともに，ごみの減量や水を汚さない工夫など，自分たちにできることを考えたり選択・判断したりできるよう配慮すること。

1. 生活環境

⑶	2 から人々を守る活動
内容の取扱い	* 地震災害，3，風水害，4，雪害などの中から，過去に県内で発生したものを選択して取り上げること。 * 「関係機関」については，県庁や市役所の働きなどを中心に取り上げ，防災情報の発信，避難体制の確保などの働き，自衛隊など国の機関との関わりを取り上げること。 * 地域で起こり得る災害を想定し，日頃から必要な備えをするなど，自分たちにできることなどを考えたり選択・判断したりできるよう配慮すること。

2. 自然災害
3. 津波災害
4. 火山災害

⑷	県内の伝統や文化，5
内容の取扱い	* 県内の主な文化財や年中行事が大まかに分かるようにすること。 * 開発，教育，医療，文化，産業などの地域の発展に尽くした先人の中から選択して取り上げること。 * 地域の伝統や文化の保存や継承に関わって，自分たちにできることなどを考えたり選択・判断したりできるよう配慮すること。

5. 先人の働き

⑸	県内の特色ある地域の様子
内容の取扱い	* 県内の特色ある地域が大まかに分かるようにするとともに，伝統的な技術を生かした地場産業が盛んな地域，国際交流に取り組んでいる地域及び地域の資源を保護・活用している地域を取り上げること。その際，地域の資源を保護・活用している地域については，自然環境，伝統的な文化のいずれかを選択して取り上げること。 * 国際交流に取り組んでいる地域を取り上げる際には，我が国や外国には国旗があることを理解し，それを尊重する態度を養うよう配慮すること。

▶第5学年

⑴	我が国の 1 の様子と国民生活
内容の取扱い	* 「領土の範囲」については，竹島や北方領土，2 が我が国の固有の領土であることに触れること。 * 地図帳や地球儀を用いて，方位，緯度や経度などによる位置の表し方について取り扱うこと。 * 「主な国」については，名称についても扱うようにし，近隣の諸国を含めて取り上げること。その際，我が国や諸外国には国旗があることを理解し，それを尊重する態度を養うよう配慮すること。 * 「自然条件から見て特色ある地域」については，地形条件や気候条件から見て特色ある地域を取り上げること。

1. 国土
2. 尖閣諸島

⑵	我が国の農業や水産業における 3
内容の取扱い	* 食料生産の盛んな地域の具体的事例を通して調べることとし，稲作のほか，野菜，果物，畜産物，4 などの中からひとつを取り上げること。 * 消費者や生産者の立場などから多角的に考えて，これからの農業などの発展について，自分の考えをまとめることができるよう配慮すること。

3. 食料生産
4. 水産物

5. 工業生産

6. 放送・新聞などの産業

7. 自然環境

8. 国土の環境保全

⑶ 我が国の［ 5 ］	
内容の取扱い	＊ 工業の盛んな地域の具体的事例を通して調べることとし，**金属**工業，機械工業，化学工業，食料品工業などの中からひとつを取り上げること。 ＊ 消費者や生産者の立場などから**多角的**に考えて，これからの工業の発展について，自分の考えをまとめることができるよう配慮すること。
⑷ 我が国の産業と情報との関わり	
内容の取扱い	＊ 「［ 6 ］」については，それらの中から選択して取り上げること。その際，情報を有効に活用することについて，情報の**送り**手と**受け手**の立場から**多角的**に考え，**受け手**として正しく判断することや**送り手**として責任をもつことが大切であることに気付くようにすること。 ＊ 情報や情報技術を活用して発展している**販売**，運輸，観光，医療，福祉などに関わる産業の中から選択して取り上げること。その際，産業と国民の立場から**多角的**に考えて，**情報化**の進展に伴う産業の発展や国民生活の向上について，自分の考えをまとめることができるよう配慮すること。
⑸ 我が国の国土の［ 7 ］と国民生活との関連	
内容の取扱い	＊ **地震災害**，津波災害，風水害，火山災害，雪害などを取り上げること。 ＊ **大気の汚染**，水質の汚濁などの中から具体的事例を選択して取り上げること。 ＊ ［ 8 ］について，自分たちにできることなどを考えたり選択・判断したりできるよう配慮すること。

▶第6学年

1. 裁判員制度

⑴ 我が国の政治の働き	
内容の取扱い	＊ 国会などの議会政治や選挙の意味，国会と内閣と裁判所の三権相互の関連，［ 1 ］や**租税**の役割などについて扱うこと。その際，国民としての政治への関わり方について**多角的**に考えて，自分の考えをまとめることができるよう配慮すること。 ＊ 「天皇の地位」については，日本国憲法に定める天皇の**国事**に関する行為など児童に理解しやすい事項を取り上げ，歴史に関する学習との関連も図りながら，天皇についての理解と**敬愛の**念を深めるようにすること。また「国民としての権利及び義務」については，**参政権**，**納税**の義務などを取り上げること。 ＊ 「国や地方公共団体の政治」については，社会保障，自然災害からの**復旧**や**復興**，地域の開発や活性化などの取組の中から選択して取り上げること。 ＊ 「国会」について，国民との関わりを指導する際には，各々の国民の祝日に関心をもち，我が国の**社会**や**文化**における意義を考えることができるよう配慮すること。

⑵ 我が国の歴史上の主な事象

内容の取扱い

* ＊ 児童の興味・関心を重視し，取り上げる人物や文化遺産の重点の置き方に工夫を加えるなど，精選して具体的に理解できるようにすること。
* ＊ 例えば，国宝，重要文化財に指定されているものや，**世界文化遺産**に登録されているものなどを取り上げ，我が国の代表的な［ 2 ］を通して学習できるように配慮すること。
* ＊ 例えば，次に掲げる人物を取り上げ，人物の働きを通して学習できるよう指導すること。
  卑弥呼，聖徳太子，小野妹子，中大兄皇子，中臣鎌足，聖武天皇，行基，鑑真，藤原道長，紫式部，清少納言，平清盛，源頼朝，源義経，北条時宗，足利義満，足利義政，**雪舟**，ザビエル，織田信長，豊臣秀吉，徳川家康，徳川家光，近松門左衛門，歌川広重，本居宣長，杉田玄白，伊能忠敬，ペリー，勝海舟，西郷隆盛，大久保利通，木戸孝允，明治天皇，福沢諭吉，大隈重信，板垣退助，伊藤博文，陸奥宗光，東郷平八郎，**小村寿太郎**，野口英世
* ＊ 「神話・伝承」については，**古事記**，日本書紀，風土記などの中から適切なものを取り上げること。
* ＊ 当時の世界との関わりにも目を向け，我が国の歴史を広い視野から捉えられるよう配慮すること。
* ＊ 年表や絵画など資料の特性に留意した読み取り方についても指導すること。
* ＊ 歴史学習全体を通して，我が国は長い歴史をもち伝統や文化を育んできたこと，我が国の歴史は政治の中心地や世の中の様子などによって幾つかの**時期**に分けられることに気付くようにするとともに，現在の自分たちの生活と**過去の出来事**との関わりを考えたり，**過去の出来事**を基に現在及び将来の発展を考えたりするなど，歴史を学ぶ意味を考えるようにすること。

⑶ ［ 3 ］する世界と日本の役割

内容の取扱い

* ＊ 我が国の**国旗**と**国歌**の意義を理解し，これを**尊重**する態度を養うとともに，諸外国の**国旗**と**国歌**も同様に**尊重**する態度を養うよう配慮すること。
* ＊ 我が国とつながりが深い国から数か国を取り上げること。その際，児童が1か国を選択して調べるよう配慮すること。
* ＊ 我が国や諸外国の**伝統**や**文化**を**尊重**しようとする態度を養うよう配慮すること。
* ＊ 世界の人々と共に生きていくために大切なことや，今後，我が国が**国際社会**において果たすべき役割などを**多角的**に考えたり選択・判断したりできるよう配慮すること。
* ＊ 網羅的，抽象的な扱いを避けるため「**国際連合**の働き」については，［ 4 ］や**ユネスコ**の身近な活動を取り上げること。また「我が国の国際協力の様子」については，**教育**，医療，農業などの分野で世界に貢献している事例の中から選択して取り上げること。

2. 文化遺産

3. グローバル化

4. ユニセフ

2 公民―政治

1.日本国憲法

(昭和21年11月3日公布，昭和22年5月3日施行)

▶日本国憲法の原則と特色

- 主権在民
  - 立法権―[1]…[2]の最高機関
  - [3]権―内閣…法律によって政治を行う
  - [4]権―裁判所…**独立**して裁判を行う
- 基本的人権の尊重
  - [5]権…男女の本質的平等，不合理な差別の廃止
  - 自由権
    - [6]の自由…思想・信条，学問等の自由
    - [7]の自由…奴隷的拘束・苦役からの自由
    - 経済の自由…居住・移転等の自由
  - [8]権…健康で**文化**的な**最低限度**の生活を営む権利
  - [9]権…選挙権，被選挙権，公務員の選定・罷免権
  - [10]権…**請願**の権利，裁判をうける権利
- 平和主義――戦争の放棄，軍隊をもたない，国の交戦権の否定（第9条）

1. 国会
2. 国権
3. 行政
4. 司法
5. 平等
6. 精神
7. 身体
8. 社会
9. 参政
10. 請求

▶国民の三大義務

教育〈第26条〉・[11]〈第27条〉・納税〈第30条〉

11. 勤労

▶憲法改正

改正の発議  国民投票 ➡ 公布

- 改正の発議：衆・参各議院の総議員の**3分の2**以上の賛成で国会が発議
- 国民投票：国民の**過半数**の賛成で承認
- 公布：天皇が国民の名で直ちに公布

☒憲法改正の国民投票制度については，憲法改正国民投票法で規定されている。国民投票の投票権は，平成30年6月21日以後，満18歳以上に改正された。

2.三権分立

▶思想的あゆみ

ロック（1632～1704）…『市民政府二論』

ルソー（1712～1778）…『[1]』

1. 社会契約論

モンテスキュー（1689～1755）…『［ 2 ］』

2. 法の精神

▶三権分立のしくみ

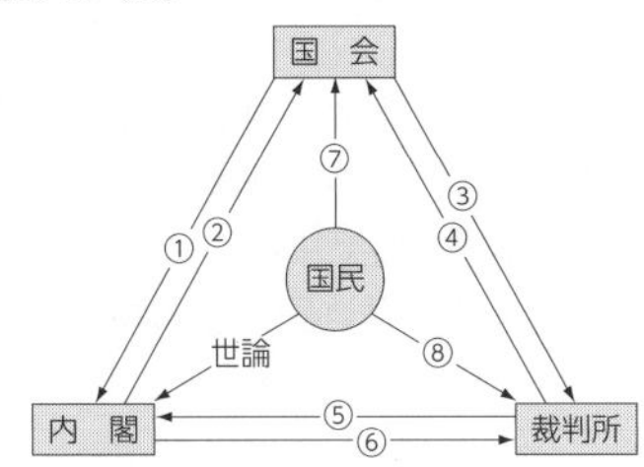

○内閣の**不信任**を決議する［ 3 ］
○最高裁判所長官を**指名**する［ 4 ］
○国会議員を選出する［ 5 ］
○衆議院の**解散**を決定する［ 6 ］
○裁判官の**弾劾裁判**を行う［ 7 ］
○裁判官の**国民審査**を行う［ 8 ］
○違憲立法審査権［ 9 ］
○命令・処分の違憲審査［ 10 ］

3. ①
4. ⑥
5. ⑦
6. ②
7. ③
8. ⑧
9. ④
10. ⑤

3．国　会

▶国会の地位…国会は国権の［ 1 ］であって，国の唯一の［ 2 ］機関である。

1. 最高機関
2. 立法

▶国会の種類

通常国会	年１回，１月に召集。会期**150**日で予算審議が中心。
臨時国会	内閣が必要と認めたとき。いずれかの議院の**総議員**の**４分の１**以上の要求で内閣が決定。会期不定。
特別国会	衆議院解散後**40**日以内に**総選挙**を行い，その日から30日以内に召集。内閣総理大臣の指名。

▶国会のしくみ

	衆議院	参議院
議員数	［ 3 ］人	248人
被選挙権	満［ 4 ］歳以上	満［ 5 ］歳以上
任　期	4年	6年（3年ごとに半数改選）
解　散	あり	なし
選挙区	176人が比例代表区 289人が小選挙区	100人が比例代表区 148人が選挙区

☒選挙権年齢は「満18歳以上」である。
☒衆議院の定数は，10減の465議席に変更された。

3. 465
4. 25
5. 30

2
社会

6. 法律案
7. 予算
8. 条約
9. 内閣総理大臣

▶衆議院の優越　[6]の議決権。[7]の**先議権**。[8]の承認権。[9]の指名。内閣不信任の決議。

▶国会のおもな仕事

①立法の仕事…法律の制定，**条約**の承認，憲法改正の**発議**　②財政の仕事…**予算**の決議，決算の承認　③国務の仕事…内閣総理大臣の**指名**，内閣の信任・**不信任**の決議，国政調査権，裁判官の**弾劾裁判**

4．内　閣

▶**内閣の地位**…行政の最高責任，行政権の行使

▶**議院内閣制**…内閣が国会の信任で成り立ち，**国会**に対し**連帯**して責任を負う。

▶**内閣の総辞職**

①衆議院で内閣不信任案を可決または信任案を否決したとき，[1]日以内に衆議院が**解散**されない限り，**総辞職**をしなければならない。　②衆議院議員の総選挙後の初めての国会召集のとき　③[2]が欠けたとき

▶**内閣の条件**

①内閣総理大臣その他の**国務大臣**は，[3]でなければならない。　②内閣総理大臣は国務大臣を**任命**する。国務大臣の[4]は**国会議員**から選ぶ。

▶**内閣のおもな仕事**

①法律にしたがって国の政治を行う。　②**外交関係**を処理する。　③[5]を作成して国会に提出する。　④**条約**を締結する。　⑤公務員に関する事務を行う。　⑥政令を制定する。　⑦法律案を作成して国会に提出する。　⑧[6]の解散を決定する。　⑨参議院の**緊急集会**を決定する。　⑩[7]の召集を決定する。　⑪各省の仕事を監督する。　⑫国の財政について報告する。　⑬最高裁判所の長官を[8]し，そのほかの裁判官を[9]する。　⑭受刑者に対し**恩赦**を決定する。　⑮天皇の**国事行為**について[10]をし，天皇の**国事行為**に責任を負う。

1. 10
2. 内閣総理大臣
3. 文民
4. 過半数
5. 予算
6. 衆議院
7. 臨時国会
8. 指名
9. 任命
10. 助言と承認

5．裁判所

▶**司法権の独立**…立法・行政から独立

▶**裁判官の任命**

ア．**最高裁判所長官**は，［ 1 ］が指名し，［ 2 ］が任命する。　イ．他の**裁判官**は［ 3 ］が任命する。

▶**裁判官の罷免**

ア．**心身**の故障のため執務不能と裁判で決定される場合　イ．［ 4 ］で罷免される場合　ウ．最高裁判所裁判官は［ 5 ］で罷免を可とされた場合

▶**裁判所の種類**

ア．［ 6 ］裁判所……［ 7 ］の番人・［ 8 ］裁判所。

イ．［ 9 ］裁判所……全国に8か所。

ウ．［ 10 ］裁判所……全国に50か所。

エ．［ 11 ］裁判所……家庭事件・**少年犯罪**の審判。

オ．［ 12 ］裁判所……**軽微**な事件の裁判。

※2005年より知的財産高等裁判所が設置された。

▶**裁判のしくみ**

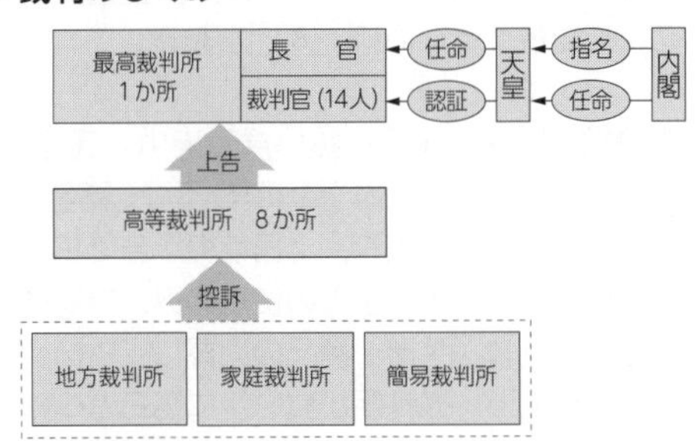

1. 内閣
2. 天皇
3. 内閣
4. 弾劾裁判
5. 国民審査
6. 最高
7. 日本国憲法
8. 終審
9. 高等
10. 地方
11. 家庭
12. 簡易

6．地方自治

▶**地方自治法**……昭和22年制定。地方自治の根本となる法律。

▶**地方自治の本旨**……［ 1 ］，［ 2 ］

「地方自治は，民主主義の**学校**である」……［ 3 ］

▶**住民の権利**……**リコール**，レファレンダム，イニシアチブ

1. 団体自治
2. 住民自治
3. ブライス

※成年年齢を18歳に引き下げることを内容とする「民法の一部を改正する法律」が，2022年4月1日から施行。

2 社会

3 公民―経済・労働・国際

重要度 B ／／／

1. 独占
2. 公定
3. 公共
4. カルテル
5. トラスト
6. コンツェルン
7. 独占禁止法
8. 公正取引委員会
9. 普通
10. 定期
11. 当座
12. 約束
13. 為替
14. 公開市場操作（オープンマーケットオペレーション）
15. 預金準備率操作
16. 引き上げ
17. 引き下げ

1．経　済

▶価格

(1) [1]価格…**売り手**が単独で市場を**独占**する価格。

(2) [2]価格…政府が**統制**して決める価格。

(3) [3]料金…国会の議決や政府・地方自治体の承認が必要な価格。（鉄道・バスの運賃，郵便・電気・ガス料金など）

▶企業の形態

(1) [4]（企業連合）…価格・販路・生産量などの協定。

(2) [5]（企業合同）…同種の企業が１つに**合併**する。

(3) [6]（企業連携）…親会社が資本の力で**持株会社**として各種企業を支配。

○昭和22年，企業の**独占**を防ぐために，[7]を制定した。これを**監視**するために[8]がある。

▶金融

(1) **預金の種類**　[9]預金…払い戻し自由，**低利子**。[10]預金…一定期間（期日）払い戻し不可，**高利子**。通知預金…７日以上預け入れ，２日前の予告で払い戻す。[11]預金…小切手，手形の使用のみ，**無利子**。

(2) 手形の種類　[12]手形…商品の売買に支払い約束をする。[13]手形…売り手が買い手に第三者への支払いを依頼。**遠隔地**への送金に利用。

(3) **金融政策**

政　策	内　容	インフレ	デフレ
[14]	**国債**や手形の売買で短期金融市場の金利を政策金利として誘導し，銀行の**貸出金利**などに影響を与えようとする。	**売りオペ**	**買いオペ**
[15]	市中銀行に預金準備金として預けさせる**割合**を変更し，**貸出額**をコントロールする。	預金準備率 [16]	預金準備率 [17]

☒かつては「公定歩合（改称：基準割引率および基準貸付利率）」の操作が金融政策の中心であった。

①**インフレーション**…商品量に対して**通貨**が**供給過剰**となり，物価が**上昇**し貨幣価値が**下落**。
②**デフレーション**…商品量に対して**通貨**が**過少**となり，物価が**下落**。
③**スタグフレーション**…景気停滞下の物価**上昇**。

▶**財政**

(1) **租税**

ア．所得が多いほど**課税率**が高くなる課税方法を[18]という。所得税，相続税，住民税などにとり入れられ，所得の**再分配**に貢献している。

イ．[19]税…所得税・住民税などのように**納税者**と**税負担者**が同じ。

ウ．[20]税…酒税などのように**納税者**と**税負担者**が異なる。

		直接税	間接税
国税		**法人税**，所得税，[21]税，贈与税など	酒税，揮発油税，[22]税，**消費税**など
地方税	道府県税	事業税，道府県民税，[23]税など	地方消費税，道府県[24]税など
	市町村税	[25]税，市町村民税，軽自動車税など	市町村たばこ税，入湯税など

(2) **財政政策**

①**ビルト・イン・スタビライザー**…**好況**時には税収増加により**歳入**超過と**支出**抑制によって景気を抑制し，**不況**時には**歳出**超過により**公共事業**へ政府資金を投入し景気を刺激して**需要**を創出する。

②**財政投融資**…特殊法人により，[26]等を**源資**として，住宅・生活環境整備，中小企業の事業資金，農林漁業振興などに使われる。

18. 累進課税
19. 直接
20. 間接
21. 相続
22. 関
23. 自動車
24. たばこ
25. 固定資産
(※21.～25.は例)
26. 財投機関債

▶**国民経済**

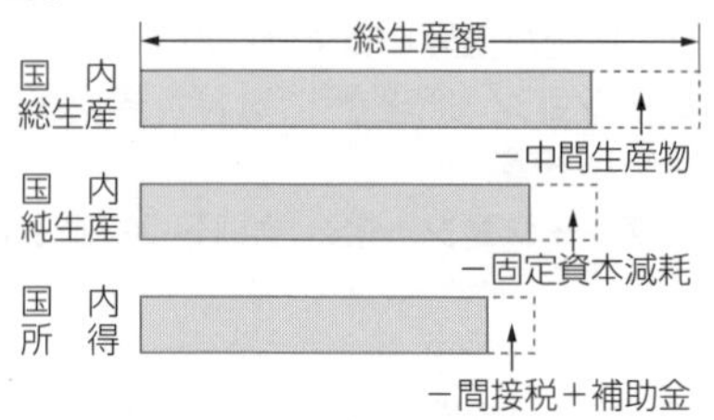

①国内総生産（GDP）…１年間に生産された**生産物**の**総額**から中間生産物を引いたもの。
②国内純生産（NDP）…**国内総生産**から固定資本減耗を引いたもの。
③国内所得（DI）…**国内純生産**から間接税を引き，補助金をたしたもの。

27. 三面等価

［27］の原則…生産民内所得＝分配国民所得＝支出国民所得

▶**世界経済**

○国際収支…一国の一定期間（通常１年）における外国との**取引貨幣額**の収支。

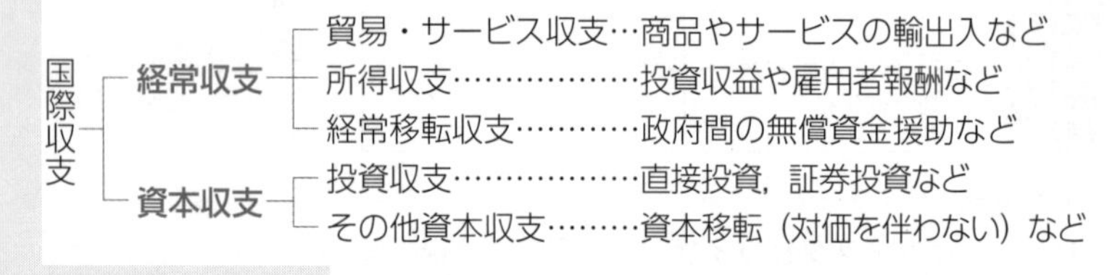

2．労　働

1. 労働組合
2. 労働関係調整
3. 労働基準
4. 団結
5. 団体交渉
6. 団体行動（争議）

▶**労働三法**…［1］法（労働者の地位の向上等），［2］法（労働関係の調整等），［3］法（労働条件の最低基準の明示等）

▶**労働基本権**（労働三権）…［4］権（労働者が**労働組合**をつくる権利），［5］権（団体として**使用者**と**交渉**する権利），［6］権（**ストライキ**などをする権利）

▶**公害の種類**

7. 振動
8. 悪臭

環境基本法（1993）…①**大気汚染**　②**水質汚濁**　③土壌汚染　④騒音　⑤［7］　⑥地盤沈下　⑦［8］

3．国際社会

▶国際連合のしくみ

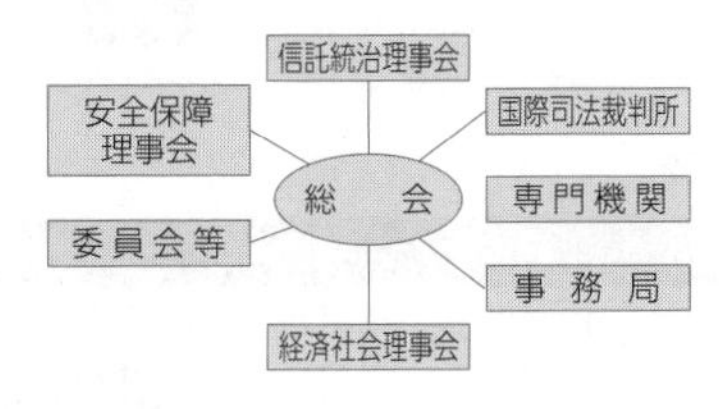

▶国際連盟と国際連合

	成　立	本　部
国際連盟	1920年	ジュネーブ
国際連合	1945年	ニューヨーク

▶安全保障理事会

①常任理事国…米，英，仏，露，［1］。任期なし。

②非常任理事国…総会の**3分の2**以上の多数により選出された**10**か国。毎年5か国ずつ改選，任期2年。〔表決〕手続き事項は9理事国以上の賛成によるが，決議事項については，常任理事国は［2］を持つ。

▶国際関係

ILO	［3］	NATO	［4］
UNESCO	［5］	PFP	［6］
WHO	［7］	EU	［8］
IBRD	［9］	OECD	［10］
IMF	［11］	ASEAN	［12］
WTO	［13］	OPEC	［14］
UNCTAD	［15］	NIES	［16］

▶日本の国際協力

①政府開発援助（ODA）

②国際熱帯木材機関（ITTO）…1986年設置。横浜に事務局。

③国連環境特別委員会…1983年の国連総会で日本が中心になり設置。

1. 中（国）
2. 拒否権
3. 国際労働機関
4. 北大西洋条約機構
5. 国連教育科学文化機関
6. 平和のためのパートナーシップ（協定）
7. 世界保健機関
8. ヨーロッパ連合
9. 国際復興開発銀行
10. 経済協力開発機構
11. 国際通貨基金
12. 東南アジア諸国連合
13. 世界貿易機関
14. 石油輸出国機構
15. 国連貿易開発会議
16. 新興工業経済地域

4 歴　史

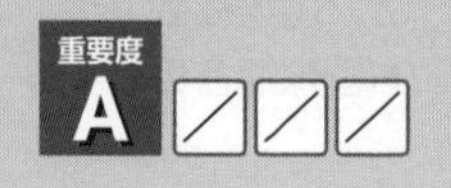

1. 縄文
2. メソポタミア
3. 弥生
4. アレクサンドロス
5. 始皇帝
6. 『後漢書』東夷伝
7. 卑弥呼
8. キリスト教
9. 好太王
10. 西
11. 任那
12. 聖徳太子（厩戸王）
13. 隋
14. 憲法十七条
15. 唐

1. 重要年表

時代・年号		日本史	年号	世界史
縄文	前8000〜	[1]時代…貝塚，土偶	前3000	エジプト文明…ナイル川
				[2]文明…チグリス・ユーフラテス川流域
			前2600	インダス文明…インダス川 モエンジョ=ダーロ
弥生	前3・2C〜	[3]時代…登呂遺跡，農耕集落	前1600	黄河文明…殷，甲骨文明
			前334	[4]大王の東征
	57	倭の奴国王が金印を賜る… [6]	前221	秦の[5]中国統一
			前27	ローマ帝国の成立
	239	邪馬台国の女王[7]，魏に使いを送る。『魏志』倭人伝	67	仏教，中国に伝来
			313	ローマ帝国[8]を公認
			375	ゲルマン民族，大移動
大和	391	ヤマト朝廷（ヤマト政権），百済，新羅を破り高句麗と戦う➡[9]碑文	395	ローマ帝国，東西に分裂
			476	[10]ローマ帝国滅亡
			481	フランク王国建国
	562	[11]日本府滅亡		
飛鳥	593	[12]…推古天皇の摂政となる	589	[13]の中国統一
	603	冠位十二階…人材登用		
	604	[14]制定…「和を以って貴しとなし～」		
			618	[15]建国

時代	年	日本	年	世界	答え
(飛鳥)	607	[16]を隋に派遣(遣隋使)			16. 小野妹子
	645	**大化改新**…[17]と中臣鎌足(なかとみのかまたり)らが蘇我氏を滅亡 ①公地公民 ②[18] ③国郡制度 ④租・庸・調の税制			17. 中大兄皇子 18. 班田収授法
	672	**壬申(じんしん)の乱**…天智(てんじてん)天皇の子大友皇子(おおとものおうじ)と天皇の弟[19]の皇位継承争い	698	満州に渤海(ぼっかい)国成立	19. 大海人皇子
	701	**大宝律令**…文武(もんむ)天皇の命令で[20]らが編さん➡律令制度が整う			20. 藤原不比等
奈良	710	[21]京遷都…元明天皇，唐の**長安**を手本			21. 平城
	723	**三世一身法**(さんぜいっしんのほう)…開墾奨励，公地公民制が崩れはじめる			
	743	[22]法			22. 墾田永年私財
平安	794	[23]京遷都…桓武(かんむ)天皇，律令政治の再建➡令外の官，健児(こんでい)の制	800	[24]大帝，西ローマ皇帝となる	23. 平安 24. カール
	858	藤原[25]，摂政となる	829	イギリス王国の統一	25. 良房
	884	(887)藤原[26]，関白となる	870	フランク王国の三分	26. 基経
	894	[27]…**遣唐使の廃止**	907	唐の滅亡	27. 菅原道真
			960	宋の中国統一	
	1016	**藤原道長**，摂政となる…摂関政治全盛	1038	セルジューク朝の成立	
	1086	[28]上皇…**院政**	1096	**十字軍**（～1270）	28. 白河
	1156	**保元の乱**			
	1159	**平治の乱**			
	1167	平清盛，[29]になる			29. 太政大臣

2 社会

30. 源頼朝

31. 時政

32. 後鳥羽上皇

33. 泰時

34. 時宗

35. 後醍醐

36. 義満

37. 勘合

38. コロンブス

39. 義政

40. ヴァスコ＝ダ＝ガマ

41. マゼラン

42. ザビエル

43. 桶狭間

44. 長篠

時代	年	日本	年	世界
	1185	**壇の浦の戦い**		
鎌倉	1185	守護・地頭の設置		
	1192	[30]，征夷大将軍となる		
	1203	北条[31]，最初の**執権**となる	1206	チンギス＝ハンのモンゴル統一
	1221	**承久の乱**，[32]が倒幕の挙兵	**1215**	**大憲章（マグナ＝カルタ）**の制定(英)
	1232	北条[33]，**御成敗式目（貞永(じょうえい)式目）**の制定		
	1274	文永の役 ┐**元寇**		
	1281	弘安の役 ┘		
		北条[34]		
	1297	永仁の徳政令	1299	マルコ＝ポーロ**『東方見聞録』**，オスマン帝国の成立
	1333	鎌倉幕府の滅亡		
南北朝	1334	**建武の新政**，[35]天皇		
			1368	明の中国統一
	1392	足利[36]…南北朝合一	1392	李氏朝鮮の成立
室町	1404	足利義満，[37]貿易を開始		
	1428	正長の徳政一揆		
			1453	東ローマ帝国滅亡
戦国	1467	**応仁の乱**…足利[39]のとき起きた守護大名の権力争い	1492	[38]がアメリカに到達
			1498	[40]がインドに到達
	1485	山城の国一揆		
	1488	加賀の一向一揆	1517	**ルターの宗教改革**
	1543	**鉄砲伝来（種子島）**	1522	[41]の世界周航
	1549	キリスト教伝来…[42]が鹿児島に上陸	1526	ムガル帝国の成立(印)
	1560	信長，[43]の戦いで今川義元を破る	1558	エリザベス1世即位（英）
	1573	室町幕府滅亡		
	1575	信長，[44]合戦で**武田勝頼**を破る	1581	オランダの独立宣言

時代	年	日本	年	世界
安土桃山	**1588**	秀吉の［45］…一揆防止，兵農分離	1588	イギリス，スペインの無敵艦隊を破る
	1592	文禄の役　秀吉の朝鮮出兵		
	1597	慶長の役		
	1600	［46］の戦い…家康，石田三成の軍を破る		
江戸	1603	家康，［47］になる		
	1614	大坂冬の陣，夏の陣（～15）		
	1615	**徳川秀忠，**［48］制定…大名統制令		
	1635	**徳川家光，**［49］制度化		
	1637	［50］の乱…天草四郎を中心としたキリスト教徒らの一揆		
	1639	**徳川家光，**［51］の来航禁止（鎖国の完成）	1642	［52］革命（英）（～49）
	1649	家光，［53］の発布…農民の心得	1644	清の中国統一
			1688	［54］革命（～89）（英）
	1715	**新井白石**…［55］令	1689	権利の章典（英）
	1716	**享保の改革**…8代将軍［56］		
	1787	**寛政の改革**…老中［57］	**1776**	**アメリカ独立宣言**
	1792	根室に**ラクスマン**来航	1789	［58］革命
	1804	長崎に**レザノフ**来航	1804	ナポレオン皇帝となる
	1808	フェートン号事件	1814	**ウィーン会議**
	1825	［59］令		
	1837	［60］の乱…天保の飢饉による貧民救済のため	1840	［61］戦争（英vs.中）
	1841	**天保の改革**…老中［62］	1851	**太平天国**の乱…洪秀全
	1853	**ペリー**［63］に来航	1853	クリミア戦争
	1854	［64］条約	1857	［65］の大反乱（印）

45. 刀狩
46. 関ヶ原
47. 征夷大将軍
48. 武家諸法度
49. 参勤交代
50. 島原
51. ポルトガル船
52. ピューリタン
53. 慶安の触書
54. 名誉
55. 長崎新
56. 徳川吉宗
57. 松平定信
58. フランス
59. 異国船打払
60. 大塩平八郎
61. アヘン
62. 水野忠邦
63. 浦賀
64. 日米和親
65. シパーヒー

66. 日米修好通商
67. 井伊直弼（いいなおすけ）
68. 吉田松陰
69. 大政奉還
70. 版籍奉還
71. 廃藩置県
72. 板垣退助
73. 西南戦争
74. 自由
75. ドイツ（プロイセン）
76. 治外法権
77. 東学
78. 下関
79. 義和団

時代	年	日本	年	世界
（江戸）	1858	[66]条約… [67]とハリス 安政の大獄, [68]ら処罰		
	1860	桜田門外の変　井伊直弼暗殺	1861	**南北戦争**(米)(～65)
	1862	生麦事件 ⬇		
	1863	薩英戦争　外国船砲撃事件 ⬇	1863	リンカン大統領**奴隷解放宣言**
	1864	四国艦隊下関砲撃事件		
	1867	[69]…**徳川慶喜**		
明治	1868	**五箇条の誓文**…明治政府の基本方針		
	1869	[70]		
	1871	[71]	1871	ドイツ帝国成立
	1873	**地租改正**…地価の３％を現金で		
	1874	民撰議院設立の建白書…[72]ら藩閥政治に反対		
	1877	[73]…**西郷隆盛**を擁して挙兵		
	1880	集会条例，国会期成同盟		
	1881	国会開設の詔 [74]党結成…**板垣退助**	1882	**三国同盟**成立（ドイツ・オーストリア・イタリア）
	1889	大日本帝国憲法…**伊藤博文**，[75]憲法を手本		
	1894	日英通商航海条約…**陸奥宗光**，[76]の撤廃 **日清戦争**	1894	甲午農民戦争，[77]の乱（朝鮮）…日清戦争のきっかけ
	1895	[78]条約　全権…伊藤博文，陸奥宗光—李鴻章	1900	[79]事件

時代	年	日本	年	世界
(明治)	1900	**治安警察法**…労働争議をおさえるため		
	1902	[80]同盟…ロシア南下に対抗		
	1904	**日露戦争**		
	1905	[81]条約…T・ローズヴェルトの仲介　全権…[82]ーウィッテ	1907	**三国協商**成立（イギリス・フランス・ロシア）
	1910	**大逆事件**…片山潜，**幸徳秋水**ら社会主義者を捕らえ，処罰		
	1911	[83]の回復…**小村寿太郎**	1911	[84]革命…孫文
大正	1915	**二十一カ条の要求**	1914	**第一次世界大戦**
			1917	[85]革命
	1918	**米騒動**，寺内内閣は倒れ，[87]内閣誕生	1919	[86]条約
			1920	[88]…**ウィルソン**の提案
	1923	**関東大震災**	1921	**ワシントン会議**(～22) 主力艦制限，**四カ国，九カ国条約**
	1925	**普通選挙制**…[89]歳以上の男子に選挙権 **治安維持法**…社会主義の高まりを警戒		
昭和	1928	**張作霖爆殺事件**	1929	**世界恐慌**
	1931	[90]…日本の満州侵略，満州国の成立⬅**柳条湖事件**がきっかけ		
	1932	[91]事件…海軍青年将校，**犬養毅**首相を殺害		
	1933	国際連盟脱退…**松岡洋右**		
	1936	[92]事件…陸軍青年将校，**高橋是清**，**斎藤実**を殺害		
	1937	[93]…日本の華北侵略⬅**盧溝橋事件**がきっかけ		

80. 日英
81. ポーツマス
82. 小村寿太郎
83. 関税自主権
84. 辛亥
85. ロシア
86. ヴェルサイユ
87. 原 敬
88. 国際連盟
89. 25
90. 満州事変
91. 五・一五
92. 二・二六
93. 日中戦争（日華事変）

94. ポツダム

95. サンフランシスコ

時代	年	日本	年	世界
（昭和）	1938	国家総動員法	**1939**	**第二次世界大戦**（～45）
	1940	大政翼賛会成立		
	1945	[94] 宣言受諾	1945	ヤルタ会談…ドイツ処理 ソ連の対日参戦
	1951	[95] 平和条約…日本の独立回復		
	1956	日ソ共同宣言…国際連合加盟		
	1964	第18回オリンピック（1964／東京）		
	1971	沖縄返還協定。環境庁発足		
	1972	日中国交正常化		
	1973	**オイルショック**	1980	イラン・イラク戦争（～1988）
	1978	日中平和友好条約		
平成	1991	湾岸戦争	1990	東西ドイツの統一，コメコン・ワルシャワ条約機構解体
	1992	PKO協力法成立	1991	**ソ連邦**崩壊，独立国家共同体（CIS）結成
	1993	自民党長期政権崩壊，米作柄戦後最大の凶作	1993	イスラエルとPLO暫定自治協定調印，欧州連合条約発効
			1994	南アで黒人政権誕生
	1995	**阪神・淡路大震災**	1995	世界貿易機関発足
	2001	中央省庁再編	2001	米国同時多発テロ
	2002	日朝平壌宣言	2003	**イラク戦争**
	2004	新潟中越地震	2004	スマトラ沖地震及びインド洋津波
	2006	教育基本法改正	2008	リーマン・ショック（世界的金融危機），米大統領に初のアフリカ系アメリカ人バラク・オバマ氏当選
	2011	東日本大震災	2010	チュニジアでジャスミン革命（アラブの春）
	2015	選挙権18歳以上に引き下げ(改正公職選挙法成立)，安全保障関連法が成立		
	2016	熊本地震	2018	**環太平洋パートナーシップ**に関する包括的及び先進的な協定（**TPP11協定**）発効
	2018	平成30年7月豪雨，北海道胆東部地震		
	2019	天皇生前退位	2019	カタールが石油輸出国機構（OPEC）脱退

令和	2019	幼児教育・保育無償化（改正子ども・子育て支援法案成立。同年10月施行）	2019	米国が中距離核戦力（INF）全廃条約離脱
	2020	親権者等のしつけに際する[96]禁止（児童福祉法等改正施行）	2020	イギリスEU離脱，新型コロナウイルス感染症パンデミック
	2021	小学校（義務教育学校の前期課程を含む）の学級編制の標準を**35**人に引き下げを順次実施開始，東京2020オリンピック・パラリンピック競技大会		
	2022	成年年齢が18歳に引き下げ，「**生徒指導提要**」（文部科学省）全面改訂，小学校高学年への[97]導入開始，生成AI（人工知能）の注目度急増。	2022	トンガ王国火山噴火，ロシアが**ウクライナ**に軍事侵攻，インド太平洋経済枠組み（IPEF）発足，英国の女王エリザベス2世死去
	2023	**こども家庭庁**設置，こども基本法施行，新型コロナウイルス感染症5類に*[1]，G7広島サミット，**PISA**（国際的な学習到達度調査）2022結果で日本が世界トップレベルに。	2023	トルコ・シリアでM7.8の大地震，**フィンランド**がNATO加盟
	2024	能登半島地震，2024年度から小・中学校等を対象に[98]の本格的導入開始（小学校**5**年生～中学校**3**年生，**英語**から）。	2024	**スウェーデン**がNATO加盟。

96. 体罰

97. 教科担任制

※1　学校保健法施行規則第18条で，学校において予防すべき感染症の第二種。

98. デジタル教科書

2．日本文化史

飛鳥時代　6世紀末から大化改新のころまで

①最初の仏教文化　**②ギリシア文化の影響**

▶建築　[1]…現存する世界最古の木造建築，柱のふくらみ（**エンタシス**）にギリシア建築の影響。聖徳太

1. 法隆寺

子（厩戸王（うまやとおう））が建立と伝える。

▶彫刻 『[2]』…鞍作鳥（くらつくりのとり）（止利仏師）の作，『法隆寺百済観音像』，『中宮寺半跏思惟像』

▶絵画 密陀絵（曇徴（どんちょう））

▶工芸 『玉虫厨子（たまむしのずし）』（法隆寺），『天寿国繡帳』（中宮寺）

白鳳文化 大化改新～平城遷都まで

①貴族中心の仏教文化　②初唐文化の影響

▶建築 [3]

▶絵画 [4]➡アジャンタ壁画，**高松塚古墳壁画**

天平文化 8世紀の[5]天皇を中心とした奈良時代の文化

①国際色豊かな貴族中心の仏教文化

②盛唐文化の影響

▶建築 唐招提寺…[6]の創建，東大寺法華堂，[7]…**校倉造（あぜくらづくり）**

▶彫刻 『東大寺日光・月光菩薩像』 乾漆像…[8]…三面六臂（3つの顔と6本のひじ）

▶絵画 『正倉院鳥毛立女屛風』，『薬師寺吉祥天像』

▶書物 『[9]』…日本最古の歴史書，稗田阿礼（ひえだのあれ）が語り太安万侶（おおのやすまろ）が記録『**日本書紀**』…舎人親王（とねりしんのう）らが編集した日本最古の勅撰歴史書『[10]』…日本最古の歌集，大伴家持（おおとものやかもち），柿本人麻呂（かきのもとのひとまろ），山上憶良（やまのうえのおくら）ら『風土記（ふどき）』

平安初期（弘仁・貞観）文化 9世紀

密教の影響を受けた日本独自の文化

[11]（伝教大師）…**天台宗**，比叡山延暦寺

[12]（弘法大師）…**真言宗**，高野山金剛峯寺

三筆…嵯峨天皇，[13]，橘逸勢（たちばなのはやなり）

国風文化 10世紀中頃，平安中期の摂関政治のころ

①優美な貴族文化　②唐風文化を消化

③かな文字の発達

▶建築 [14]…藤原[15]が宇治に建てた阿弥陀堂

寝殿造…平安時代の貴族の邸宅様式

▶工芸 『平等院鳳凰堂阿弥陀如来像』…[16]造…定朝（じょうちょう）

▶絵画 大和絵，『源氏物語絵巻』，『鳥獣戯画』

三蹟（さんせき）…[17]，藤原佐理，藤原行成

▶書物 『[18]』…**紀貫之（きのつらゆき）**ら，『土佐日記』…**紀貫之**

『[19]』…**清少納言**，『[20]』…**紫式部**

2. 法隆寺金堂釈迦三尊像
3. 薬師寺東塔
4. 法隆寺金堂壁画
5. 聖武
6. 鑑真
7. 正倉院宝庫
8. 興福寺阿修羅像
9. 古事記
10. 万葉集
11. 最澄
12. 空海
13. 空海
14. 平等院鳳凰堂
15. 頼通
16. 寄木
17. 小野道風
18. 古今和歌集
19. 枕草子
20. 源氏物語

浄土教　空也，源信…『**往生要集**』

鎌倉文化　12世紀末～14世紀初期

①公家と武士の二元文化

②禅宗など宋，元文化の影響

▶建築　[21]…**天竺様**　**円覚寺舎利殿**(えんがくじしゃりでん)…**唐様**(からよう)

▶彫刻　『[22]』…**運慶・快慶**

▶絵画　『源頼朝像』(似絵(にせえ))…藤原隆信　『蒙古襲来絵詞(もうこしゅうらいえことば)』(絵巻物)

▶書物　『[23]』…後鳥羽上皇の命によって[24]らが編集

『金槐和歌集(きんかいわかしゅう)』…源実朝の歌集，万葉調。『平家物語』(軍記物)，『**方丈記**』…鴨長明，『[25]』…兼好法師，『愚管抄(ぐかんしょう)』(歴史書)…**慈円**(じえん)

● Reference

浄土宗	法然…『選択本願念仏集(せんちゃくほんがんねんぶつしゅう)』		…専修念仏の教え，「南無阿弥陀仏」
浄土真宗	親鸞…『教行信証』		…悪人正機説，弟子唯円の『歎異抄(たんにしょう)』
日蓮宗	日蓮…『立正安国論』		…辻説法によって他宗を攻撃
時宗	一遍		…踊念仏をすすめる。遊行上人
臨済宗	栄西…『興禅護国論』	禅宗	…幕府の保護をうける（五山）
曹洞宗	道元…『正法眼蔵』	禅宗	

室町時代　14世紀～15世紀

①融合した一元的文化　**②文化の庶民化**

北山文化…足利[26]，金閣（**鹿苑寺**(ろくおんじ)）

東山文化…足利[27]，銀閣（**慈照寺**）

▶建築　[28]…現代の日本住宅のもととなる

[29]…龍安寺石庭

▶絵画　**水墨画**『秋冬山水図』…[30]『瓢鮎図』…如拙

▶連歌　『新撰菟玖波集(しんせんつくばしゅう)』…[31]　俳諧連歌…**山崎宗鑑**

▶能楽　『[32]』…**世阿弥元清**

▶茶の湯　**村田珠光**

▶[33]…『一寸法師』『浦島太郎』など

(安土・) 桃山文化　16世紀末（信長，秀吉）

城郭を中心とする豪華絢爛な文化

▶建築　[34]…秀吉が大内裏のあとに建てた邸宅

▶絵画　**障壁画**　『唐獅子図屏風(からじしずびょうぶ)』『洛中洛外図屏風』…[35]

▶茶道　[36]…茶道の大成者

21. 東大寺南大門
22. 東大寺南大門金剛力士像
23. 新古今和歌集
24. 藤原定家
25. 徒然草
26. 義満
27. 義政
28. 書院造
29. 枯山水(かれさんすい)
30. 雪舟
31. 宗祇
32. 風姿花伝（花伝書）
33. 御伽草子(おとぎぞうし)
34. 聚楽第
35. 狩野永徳
36. 千利休

▶**阿国**(おくに)歌舞伎

寛永文化　17世紀（江戸時代初期：寛永期前後）

▶建築　日光東照宮（権現造），数寄屋造（[37]）

▶絵画　俵屋宗達『風神雷神図屏風』，本阿弥光悦（蒔絵）

▶学問……朱子学／[38]，林羅山

元禄文化　17世紀～18世紀初期，徳川[39]の時代

①上方中心の町人文化　②現実的で合理的

▶絵画　尾形光琳『燕子花図屏風』(かきつばたずびょうぶ)，菱川師宣(ひしかわもろのぶ)『[40]』

▶書物　[41]（浮世草子）『日本永代蔵』『世間胸算用』，**松尾芭蕉**…[42]『奥の細道』，**近松門左衛門**『曽根崎心中』『心中天の網島』，新井白石『読史余論』

▶学問　朱子学…南学－山崎闇斎（垂加神道）

陽明学…**中江藤樹**，熊沢蕃山

古学…[43]，伊藤仁斎，荻生徂徠(おぎゅうそらい)

化政文化　18世紀末～19世紀初期，徳川[44]の時代

①江戸中心の町人文化

②退廃的で風刺や皮肉が流行

▶美術　喜多川歌麿，東洲斎写楽，[45]『**富嶽三十六景**』，歌川広重『[46]』

▶書物　洒落本〔山東京伝〕，滑稽本〔**式亭三馬**『浮世風呂』，**十返舎一九**(じっぺんしゃいっく)『[47]』〕，人情本〔為永春水『春色梅児誉美』(しゅんしょくうめごよみ)〕，読本〔滝沢馬琴『[48]』〕，俳諧〔与謝蕪村，[49]〕

▶学問　国学…荷田春満(かだのあずままろ)，賀茂真淵(かものまぶち)，[50]…『**古事記伝**』，**平田篤胤**

洋学…[51]『采覧異言』『**西洋紀聞**』

前野良沢・**杉田玄白**『[52]』

3．史　料

▶夫れ楽浪海中に倭人有り，分かれて百余国を為す。歳時を以て来り献見すと云う。　出典名[53]　世紀[54]

▶一に曰く，和を以て貴しとなし，……二に曰く，篤く三宝を敬へ。……三に曰く……　出典名『[55]』関連人物[56]

▶大業三年，其の王多利思比孤，使を遣して朝貢す。

37. 桂離宮
38. 藤原惺窩
39. 綱吉
40. 見返り美人図
41. 井原西鶴
42. 正風（蕉風）
43. 山鹿素行(やまがそこう)
44. 家斉(いえなり)
45. 葛飾北斎
46. 東海道五十三次
47. 東海道中膝栗毛(とうかいどうちゅうひざくりげ)
48. 南総里見八犬伝
49. 小林一茶
50. 本居宣長
51. 新井白石
52. 解体新書
53. 『漢書』地理志
54. 紀元前1世紀
55. 憲法十七条
56. 聖徳太子（厩戸王）

……日出づる処の天子，書を日没する処の天子に致す。恙無きや云々と。帝（煬帝），之を覧て悦ばず…… 『隋書』倭国伝　年代[57]　使者[58]

▶新たに溝池を造り，開墾を営む者あらば……給して三世に伝へしめん。　年代[59]　法令[60]

▶今より以後は，任に私財と為し，三世一身を論ずること無く，咸悉に永年取る莫れ。　年代[61]　法令[62]

▶善人なをもちて往生をとぐ，いはんや悪人をや。　出典名『[63]』　著者[64]

▶此比(このごろ)都ニハヤル物。夜討，強盗，謀綸旨(にせりんじ)。
出典名[65]　[66]の新政　天皇[67]

▶日本准三后道義，書を大明皇帝陛下に上る。日本国開闢以来，聘問を上邦に通ぜざるなし。
年代[68]　将軍[69]　貿易方法[70]

▶諸国百姓，刀，脇指，弓，やり，てつはう，其の外武具のたぐひ所持候事，堅く御停止(ちょうじ)候。
年代[71]　法令名[72]　関連人物[73]

▶日本は神国たるところ，きりしたん国より邪法を授け候儀，太(はなは)だ以て然るべからず候事。
年代[74]　法令名[75]　関連人物[76]

▶一，朝おきを致し，朝草を苅り，昼は田畑耕作にかゝり，晩には縄をない，たわらをあみ……
年代[77]　将軍[78]

▶御旗本に召置かれ候御家人……これに依り在江戸半年充御免成され……
年代[79]　法令名[80]　将軍[81]

▶御料所より私料の方高免の土地多く……江戸・大坂最寄御取締りのため上知……　法令名[82]←ⓐ

▶其方共儀これまで年々金壱万弐百両，冥加上納致し来候処。　法令名[83]←ⓑ

▶上記ⓐ・ⓑの関連人物[84]

57. 607年
58. 小野妹子
59. 723年
60. 三世一身法
61. 743年
62. 墾田永年私財法
63. 歎異抄(たんにしょう)
64. 唯円(ゆいえん)
65. 二条河原の落書
66. 建武
67. 後醍醐天皇
68. 1401年
69. 足利義満
70. 勘合貿易
71. 1588年
72. 刀狩令
73. 豊臣秀吉
74. 1587年
75. 伴天連追放令(ばてれんついほうれい)
76. 豊臣秀吉
77. 1649年
78. 徳川家光
79. 1722年
80. 上げ米の制
81. 徳川吉宗
82. 上知令
83. 株仲間解散令
84. 水野忠邦

5 地　理

1. メルカトル図法
2. モルワイデ図法
サンソン図法
3. 正距方位図法
4. グード（ホモロサイン）図法

1．地図の種類

◇次のような特徴を持つ図法を答えなさい。

(ア) [1]…緯線と経線が**直角**に交わり，**航海図**に利用される。2点間を結ぶ直線は**等角航路**である。

(イ) [2]…緯線は**直線**，経線は**曲線**で**面積**は正しいが両端の形はゆがむ。世界図や分布図に利用される。（2つ）

(ウ) [3]…図の**中心**からの距離・方位は正しく，図の**中心**からの直線は最短コースであり**大圏航路**である。**航空図**に利用される。

(エ) [4]…(イ)の2つの図法を合わせたもの。

1. 100
2. 20
3. 50
4. 10

2．地 形 図

◇等高線の種類

縮尺＼種類	計曲線	主曲線
5万分の1	[1]mごと	[2]mごと
2万5千分の1	[3]mごと	[4]mごと

1. 千島
2. 日本

3．日本地理

◇次の空欄をうめなさい。

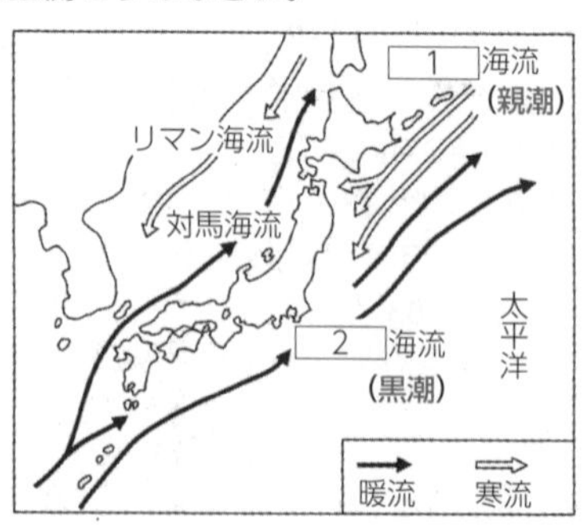

◇次の(1)〜(5)に示す気候を，下図の㋐〜㋔の中から選びなさい。

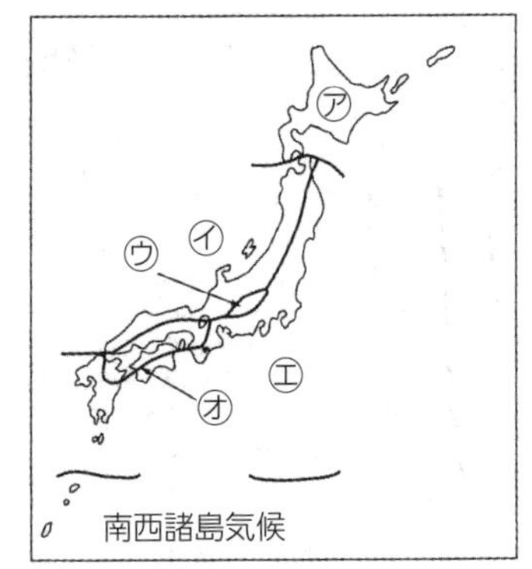

(1) **年間降水量**は少なく，低温で夏はすずしい。…[3]

(2) **年間降水量**が多く，冬は乾燥する。…[4]

(3) 温暖で雨が少なく，晴れの日が多い。…[5]

(4) 夏は高温で湿度が高く，冬は雪が多い。…[6]

(5) 気温の較差が大きく，雨が少ない。…[7]

3. ㋐
4. ㋓
5. ㋔
6. ㋑
7. ㋒

北海道

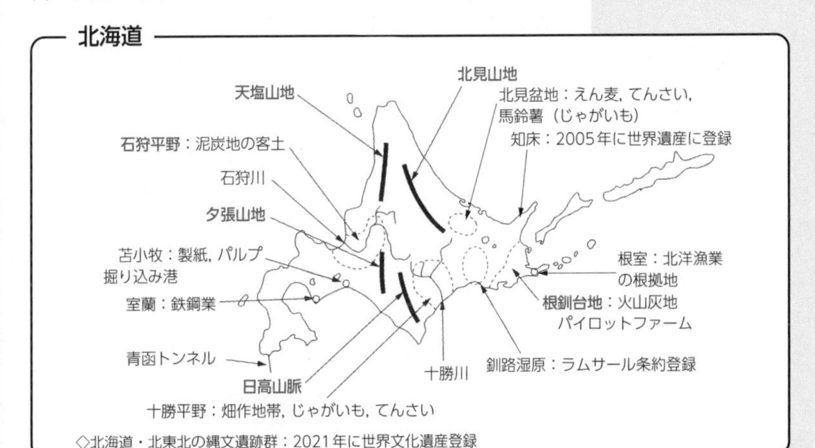

◇北海道・北東北の縄文遺跡群：2021年に世界文化遺産登録

◇**200カイリ**…**水産資源**の保護のため，[8]年7月から，わが国も領海を3カイリから**12**カイリに拡大し，200カイリ**排他的経済水域**を実施した。

8. 1977

◇**北方領土**…択捉島，国後島，色丹島，**歯舞群島**

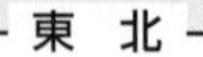

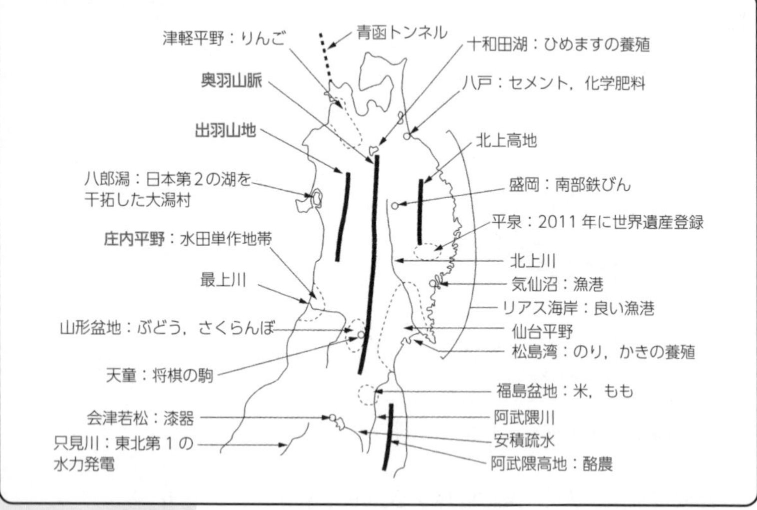

9\. やませ

◇[9]…**東北**，**北海道**地方に吹く，**初夏**の北東風。冷たく湿気をおびており，**冷害**の原因となる。

10\. 潮目

◇[10]…**暖流**と**寒流**が出合う地点で，魚の種類が多く良い漁場となっている。**三陸沖**は有名。

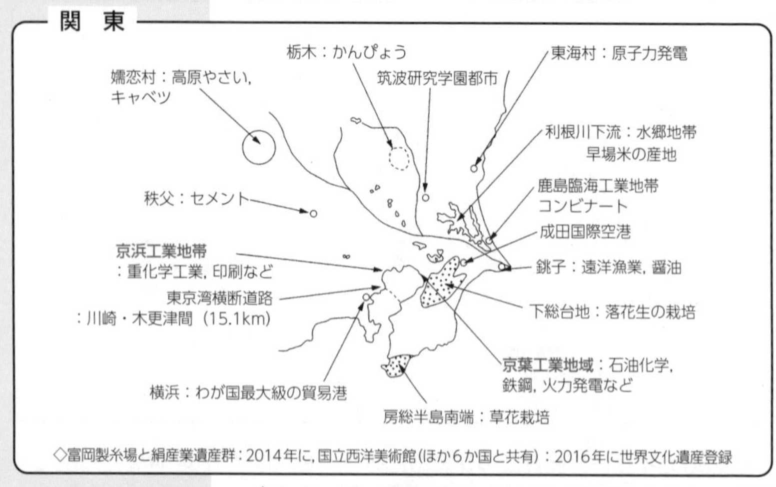

◇からっ風…**関東平野**一帯に吹く**乾燥**した冷たい北西**季節風**。農家の屋敷林。

11\. 関東ローム層

◇[11]…**関東地方**をおおう赤土。

中　部

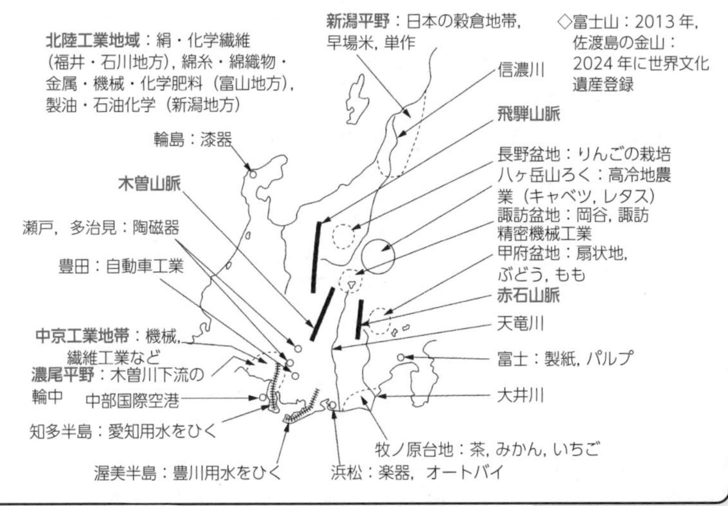

◇[12]…かつて**水害**を防ぐために，周囲を**堤防**で囲んだ地域。木曽川，長良川，揖斐川の下流が有名で，**稲作**が盛んである。

12. 輪中（わじゅう）

近　畿

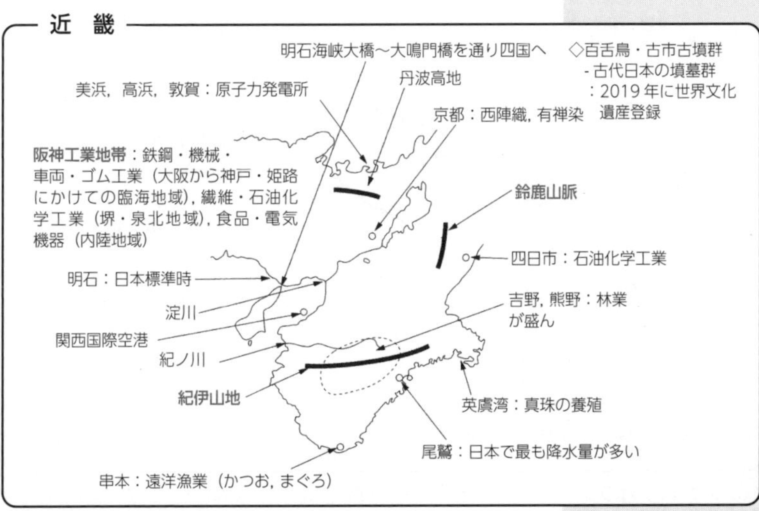

◇[13]…**地下水**や**天然ガス**を大量にくみあげるため，土地の表面が**沈下**すること。

13. 地盤沈下

中国・四国

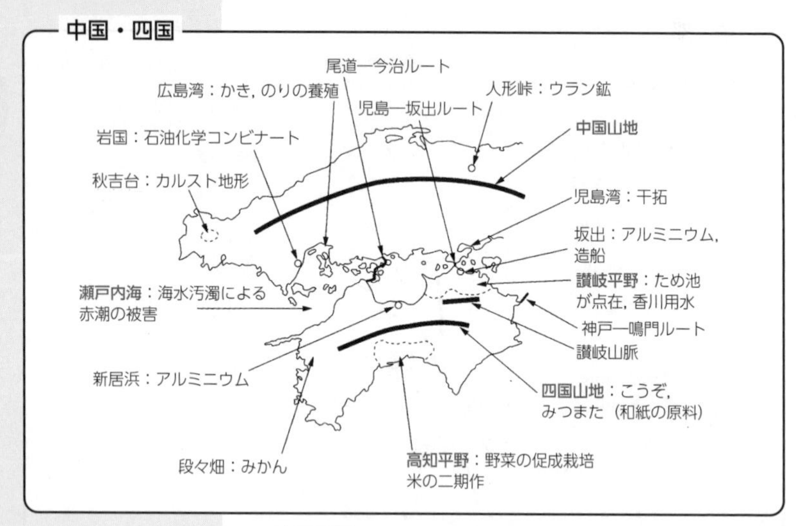

14. 赤潮

◇［14］…海岸部でプランクトンが異常発生して海が赤くなる現象。

15. 過疎

◇［15］…人口の流出で，極端に人口が減ること。

九　州

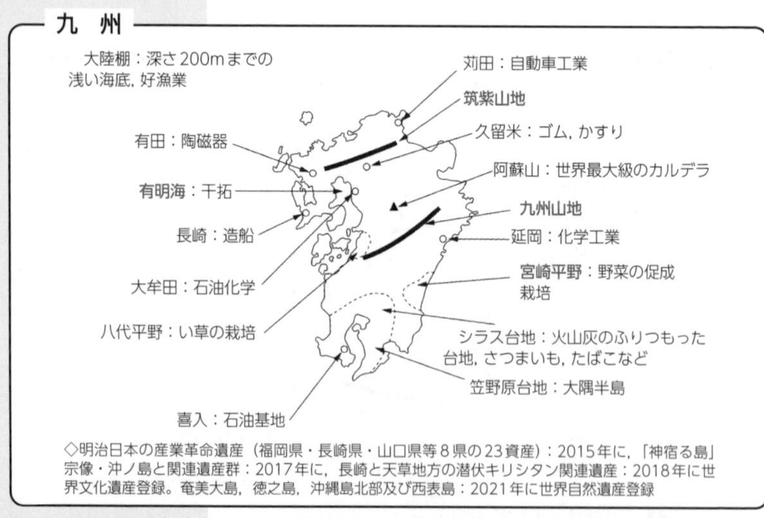

◇明治日本の産業革命遺産（福岡県・長崎県・山口県等8県の23資産）：2015年に，「神宿る島」宗像・沖ノ島と関連遺産群：2017年に，長崎と天草地方の潜伏キリシタン関連遺産：2018年に世界文化遺産登録。奄美大島，徳之島，沖縄島北部及び西表島：2021年に世界自然遺産登録

16. シリコンアイランド

◇［16］…IC（集積回路）を中心とした電子関係企業が九州に集中しだしたことから，アメリカのシリコンバレーにちなんで命名された。

17. 沖縄

◇［17］…1972年本土復帰。農業は，さとうきび，パイナップルなど。

4．世界地理

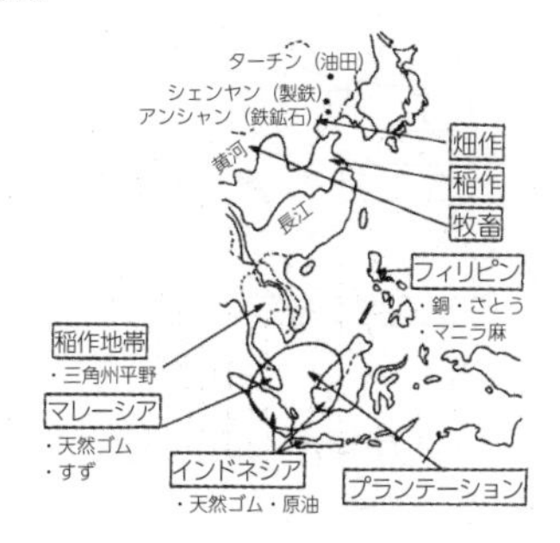

▶農牧業　中国…生産責任制。東北・華北は［ 1 ］作，**華中・華南**は米作。東南アジア…インドネシア半島の米作・木材。

▶鉱工業　中国…原油，石炭・鉄鉱石・亜鉛・すず，セメントなど。シェンヤン中心に重化学工業地帯。タイ…天然ゴム。インドネシア…［ 2 ］・天然ガス。台湾…ノートパソコン。

▶関連事項　フーシュンの石炭。［ 3 ］の鉄鉱石。華僑が活躍。ASEAN。プランテーション。香港・シンガポールは**中継貿易**が盛ん。

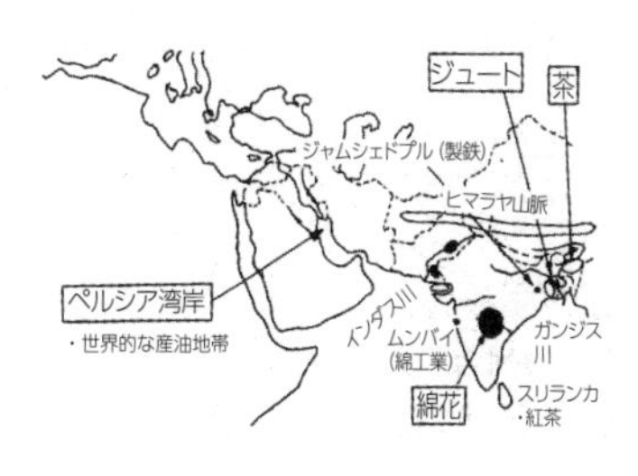

▶農牧業　インド…米，［ 4 ］，小麦，綿花。西アジア…**ステップ**の遊牧と**オアシス**の農業。（乾燥地帯では，**オアシス農業**）

▶鉱工業　ペルシャ湾岸…世界最大の産油地帯。

▶関連事項　カースト制。［ 5 ］教徒が多い。パレスチナ暫定自治協定。

1. 畑
2. すず
3. アンシャン
4. ジュート
5. イスラム

2 社会

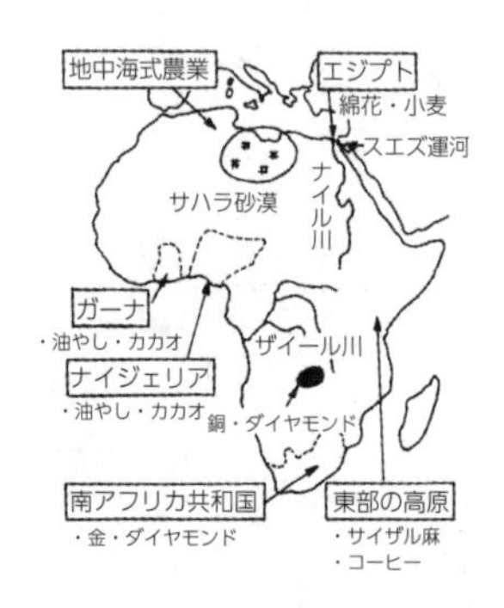

▶農牧業　北アフリカ…**ナイル川**流域の**三角州**で綿花，小麦，米の栽培。中南アフリカ…ガーナ，コートジボワールは［ 6 ］の世界的産地。東部の高原では**サイザル麻**などの生産。

▶鉱工業　**サハラ砂漠**奥地で，油田開発。南アフリカ共和国の金・ダイヤモンド・クロム鉱。［ 7 ］のダイヤモンド。ザンビアの**銅**。ボツワナのダイヤモンド。ギニアの**ボーキサイト**。

▶関連事項　エジプトで**アスワンハイダム**。南アフリカ共和国の［ 8 ］の廃止と国際社会への復帰。黒人主導の政治へ。

6. カカオ豆
7. コンゴ民主共和国
8. アパルトヘイト

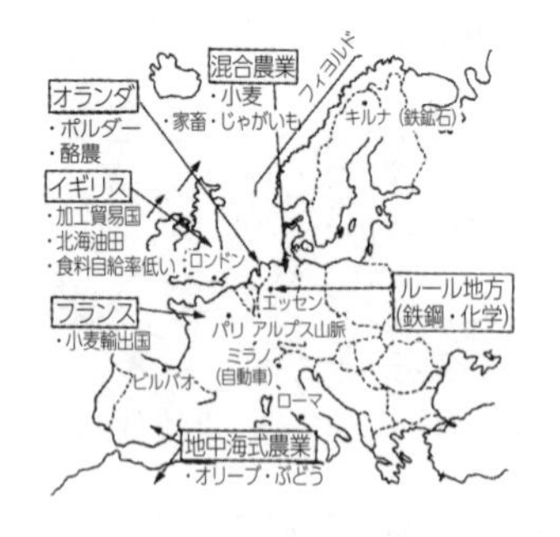

▶農牧業　フランス…農業国。**小麦**の輸出。ドイツ…**食料作物**と**飼料作物**を組み合わせた［ 9 ］。スイス…季節により垂直移動する［ 10 ］。オランダ…［ 11 ］で酪農と園芸農業［ 12 ］。南ヨーロッパ…気候を利用した［ 13 ］農業。

9. 混合農業
10. 移牧
11. ポルダー
12. チューリップ
13. 地中海式

▶鉱工業　**ロレーヌ**地方の重化学工業。[14]地方の重化学工業。精密機械。イギリス…**バーミンガム**の**鉄鋼業**。[15]油田の開発。北ヨーロッパ…製紙工業。

14. ルール

15. 北海

▶関連事項　ユーロトンネル。EU諸国と日本の貿易摩擦。EUによる経済的協力。単一通貨Euro（2002年1月より）。

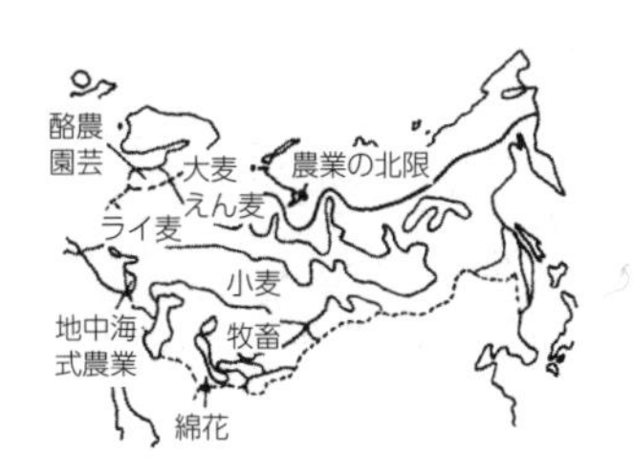

▶農牧業　ウクライナの**黒土地帯**は世界的[16]の産地。カザフスタンやウズベキスタンの[17]栽培。

16. 小麦

17. 綿花

▶鉱工業　鉄鉱石・石油の世界的産地。ドニエプル，ウラル，バクーなどの原料と燃料と動力とを組み合わせた**コンビナート**の建設。

▶関連事項　1991年**ソ連邦**崩壊。92年に88主体が連邦条約に調印。

▶農牧業　アメリカ…大規模な機械化農業。中央平原に，綿花，小麦，とうもろこし地帯。適地適作。カナダ…林産物・食料を輸出。

▶鉱工業　大西洋岸から**五大湖**南岸が世界最大の工業地帯。ニッケルの世界的産地。

▶関連事項　世界の政治経済の中心国。

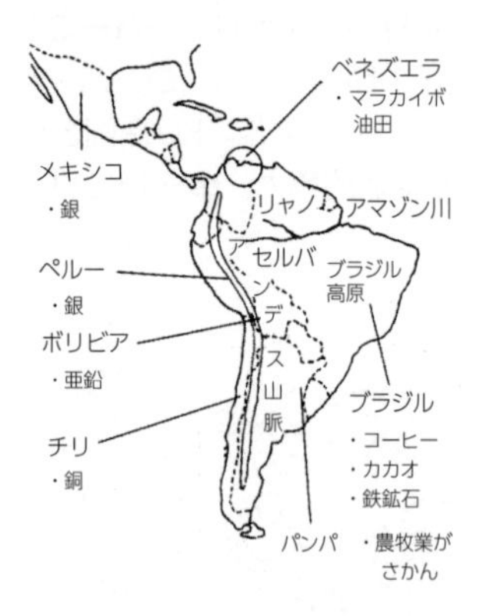

18. コーヒー豆
19. パンパ

▶農牧業　キューバ…さとうきび。ブラジル… 18 とさとうきびの世界的産地。アルゼンチン… 19 は小麦・牧羊など世界的農牧業地域。

▶鉱工業　メキシコ…銀・石油。ベネズエラ…石油・鉄鉱石。チリ…銅。ボリビア…亜鉛。ブラジル・ジャマイカ…ボーキサイト。ペルー…銀。

▶関連事項　ブラジル…日本からの移民が多い。メスティーソが多い。

▶農牧業　オーストラリア…世界最大の牧羊の国。東部で牧牛，南東部で酪農，南部は小麦地帯。ニュージーランド…牧牛，牧羊が盛ん。

▶鉱工業　オーストラリア…鉄鉱石・石炭。西部の鉄鉱石，東部の石炭。シドニーなどに工業が発達。ボーキサイトの主要産地。

20. 中国

▶関連事項　オーストラリアの最大の貿易相手国は 20 。

3

算数

1 学習指導要領

1．目　標

> [1]を働かせ，数学的活動を通して，数学的に考える資質・能力を次のとおり育成することを目指す。
> (1) **数量**や**図形**などについての基礎的・基本的な概念や性質などを理解するとともに，**日常**の事象を[2]に処理する技能を身に付けるようにする。
> (2) **日常**の事象を**数理**的に捉え[3]をもち筋道を立てて考察する力，基礎的・基本的な**数量**や**図形**の性質などを見いだし[4]・[5]に考察する力，数学的な表現を用いて事象を[6]・[7]・[8]に表したり**目的**に応じて**柔軟**に表したりする力を養う。
> (3) 数学的活動の楽しさや[9]のよさに気付き，学習を振り返ってよりよく**問題解決**しようとする態度，算数で学んだことを[10]や学習に活用しようとする態度を養う。

1. 数学的な見方・考え方
2. 数理的
3. 見通し
4. 統合的
5. 発展的
6. 簡潔
7. 明瞭
8. 的確
9. 数学
10. 生活

2．指導計画の作成と各学年にわたる内容の取扱い

▶指導計画作成上の配慮事項

○　主体的・対話的で深い学び

(1) 単元など内容や時間のまとまりを見通して，その中で育む資質・能力の育成に向けて，数学的活動を通して，児童の[1]の実現を図るようにすること。その際，数学的な見方・考え方を働かせながら，**日常**の事象を**数理**的に捉え，算数の問題を見いだし，問題を[2]，[3]に解決し，学習の過程を振り返り，概念を形成するなどの学習の充実を図ること。

○　継続的な指導や学年間の円滑な接続

(2) 各学年の内容は，次の学年以降においても必要に応じて継続して指導すること。**数量**や**図形**についての基礎的な能力の習熟や維持を図るため，適宜[4]の機会を設けて計画的に指導すること。なお，その際，

1. 主体的・対話的で深い学び
2. 自立的
3. 協働的
4. 練習

10分～15分程度の短い時間を活用して指導を行う場合には，当該指導のねらいを明確にするとともに，単元など内容や時間のまとまりを見通して資質・能力が偏りなく育成されるよう計画的に指導すること。また，学年間の指導内容を円滑に接続させるため，適切な[5]による学習指導を進めるようにすること。

○ 領域間の指導の関連

(3) 各学年の内容の「A 数と計算」，「B 図形」，「C 測定」，「C **変化と関係**」及び「D**データの活用**」の間の指導の関連を図ること。

○ 低学年における他教科等や幼児教育との関連

(4) 低学年においては，**他教科**等との関連を積極的に図り，指導の効果を高めるようにするとともに，幼稚園教育要領等に示す幼児期の終わりまでに育ってほしい姿との関連を考慮すること。特に，小学校入学当初においては，[6]を中心とした**合科**的・**関連**的な指導や，[7]の設定を行うなどの工夫をすること。

○ 障害のある児童への指導

(5) 障害のある児童などについては，学習活動を行う場合に生じる困難さに応じた指導内容や指導方法の工夫を**計画**的，**組織**的に行うこと。

○ 道徳科などとの関連

(6) 第1章総則の第1の2の(2)に示す道徳教育の目標(P.248参照）に基づき，道徳科などとの関連を考慮しながら，第3章特別の教科道徳の第2に示す内容について，**算数**科の特質に応じて適切な指導をすること。

▶内容の取扱いについての配慮事項

(1) 思考力，判断力，表現力等を育成するため，各学年の内容の指導に当たっては，[8]，図，言葉，数，式，**表**，**グラフ**などを用いて考えたり，説明したり，互いに自分の考えを表現し伝え合ったり，学び合ったり，高め合ったりするなどの学習活動を積極的に取り入れるようにすること。

(2) **数量**や**図形**についての[9]を豊かにしたり，**表**や**グラフ**を用いて表現する力を高めたりするなどのため，必要な場面において**コンピュータ**などを適切に活用すること。また，[10]を体験しながら**論理**的思考力を

5. 反復
6. 生活科
7. 弾力的な時間割
8. 具体物
9. 感覚
10. プログラミング

11. 正多角形

12. 実感
13. 学ぶ意義

14. 見積り

15. そろばん

身に付けるための学習活動を行う場合には，児童の負担に配慮しつつ，例えば各学年の内容の〔第5学年〕の「B 図形」の [11] の**作図**を行う学習に関連して，正確な**繰り返し**作業を行う必要があり，更に一部を変えることでいろいろな**正多角形**を同様に考えることができる場面などで取り扱うこと。

⑶ 各領域の指導に当たっては，具体物を操作したり，**日常**の事象を**観察**したり，児童にとって**身近**な**算数**の問題を解決したりするなどの具体的な体験を伴う学習を通して，**数量**や**図形**について [12] を伴った理解をしたり，算数を [13] を**実感**したりする機会を設けること。

⑷ 各学年の内容に示す〔用語・記号〕は，当該学年で取り上げる内容の程度や範囲を明確にするために示したものであり，その指導に当たっては，各学年の内容と密接に関連させて取り上げるようにし，それらを用いて表したり考えたりすることのよさが分かるようにすること。

⑸ **数量**や**図形**についての豊かな**感覚**を育てるとともに，およその**大きさ**や**形**を捉え，それらに基づいて適切に判断したり，**能率**的な処理の仕方を考え出したりすることができるようにすること。

⑹ **筆算**による計算の技能を確実に身に付けることを重視するとともに，目的に応じて計算の結果の [14] をして，**計算**の仕方や**結果**について適切に判断できるようにすること。また，低学年の「A 数と計算」の指導に当たっては， [15] や具体物などの**教具**を適宜用いて，数と計算についての意味の理解を深めるよう留意すること。

▶数学的活動の指導に当たっての配慮事項

⑴ **数学的活動**は，基礎的・基本的な知識及び技能を確実に身に付けたり，**思考力**，**判断力**，**表現力**等を高めたり，算数を学ぶことの**楽しさ**や**意義**を**実感**したりするために，重要な役割を果たすものであることから，各学年の内容の「A 数と計算」，「B 図形」，「C 測定」，「C 変化と関係」及び「D データの活用」に示す事項については，**数学的活動**を通して指導するよう

にすること。

(2) **数学的活動**を楽しめるようにする機会を設けること。

(3) 算数の問題を解決する[16]を理解するとともに，自ら**問題**を見いだし，**解決**するための**構想**を立て，**実践**し，その結果を**評価・改善**する機会を設けること。

(4) 具体物，図，数，式，表，**グラフ**相互の関連を図る機会を設けること。

(5) **友達**と考えを伝え合うことで学び合ったり，学習の過程と成果を振り返り，よりよく**問題解決**できたことを実感したりする機会を設けること。

16. 方法

3．各学年の目標

A 知識及び技能

学年		
第1学年	(1) 数の概念とその表し方及び計算の意味を理解し，量，図形及び数量の関係についての理解の基礎となる経験を重ね，数量や図形についての感覚を豊かにするとともに，	加法及び減法の計算をしたり，形を構成したり，身の回りにある量の大きさを比べたり，簡単な絵や図などに表したりすることなどについての技能を身に付けるようにする。
第2学年	(1) 数の概念についての理解を深め，計算の意味と性質，基本的な図形の概念，**量の概念**，簡単な表とグラフなどについて理解し，数量や図形についての感覚を豊かにするとともに，	加法，減法及び[1]の計算をしたり，図形を構成したり，長さやかさなどを測定したり，表やグラフに表したりすることなどについての技能を身に付けるようにする。
第3学年	(1) 数の表し方，整数の計算の意味と性質，小数及び分数の意味と表し方，基本的な図形の概念，量の概念，**棒グラフ**などについて理解し，数量や図形についての感覚を豊かにするとともに，	**整数**などの計算をしたり，図形を構成したり，長さや重さなどを測定したり，**表**や**グラフ**に表したりすることなどについての技能を身に付けるようにする。
第4学年	(1) 小数及び分数の意味と表し方，四則の関係，平面図形と立体図形，面積，角の大きさ，[2]などについて理解するとともに，	整数，小数及び分数の計算をしたり，図形を構成したり，図形の面積や角の大きさを求めたり，表やグラフに表したりすることなどについての技能を身に付けるようにする。
第5学年	(1) 整数の性質，分数の意味，小数と分数の計算の意味，[3]の公式，図形の意味と性質，図形の**体積**，[4]，[5]，[6]などについて理解するとともに，	小数や分数の計算をしたり，図形の**性質**を調べたり，図形の面積や**体積**を求めたり，**表**や**グラフ**に表したりすることなどについての技能を身に付けるようにする。

1. 乗法
2. 折れ線グラフ
3. 面積
4. 速さ
5. 割合
6. 帯グラフ

7. 文字
8. 比例
9. 度数分布

第6学年	(1) 分数の計算の意味，[7]を用いた式，図形の意味，図形の体積，[8]，[9]を表す表などについて理解するとともに，	分数の計算をしたり，図形を構成したり，図形の面積や体積を求めたり，表やグラフに表したりすることなどについての技能を身に付けるようにする。

B 思考力，判断力，表現力等

<table>
<tr><td>第1学年</td><td colspan="2">(2) ものの数に着目し，具体物や図などを用いて数の数え方や計算の仕方を考える力，ものの形に着目して特徴を捉えたり，具体的な操作を通して形の構成について考えたりする力，身の回りにあるものの特徴を量に着目して捉え，量の大きさの比べ方を考える力，データの個数に着目して身の回りの事象の特徴を捉える力などを養う。</td></tr>
<tr><td>第2学年</td><td rowspan="2">(2) 数とその表現や数量の関係に着目し，必要に応じて具体物や図などを用いて数の表し方や計算の仕方などを考察する力，平面図形の特徴を図形を構成する要素に着目して捉えたり，身の回りの事象を図形の性質から考察したりする力，身の回りにあるものの特徴を量に着目して捉え，量の単位を用いて的確に表現する力，身の回りの事象をデータの特徴に着目して捉え，</td><td>簡潔に表現したり考察したりする力などを養う。</td></tr>
<tr><td>第3学年</td><td>簡潔に表現したり適切に判断したりする力などを養う。</td></tr>
<tr><td>第4学年</td><td>(2) 数とその表現や数量の関係に着目し，目的に合った表現方法を用いて計算の仕方などを考察する力，図形を構成する要素及びそれらの位置関係に着目し，</td><td rowspan="2">図形の性質や図形の計量について考察する力，伴って変わる二つの数量やそれらの関係に着目し，変化や対応の特徴を見いだして，二つの数量の関係を表や式を用いて考察する力，目的に応じてデータを収集し，データの特徴や傾向に着目して表やグラフに的確に表現し，それらを用いて問題解決したり，解決の過程や結果を多面的に捉え考察したりする力などを養う。</td></tr>
<tr><td>第5学年</td><td>(2) 数とその表現や計算の意味に着目し，目的に合った表現方法を用いて数の性質や計算の仕方などを考察する力，図形を構成する要素や図形間の関係などに着目し，</td></tr>
<tr><td>第6学年</td><td colspan="2">(2) 数とその表現や計算の意味に着目し，発展的に考察して問題を見いだすとともに，目的に応じて多様な表現方法を用いながら数の表し方や計算の仕方などを考察する力，図形を構成する要素や図形間の関係などに着目し，図形の性質や図形の計量について考察する力，伴って変わる二つの数量やそれらの関係に着目し，変化や対応の特徴を見いだして，二つの数量の関係を表や式，グラフを用いて考察する力，身の回りの事象から設定した問題について，目的に応じてデータを収集し，データの特徴や傾向に着目して適切な手法を選択して分析を行い，それらを用いて問題解決したり，解決の過程や結果を批判的に考察したりする力などを養う。</td></tr>
</table>

※ 「C 学びに向かう力，人間性等」は省略。

4．各学年の内容

A　数と計算

◎　数学的な見方・考え方　……数の表し方の仕組み，数量の関係や問題場面の数量の関係などに着目して捉え，根拠を基に筋道を立てて考えたり，統合的・発展的に考えたりすること。

	数の概念について理解し，その表し方や数の性質について考察すること	計算の意味と方法について考察すること	式に表したり式に表されている関係を考察したりすること	数とその計算を日常生活に生かすこと
第1学年	●2位数，簡単な3位数の比べ方や数え方	●加法及び減法の意味 ●1位数や簡単な2位数の加法及び減法	●加法及び減法の場面の式表現・式読み	●数の活用 ●加法，減法の活用
第2学年	●［　1　］，1万の比べ方や数え方 ●数の相対的な大きさ ●簡単な分数	●乗法の意味 ●2位数や簡単な3位数の加法及び減法 ●［　2　］，簡単な2位数の乗法 ●加法の交換法則，結合法則 ●乗法の交換法則など ●加法及び減法の結果の見積り ●計算の工夫や確かめ	●乗法の場面の式表現・式読み ●加法と減法の相互関係 ●(　)や□を用いた式	●大きな数の活用 ●乗法の活用
第3学年	●万の単位，1億などの比べ方や表し方 ●大きな数の相対的な大きさ ●小数（$\frac{1}{10}$の位）や簡単な分数の大きさの比較可能性・計算可能性	●除法の意味 ●3位数や4位数の加法及び減法 ●2位数や3位数の乗法 ●1位数などの除法 ●除法と乗法や減法との関係 ●小数（$\frac{1}{10}$の位）の加法及び減法 ●簡単な分数の加法及び減法 ●交換法則，結合法則，分配法則 ●加法，減法及び乗法の結果の見積り ●計算の工夫や確かめ ●そろばんによる計算	●除法の場面の式表現・式読み ●図及び式による表現・関連付け ●□を用いた式	●大きな数，小数，分数の活用 ●除法の活用

1.　4位数

2.　乗法九九

3. 億，兆の単位

学年				
第4学年	●[3]などの比べ方や表し方（統合的） ●目的に合った数の処理 ●小数の相対的な大きさ ●分数（真分数，仮分数，帯分数）とその大きさの相等	●小数を用いた倍の意味 ●2位数などによる除法 ●小数（$\frac{1}{100}$の位など）の加法及び減法 ●小数の乗法及び除法（小数×整数，小数÷整数） ●同分母分数の加法及び減法 ●交換法則，結合法則，分配法則 ●除法に関して成り立つ性質 ●四則計算の結果の見積り ●計算の工夫や確かめ ●そろばんによる計算	●四則混合の式や（　）を用いた式表現・式読み ●公式についての考え ●□，△などを用いた式表現など（簡潔・一般的）	●大きな数の活用 ●目的に合った数の処理の仕方の活用 ●小数や分数の計算の活用
第5学年	●観点を決めることによる整数の類別や数の構成 ●数の相対的な大きさの考察 ●分数の相等及び大小関係 ●分数と整数，小数の関係 ●除法の結果の分数による表現	●乗法及び除法の意味の拡張（小数） ●小数の乗法及び除法（小数×小数，小数÷小数） ●異分母分数の加法及び減法	●数量の関係を表す式（簡潔・一般的）	●整数の類別などの活用 ●小数の計算の活用
第6学年		●乗法及び除法の適用範囲の拡張（分数） ●分数の乗法及び除法（多面的） ●分数・小数の混合計算（統合的）	●文字a，xなどを用いた式表現・式読みなど（簡潔・一般的）	

B　図形

◎　数学的な見方・考え方　……図形を構成する要素，それらの位置関係や図形間の関係などに着目して捉え，根拠を基に筋道を立てて考えたり，統合的・発展的に考えたりすること。

	図形の概念について理解し，その性質について考察すること	図形の構成の仕方について考察すること	図形の計量の仕方について考察すること	図形の性質を日常生活に生かすこと
第1学年	●形の特徴	●形作り・分解		●形 ●ものの位置
第2学年	●三角形，四角形，正方形，長方形，[1] ●箱の形	●三角形，四角形，正方形，長方形，[1] ●箱の形		●正方形，長方形，[1]
第3学年	●二等辺三角形，[2] ●円，球	●二等辺三角形，[2] ●円		●二等辺三角形，[2] ●円，球
第4学年	●平行四辺形，ひし形，台形 ●立方体，直方体	●平行四辺形，ひし形，台形 ●直方体の見取図，[3]	●[4] ●正方形，長方形の求積	●平行四辺形，ひし形，台形 ●立方体，直方体 ●ものの位置の表し方
第5学年	●多角形，正多角形 ●三角形の三つの角，四角形の四つの角の大きさの和 ●直径と円周との関係 ●角柱，円柱	●正多角形 ●合同な図形 ●柱体の見取図，展開図	●三角形，平行四辺形，ひし形，[5]の求積 ●[6]，直方体の求積	●正多角形 ●角柱，円柱
第6学年	●対称な図形	●対称な図形 ●[7]	●[8]の求積 ●角柱，円柱の求積	●対称な図形 ●縮図や拡大図による測量 ●概形とおよその面積

1. 直角三角形
2. 正三角形
3. 展開図
4. 角の大きさ
5. 台形
6. 立方体
7. 縮図や拡大図
8. 円

C　測定（第１・２・３学年）

◎　数学的な見方・考え方　……身の回りにあるものの特徴などに着目して捉え，**根拠**を基に**筋道**を立てて考えたり，**統合**的・**発展**的に考えたりすること。

	量の概念を理解し，その大きさの比べ方を見いだすこと ＊直接比較 ＊間接比較 ＊任意単位を用いた測定	目的に応じた単位で量の大きさを的確に表現したり比べたりすること ＊普遍単位を用いた測定 ＊大きさの見当付け ＊単位や計器の選択 ＊求め方の考察	単位の関係を統合的に考察すること	量とその測定の方法を日常的に生かすこと
第1学年	●長さの比較 ●広さの比較 ●かさの比較	●日常生活の中での時刻の読み		●量の比べ方 ●時刻
第2学年		●長さ，かさの単位（ 1 ，cm，m 及び 2 ，dL，L） ●測定の意味の理解 ●適切な単位の選択 ●大きさの見当付け ●時間の単位（日，時，分）	●時間の単位間の関係の理解	●目的に応じた量の単位と測定の方法の選択とそれら数表現 ●**時刻や時間**
第3学年	● 3 の比較	●長さ，重さの単位（ 4 及びg，kg） ●測定の意味の理解 ●適切な単位や計器の選択とその表現 ●時間の単位（ 5 ） ●**時刻と時間**	●長さ，重さ，かさの単位間の関係の統合的な考察	●目的に応じた適切な量の単位や計器を選択と数表現 ●**時刻と時間**

1. mm

2. mL

3. 重さ

4. km

5. 秒

C　変化と関係（第４・５・６学年）

◎　数学的な見方・考え方　……二つの数量の関係などに着目して捉え，根拠を基に筋道を立てて考えたり，統合的・発展的に考えたりすること。

	伴って変わる二つの数量の変化や対応の特徴を考察すること	ある二つの数量の関係と別の二つの数量の関係を比べること	二つの数量の関係の考察を日常生活に生かすこと
第４学年	●表や式，折れ線グラフ	●簡単な割合	●表や式，折れ線グラフ ●簡単な割合
第５学年	●簡単な場合についての比例の関係	●単位量当たりの大きさ ●割合，［ 1 ］	●簡単な場合についての比例の関係 ●単位量当たりの大きさ ●割合，［ 1 ］
第６学年	●比例の関係 ●比例の関係を用いた問題解決の方法 ●反比例の関係	●［ 2 ］	●比例の関係 ●比例の関係を用いた問題解決の方法 ●［ 2 ］

1.　百分率

2.　比

D　データの活用

◎　数学的な見方・考え方　……日常生活の問題解決のために，データの特徴と傾向などに着目して捉え，根拠を基に筋道を立てて考えたり，統合的・発展的に考えたりすること。

	目的に応じてデータを収集，分類整理し，結果を適切に表現すること	統計データの特徴を読み取り判断すること
第１学年	●データの個数への着目 ●絵や図	●身の回りの事象の特徴についての把握 ●絵や図
第２学年	●データを整理する観点への着目 ●簡単な表 ●簡単なグラフ	●身の回りの事象についての考察 ●簡単な表 ●簡単なグラフ
第３学年	●日時の観点や場所の観点などからデータを分類整理 ●表 ●［ 1 ］ ●見いだしたことを表現する	●身の回りの事象についての考察 ●表 ●［ 1 ］

1.　棒グラフ

第4学年	●目的に応じたデータの収集と分類整理 ●適切なグラフの選択 ●二次元の表 ● 2	●結論についての考察 ●二次元の表 ● 2
第5学年	●統計的な問題解決の方法 ● 3 や帯グラフ ●測定値の平均	●結論についての多面的な考察 ● 3 や帯グラフ ●測定値の平均
第6学年	●統計的な問題解決の方法 ● 4 ●ドットプロット ●度数分布を表す表やグラフ ●起こり得る場合の数	●結論の妥当性についての批判的な考察 ● 4 ●ドットプロット ●度数分布を表す表やグラフ ●起こり得る場合の数

2. 折れ線グラフ

3. 円グラフ

4. 代表値

〔用語・記号〕

第1学年	一の位　十の位　＋　－　＝
第2学年	直線　直角　 1 　辺　面　単位　×　＞　＜
第3学年	等号　不等号　小数点　 2 　数直線　分母　分子　÷
第4学年	和　差　積　商　以上　以下　未満　真分数　仮分数　帯分数　平行　垂直　 3 　平面
第5学年	最大公約数　最小公倍数　通分　約分　底面　側面　比例　 4
第6学年	線対称　点対称　対称の軸　対称の中心　比の値　 5 　平均値　中央値　最頻値　階級　：

1. 頂点

2. $\frac{1}{10}$ の位

3. 対角線

4. %

5. ドットプロット

2 数と計算

重要度 A

▶乗法に関する法則

① 指数の和　$a^m \times a^n = a^{m+n}$　例）$2^2 \times 2^3 = 2^{2+3} = 2^5$

② 指数の積　$(a^m)^n = a^{mn}$　例）$(2^3)^2 = 2^{3\times2} = 2^6$

③ 累乗の積　$(ab)^n = a^n b^n$　例）$(3\times4)^2 = 3^2 \times 4^2$

▶平方根の計算

① 加法・減法　$l\sqrt{a} \pm m\sqrt{a} = (l \pm m)\sqrt{a}$　（$a>0$，l，mは有理数）

② 乗法　$\sqrt{a} \times \sqrt{b} = \sqrt{ab}$, $l\sqrt{a} \times m\sqrt{b} = lm\sqrt{ab}$　（$a>0$，$b>0$）

③ 除法　$\sqrt{a} \div \sqrt{b} = \sqrt{\frac{a}{b}}$, $l\sqrt{a} \div m\sqrt{b} = \frac{l}{m}\sqrt{\frac{a}{b}}$　（$a>0$，$b>0$）

④ 分母の有理化　$\frac{\sqrt{a}}{\sqrt{b}} = \frac{\sqrt{a}\sqrt{b}}{\sqrt{b}\sqrt{b}} = \frac{\sqrt{ab}}{(\sqrt{b})^2} = \frac{\sqrt{ab}}{b}$

〔例　題〕　次の計算をしなさい。

(1)　$2a^2 \times 5ab^3$

解　$2a^2 \times 5ab^3$

$= 2\times5\times a^2 \times a \times b^3$

$= 10 \times a^{2+1} \times b^3$

$= \underline{10a^3b^3}$

(2)　$(x^3)^2$

解　$(x^3)^2$

$= x^{3\times2}$

$= \underline{x^6}$

(3)　$(x^2y^3)^2$

解　$(x^2y^3)^2$

$= x^{2\times2} \times y^{3\times2}$

$= \underline{x^4y^6}$

(4)　$(\sqrt{15}+\sqrt{3}) \div \sqrt{3}$

解　$(\sqrt{15}+\sqrt{3}) \div \sqrt{3}$

$= \frac{\sqrt{15}}{\sqrt{3}} + \frac{\sqrt{3}}{\sqrt{3}}$

$= \frac{\sqrt{3}\times\sqrt{5}}{\sqrt{3}} + \frac{\sqrt{3}}{\sqrt{3}}$

$= \underline{\sqrt{5}+1}$

(5)　$\frac{5\sqrt{3}-3}{\sqrt{3}} - \frac{4\sqrt{6}-2}{\sqrt{2}}$

解　$\frac{5\sqrt{3}-3}{\sqrt{3}} - \frac{4\sqrt{6}-2}{\sqrt{2}}$

$= \frac{5\sqrt{3}}{\sqrt{3}} - \frac{3}{\sqrt{3}} - \frac{4\sqrt{6}}{\sqrt{2}} + \frac{2}{\sqrt{2}}$

$= 5 - \frac{3\sqrt{3}}{\sqrt{3}\sqrt{3}} - \frac{4\sqrt{3}\sqrt{2}}{\sqrt{2}} + \frac{2\sqrt{2}}{\sqrt{2}\sqrt{2}}$

$= 5 - \sqrt{3} - 4\sqrt{3} + \sqrt{2}$

$= \underline{5 - 5\sqrt{3} + \sqrt{2}}$

(6)　$2\{\sqrt{2} - (\sqrt{3}+5\sqrt{2}) + 4\sqrt{3}\} - \sqrt{108}$

解　$2\{\sqrt{2} - (\sqrt{3}+5\sqrt{2}) + 4\sqrt{3}\} - \sqrt{108}$

$= 2(\sqrt{2} - \sqrt{3} - 5\sqrt{2} + 4\sqrt{3}) - \sqrt{36\times3}$

$= 2(-4\sqrt{2} + 3\sqrt{3}) - 6\sqrt{3}$

$= -8\sqrt{2} + 6\sqrt{3} - 6\sqrt{3}$

$= \underline{-8\sqrt{2}}$

(1) $\frac{2+\sqrt{2}-\sqrt{6}}{4}$

(2) 0

●発展もんだい

(1) $\frac{1}{1+\sqrt{2}+\sqrt{3}}$ の分母を有理化せよ。

(2) $3\left(\frac{2-\sqrt{7}}{3}\right)^2-4\left(\frac{2-\sqrt{7}}{3}\right)-1$ を簡単にせよ。

● Reference

▶公約数と公倍数

公約数……いくつかの**整数**に共通な**約数**
　12の約数{1 2 3 4 6 12}
　18の約数{1 2 3 6 9 18}
公倍数……いくつかの**整数**に共通な**倍数**
　2の倍数{0 2 4 6 8 10 12…}
　4の倍数{0 4 8 12…}

○1はすべての整数の**約数**でもある。（1以外に公約数がない2つの整数を互いに素という。）
○0はすべての整数の**倍数**である。

〔最大公約数（G.C.M.）の求め方〕
素因数分解し，共通な素因数に，指数が最も**小さい**ものを付けて，積を求める。
〔最小公倍数（L.C.M.）の求め方〕
素因数分解し，すべての素因数に，指数が最も**大きい**ものを付けて，積を求める。

〔例　題〕 次の各組の最大公約数，最小公倍数を求めなさい。

(1) (24，60)

解 (**素因数分解**を利用)

24＝2×2×2×3
60＝2×2　×　3×5

(共通約数) $\underbrace{2\times2\times3}\times2\times5$

⬇ (G.C.M.)
12

⬇ (L.C.M.)
120

(2) (12，18，24)

解
2) 12 18 24
3) 6 9 12
2) 2 3 4
　1 3 2

$\underbrace{2\times3}\times2\times1\times3\times2$

⬇ (G.C.M.)
6

⬇ (L.C.M.)
72

(3) x^2-5x+6，x^2-2x，x^2-3x+2

解 各々の整式を**因数分解**すると

$x^2-5x+6=(x-2)(x-3)$ …①
$x^2-2x=x(x-2)$ …②
$x^2-3x+2=(x-2)(x-1)$ …③

①～③の式について
G.C.M.＝$(x-2)$
L.C.M.＝$x(x-1)(x-2)(x-3)$

●発展もんだい

次の各組のG.C.M.とL.C.M.を求めよ。

(1)　(114, 76)　　(2)　(90, 126, 180)

(3)　$(2^3\times3\times5,\ 2^2\times3\times7)$

(4)　$x^2+x-6,\ x^2+10x+21$

(5)　$7xy,\ 21x^2y^2,\ 28x^4y^7$

(1)G.C.M.＝38, L.C.M.＝228
(2)G.C.M.＝18, L.C.M.＝1260
(3)G.C.M.＝12, L.C.M.＝840
(4)G.C.M.＝$x+3$,
L.C.M.＝$(x-2)(x+3)(x+7)$
(5)G.C.M.＝$7xy$, L.C.M.＝$84x^4y^7$

●Reference

▶不等号の基本的性質

$A>B$ならば
① $A+C>B+C$　(両辺に**同じ数**を加える)
② $A-C>B-C$　(両辺から**同じ数**を引く)
③ $C>0$のとき　$AC>BC$,　$\dfrac{A}{C}>\dfrac{B}{C}$
④ $C<0$のとき　$AC<BC$,　$\dfrac{A}{C}<\dfrac{B}{C}$

〔例　題〕　次の計算をしなさい。

(1)　$\dfrac{x-3}{x-2}\geqq\dfrac{1}{2}$

解　$\dfrac{x-3}{x-2}\geqq\dfrac{1}{2}$

分母≠0 より　$x\neq2$
(i) $x>2$ のとき
$2(x-3)\geqq x-2$　　$\therefore x\geqq4$
(ii) $x<2$ のとき
$2(x-3)\leqq x-2$
$x\leqq4$　条件より　　$\therefore x<2$
<u>$x\geqq4,\ x<2$</u>

(2)　$\begin{cases}-x+2\geqq5(x-2)\\2(2x-1)>5x\end{cases}$

解　$\begin{cases}-x+2\geqq5(x-2)\cdots①\\2(2x-1)>5x\quad\cdots②\end{cases}$

①は　$-x-5x\geqq-10-2$
$-6x\geqq-12$
$x\leqq2$
②は　$4x-2-5x>0$
$-x>2$
$x<-2$
よって　<u>$x<-2$</u>

●発展もんだい

(1)　図のように，直線上に3点A，B，Cがある。AB間，BC間の距離は各々，12m，8mである。点A，B，Cが同時に右向きに出発し，それぞれ，毎秒6m，4m，3.5mの速さで進むものとする。点A，B，Cが左から，B，C，Aの順になっているのは出発してから何秒から何秒までの間か。出発してからの時間をxとし，不等式を立てて答えよ。

(1)動き出して8秒を過ぎてから16秒たつ前まで $(8<x<16)$

A→　　　B→　C→

12m　　8m

(2) $2 \leqq x \leqq 3$

(2) $\begin{cases} \dfrac{x+5}{2}-\dfrac{19}{6} \leqq 2-\dfrac{2x+1}{6} \\ \dfrac{7}{5}(x-5) \geqq 0.8-(x+3) \end{cases}$ の連立1次不等式を解け。

● Reference

▶乗法の公式

① $(a+b)^2=a^2+2ab+b^2$

② $(a-b)^2=a^2-2ab+b^2$

③ $(a+b)(a-b)=a^2-b^2$

▶因数分解の公式

① $ma+mb+mc=m(a+b+c)$　共通因数でくくる。

② $x^2+(a+b)x+ab=(x+a)(x+b)$

③ $acx^2+(ad+bc)x+bd=(ax+b)(cx+d)$

④ $a^3+b^3=(a+b)(a^2-ab+b^2)$

⑤ $a^3-b^3=(a-b)(a^2+ab+b^2)$

〔例　題〕　次の式を因数分解しなさい。

(1) $abx^2-16aby^2$

解　$abx^2-16aby^2$

$=ab(x^2-16y^2)$

$=\underline{ab(x+4y)(x-4y)}$

(2) $(x^2-x)^2-14(x^2-x)+24$

解　$(x^2-x)^2-14(x^2-x)+24$

$=\{(x^2-x)-2\}\{(x^2-x)-12\}$

$=(x^2-x-2)(x^2-x-12)$

$=\underline{(x-2)(x+1)(x-4)(x+3)}$

(3) x^4-5x^2+4

解　x^4-5x^2+4

$x^2=X$ とおくと

X^2-5X+4

$=(X-4)(X-1)$

$X=x^2$ より

$(X-4)(X-1)$

$=(x^2-4)(x^2-1)=\underline{(x+2)(x-2)(x+1)(x-1)}$

(4) $8a^3+27b^3$

解　$8a^3+27b^3$

$=(2a)^3+(3b)^3$

$=\underline{(2a+3b)(4a^2-6ab+9b^2)}$

●発展もんだい

次の各式を因数分解せよ。

(1) $xy-x+y-1$
(2) $(x-3)(x-1)(x+2)(x+4)+24$
(3) $9a^2-4b^2c^2$
(4) $x^2+2xy-2x-2y+1$
(5) $x^2+4xy-5y^2$
(6) $(a-b)^2-ac+bc$
(7) $x^4-3x^2y^2-4y^4$
(8) $ab-a+3b-3$
(9) $x^2-8x-20$
(10) $12x^2+x-20$

(1) $(x+1)(y-1)$
(2) $(x+3)(x-2)(x^2+x-8)$
(3) $(3a+2bc)(3a-2bc)$
(4) $(x-1)(x+2y-1)$
(5) $(x+5y)(x-y)$
(6) $(a-b)(a-b-c)$
(7) $(x+2y)(x-2y)(x^2+y^2)$
(8) $(a+3)(b-1)$
(9) $(x+2)(x-10)$
(10) $(3x+4)(4x-5)$

3 算数

● Reference

▶2次方程式の解法　①因数分解で　②完全平方で　③解の公式で

① $x^2+px+q=0 \longrightarrow (x-a)(x-b)=0$　解$x=a$，$x=b$

② $x^2+px+q=0 \longrightarrow (x+a)^2=b \longrightarrow x+a=\pm\sqrt{b}$　$(b \geqq 0)$

解　$x=-a\pm\sqrt{b}$

③ $ax^2+bx+c=0$　$x=\dfrac{-b\pm\sqrt{b^2-4ac}}{2a}$　(b^2-4acは正)

▶解と係数の関係

$ax^2+bx+c=0$の解をα，βとするとき　$\alpha+\beta=-\dfrac{b}{a}$，$\alpha\beta=\dfrac{c}{a}$

〔例　題〕 次の問いに答えなさい。

(1) $x^2-2x-15=0$ をときなさい。

解　解法①によるとき

$(x-5)(x+3)=0$
$x-5=0 \rightarrow$ <u>$x=5$</u>
$x+3=0 \rightarrow$ <u>$x=-3$</u>

解法②によるとき

$x^2-2x+1-1-15=0$
$x^2-2x+1-16=0$
$(x-1)^2-16=0$
$(x-1)^2=16$
$\therefore (x-1)=\pm\sqrt{16}$
$\therefore x=1\pm\sqrt{16}$
$=1\pm4=$<u>$5, -3$</u>

解法③によるとき

$a=1, b=-2, c=-15$　を公式に代入

$x=\dfrac{-(-2)\pm\sqrt{(-2)^2-4\times1\times(-15)}}{2\times1}$

$=\dfrac{2\pm\sqrt{64}}{2}=\dfrac{2\pm8}{2}$

$=1\pm4=$<u>$5, -3$</u>

(2) $2x^2-3x+5=0$ の２つの解を α, β とするとき，次の値を求めなさい。

① $\alpha^2+\beta^2$ ② $(\alpha-\beta)^2$

解 ① 解と係数の関係から

$$\alpha+\beta=\frac{3}{2},\ \alpha\beta=\frac{5}{2}$$

$$\alpha^2+\beta^2=\alpha^2+2\alpha\beta+\beta^2-2\alpha\beta$$
$$=(\alpha+\beta)^2-2\alpha\beta$$
$$=\left(\frac{3}{2}\right)^2-2\times\frac{5}{2}=\frac{9}{4}-5=\frac{9-20}{4}=\underline{-\frac{11}{4}}$$

② $\alpha+\beta=\frac{3}{2}$, $\alpha\beta=\frac{5}{2}$

$$(\alpha-\beta)^2=\alpha^2-2\alpha\beta+\beta^2$$
$$=\alpha^2+2\alpha\beta+\beta^2-4\alpha\beta$$
$$=(\alpha+\beta)^2-4\alpha\beta$$
$$=\left(\frac{3}{2}\right)^2-4\times\frac{5}{2}$$
$$=\frac{9}{4}-10=\frac{9-40}{4}=\underline{-\frac{31}{4}}$$

●発展もんだい

(1) $x^2+2x+2=0$ の２解を α，β とするとき，次の問いに答えよ。

① $\dfrac{1}{\alpha}+\dfrac{1}{\beta}$ ② $\alpha^3+\beta^3$

(2) $x^2+bx-b-1=0$ の２解を α，β とするとき，$\alpha^2+\beta^2=37$ ならば b の値はいくらになるか。

(1) ①-1 ②$4$

(2) $b=5$，-7

3 グラフ

重要度 A

▶1次関数

$y=ax+b$

(傾きa, y切片bの直線)

$a>0$なら**右上がり**のグラフ

$a<0$なら**右下がり**のグラフ

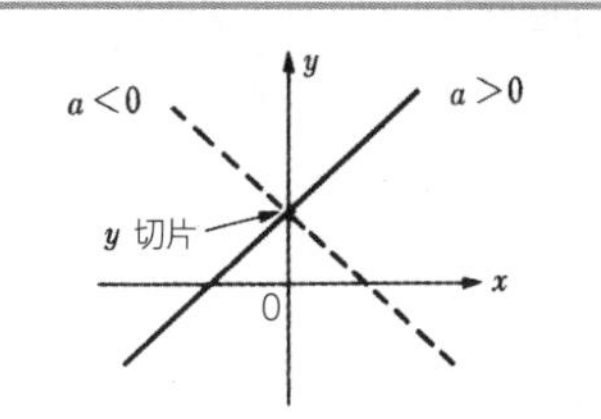

2直線 $\begin{cases} y=ax+b \\ y=cx+d \end{cases}$ について

① 平行のとき　$a=c$

② 垂直のとき　$a\times c=-1$

③ **交点**の座標　連立に解いたときの$(x, y)=(p, q)$

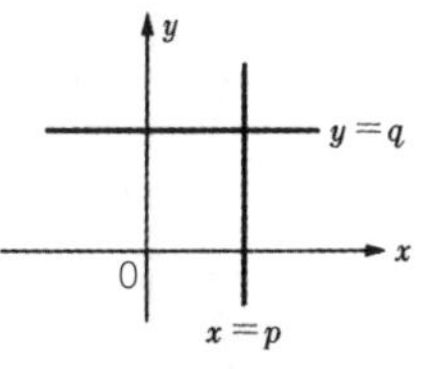

x軸に**平行**な直線 ⟶ $y=q$

y軸に**平行**な直線 ⟶ $x=p$

〔例　題〕

(1) 点$(-4, 8)$を通り，傾きが$-\frac{1}{2}$の直線の式を求めなさい。

解　$y=ax+b$として，$a=-\frac{1}{2}$だから

$y=-\frac{1}{2}x+b$に$x=-4$, $y=8$を代入

$8=-\frac{1}{2}\times(-4)+b$　$b=8-2=6$

よって　$\underline{y=-\frac{1}{2}x+6}$

(2) 原点と2直線$y=2x+1$, $y=-x+4$の交点を通る直線の式を求めなさい。

解 $\begin{cases} y=2x+1 \\ y=-x+4 \end{cases}$ を解くと

交点は$(1, 3)$

直線は，**原点**と$(1, 3)$を通ることより

$y=ax$は　$3=1\times a$

$a=3$　ゆえに

求める直線は $\underline{y=3x}$

(3) 次の図の2直線 l, m を表す式と交点Pを求めなさい。

解　直線 l は

$y=-\frac{3}{2}x+3$…①

直線 m は

$y=2x+2$…②

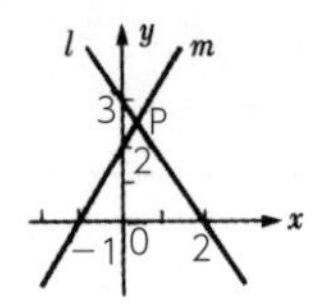

2直線の交点は，①，②を連立に解いてP $(x,\ y)=\left(\frac{2}{7},\ \frac{18}{7}\right)$

Reference

▶2次関数　$y=ax^2$ のグラフ

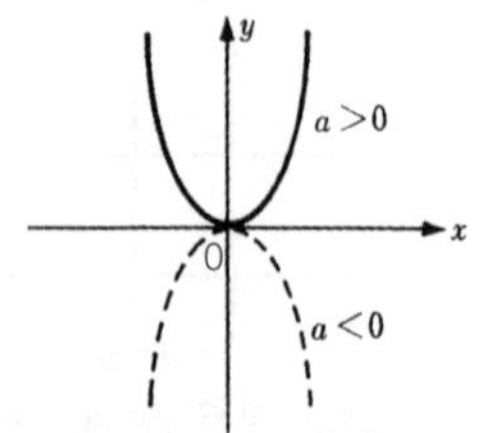

$a>0$ のとき　上に開く
$a<0$ のとき　下に開く
a の絶対値が大きいほどすぼみ，
a の絶対値が小さいほどひらく。

▶放物線と直線の位置関係

$$\begin{cases} y=ax^2+bx+c & (a, b, c\text{は実数}, a\neq 0) \\ y=mx+n & (m, n\text{は実数}) \end{cases}$$

y を消去すると　$ax^2+(b-m)x+(c-n)=0$

判別式　$D=(b-m)^2-4a(c-n)$

▶放物線と直線の関係

	相異なる2点で交わる	1点で接する	共有点をもたない
判別式	$D>0$	$D=0$	$D<0$
グラフ			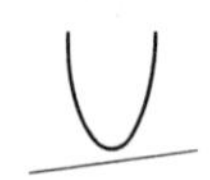

放物線の頂点と軸　$y=ax^2+bx+c\,(a\neq 0)$ のとき

頂点 $\left(-\frac{b}{2a},\ \frac{-b^2+4ac}{4a}\right)$，軸 $x=-\frac{b}{2a}$

〔例　題〕

(1)　$y=2x^2+4x-1$ の最大値と最小値を求めなさい。
ただし，x はすべての実数値をとりうる。

解　$y=2x^2+4x-1=\mathbf{2(x^2+2x)-1}$
$=2(x+1)^2-3$

このグラフは点$(\mathbf{-1,\ -3})$をその頂点とし，**下に凸**の放物線で下図のようになる。
$x=-1$ のとき最小値-3 となり，最大値はなし

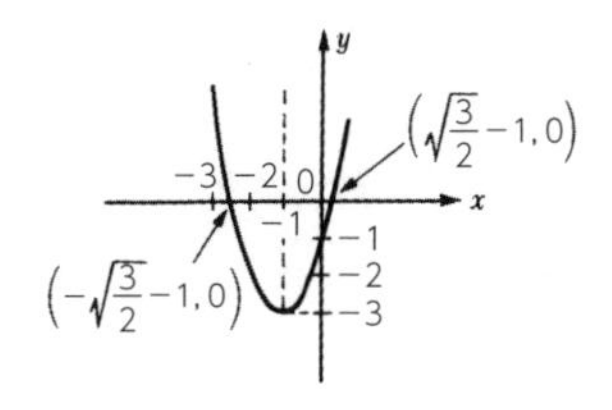

(2)　$y=-\frac{1}{2}x^2, y=2x^2$ のグラフをかきなさい。
最大値，最小値を求めなさい。

解

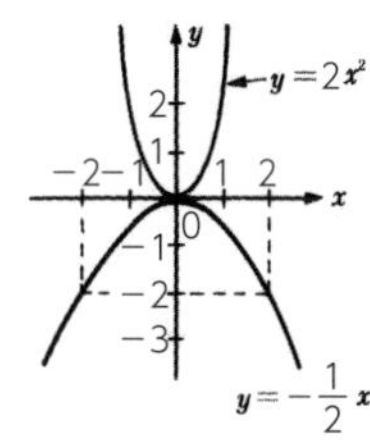

$y=-\frac{1}{2}x^2$ の
最大値は 0,
最小値はなし
$y=2x^2$
最小値は 0,
最大値はなし

● Reference

▶**逆関数**

$y=ax+b$の逆関数の求め方

① xについて解く　　$x=\frac{y-b}{a}$

② xとyを入れかえる　　$y=\frac{x-b}{a}$　($y=ax+b$の逆関数)

$y=f(x)$とその逆関数$y=g(x)$のグラフは$y=x$に関して**対称**である。

▶**絶対値のついたグラフ**

絶対値のついた関数のグラフをかくためには，まず**絶対値**をはずし，その中身の符号で場合分けしてかく。

〔例　題〕 つぎの各関数のグラフおよび，その逆関数とグラフを記しなさい。

(1)　$y=2x-3$

解　x について解くと

$2x=y+3$

$x=\dfrac{y}{2}+\dfrac{3}{2}=\dfrac{1}{2}y+\dfrac{3}{2}$

となり，ここで x と y とを入れかえると

逆関数 $\underline{y=\dfrac{1}{2}x+\dfrac{3}{2}}$

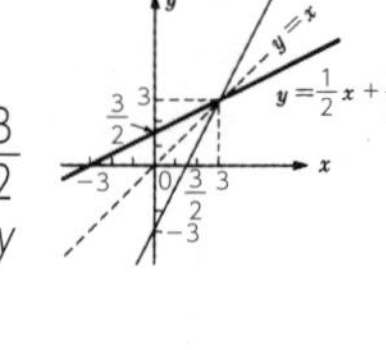

(2)　$y=x^2$　$(x \geqq 0)$

解　x について解くと

$x=\pm\sqrt{y}$ となり

$x \geqq 0$ だから

$x=+\sqrt{y}=\sqrt{y}$

となり，ここで x と y とを入れかえると，逆関数 $\underline{y=\sqrt{x}}$

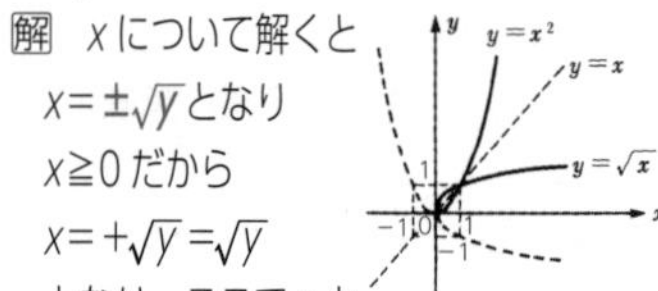

(3)　$y=|2x-4|$ のグラフをかきなさい。

解　$|2x-4|=\begin{cases} 2x-4 & (2x-4 \geqq 0 \text{ のとき}) \\ -(2x-4) & (2x-4<0 \text{ のとき}) \end{cases}$

$=\begin{cases} 2x-4 & (x \geqq 2 \text{ のとき}) \\ -2x+4 & (x<2 \text{ のとき}) \end{cases}$

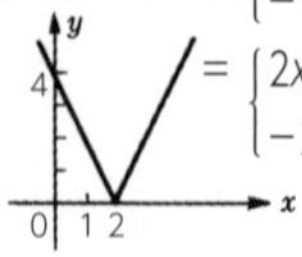

(4)　$y=-x^2(x \geqq 0)$ の逆関数を求めなさい。

解　x について解くと，$x \geqq 0$ だから

$-x^2=y$ から $x^2=-y$

$\therefore x=\sqrt{-y}$ $(y \leqq 0)$

となり，ここで x と y とを入れかえると

逆関数 $\underline{y=\sqrt{-x}(x \leqq 0)}$

(5)　$y=|x+2|+2|x-1|$ のグラフをかきなさい。

解　$|x+2|=\begin{cases} x+2 & (x \geqq -2) \\ -(x+2) & (x<-2) \end{cases}$

$|x-1|=\begin{cases} x-1 & (x \geqq 1) \\ -(x-1) & (x<1) \end{cases}$

$x \geqq 1$ のとき，

$y=(x+2)+2(x-1)=3x$

$1>x \geqq -2$ のとき

$y=(x+2)-2(x-1)=-x+4$

$x<-2$ のとき　$y=-(x+2)-2(x-1)=-3x$

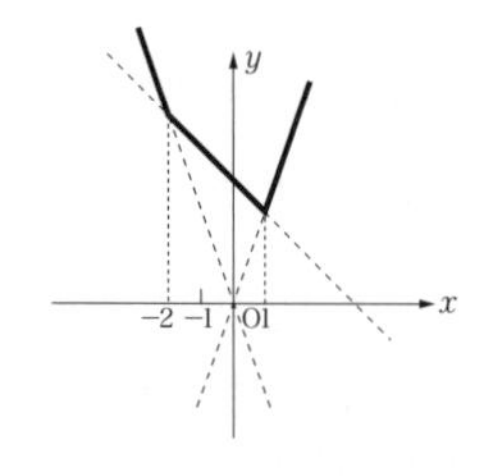

4 図　形

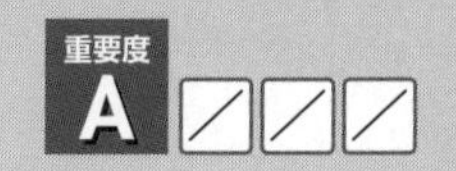

▶角の性質　※$\angle R=90°$（直角）を表す。

ア． 三角形の外角はその**内対角**の**和**に等しい

$\angle ACD=\angle A+\angle B$

イ． 直線lとmが平行のとき

同位角
$\angle a=\angle c$，$\angle b=\angle d$
錯角
$\angle b=\angle c$

ウ． n角形の外角の和は，つねに
$4\angle R=360°$

（例）

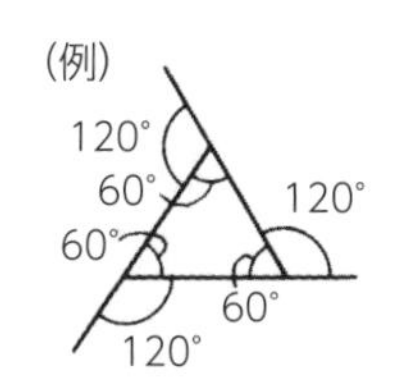

エ． n角形の内角の和は，$(n-2)\times180°$　または，$(2n-4)\angle R$
正n角形の１つの内角は，$\dfrac{2n-4}{n}\angle R$

オ． n角形の対角線数　$\dfrac{n(n-3)}{2}$本

▶円周角の性質

ア．

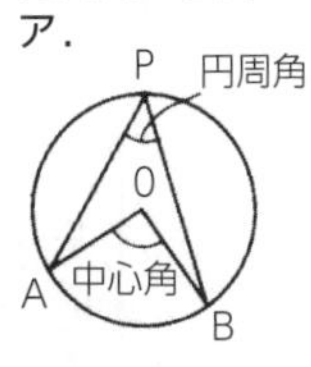

同じ**弧**に対する**円周角**は，**中心角**の半分
$\angle APB=\dfrac{1}{2}\angle AOB$

イ．
同じ**弧**の上の**円周角**はすべて**等しい**
$\angle P_1=\angle P_2=\angle P_3=\angle P_4=\cdots$

ウ．
円周上の１点からひいた**接線**と**弦**との作る角は，その角内にある弧に対する**円周角**に等しい

エ．
内接四辺形
対角の和は180°
$\angle A+\angle C=180°$
$\angle B+\angle D=180°$
外角$\angle DCE=\angle BAD$

〔例　題〕　次のx，y，zの各角度を求めなさい。

(1)

解

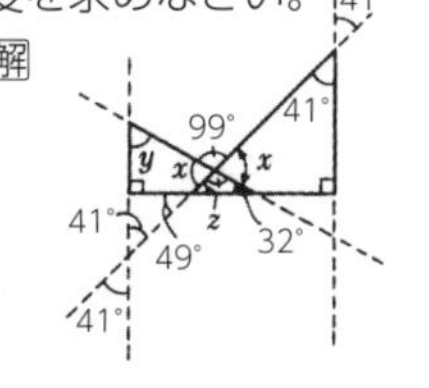

$x=81°$，
$y=58°$，
$z=49°$

●発展もんだい

(1)26°
(2)100°

⑴　∠Pを求めよ。

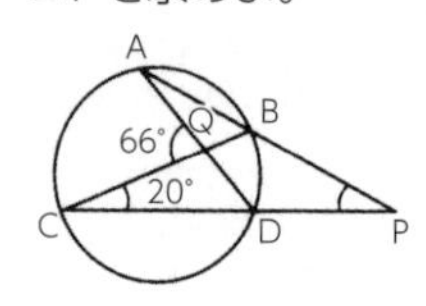

⑵　∠xを求めよ。

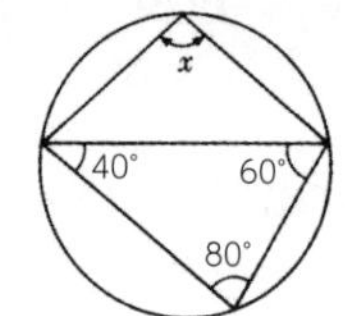

⑶　△ABCにおいて∠A＝80°，∠B＝60°，∠C＝40°とするとき，頂点A，B，Cの2等分線が，△ABCの外接円と交わる点をP，Q，Rとする。
① ∠PQRは何度か。
② $\overset{\frown}{PQ}:\overset{\frown}{QR}:\overset{\frown}{RP}$を求めよ。

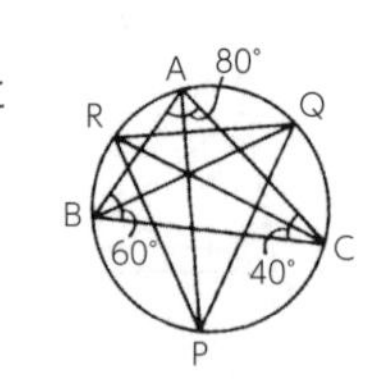

(3)①60°
②7：5：6

⑷　∠xと∠yの大きさを求めよ。ただし，直線TT′は円周上の点Aにおける接線で，∠ADC＝72°，∠BAT′＝45°とする。

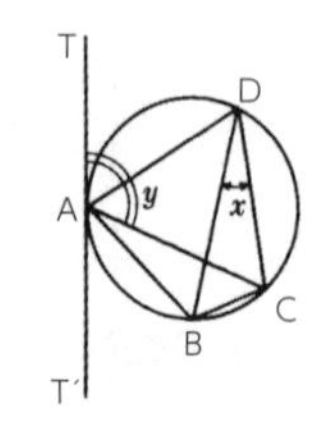

(4)∠x＝27°，
∠y＝108°

⑸　中心Oの円に内接する△ABCの各頂点を通る円の接線の交点を図のようにD，E，Fとする。またDO，EO，FOが円と交わる点を順にP，Q，Rとする。∠BAC＝a°，∠ABC＝b°とするとき，∠BOC，∠ACD，∠QPRをa°またはb°を用いてあらわせ。

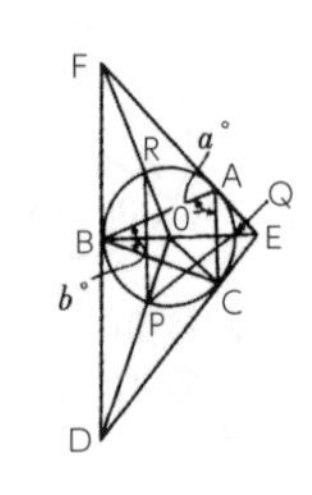

(5)∠BOC＝2a°
∠ACD＝180°－b°
∠QPR＝90°－$\frac{a°}{2}$

●Reference

[内接円]

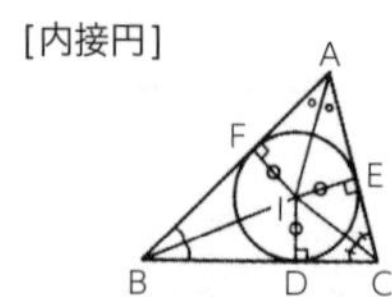

3つの内角の2等分線の交点…I
ID＝IE＝IF
Iは内接円の中心　➡　内心

[外接円]

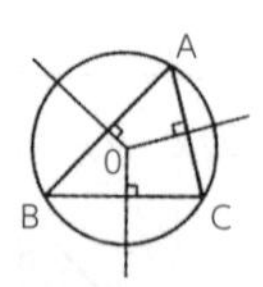

3辺の垂直2等分線の交点…O
OA＝OB＝OC
Oは外接円の中心　➡　外心

Reference

▶**中点連結定理**

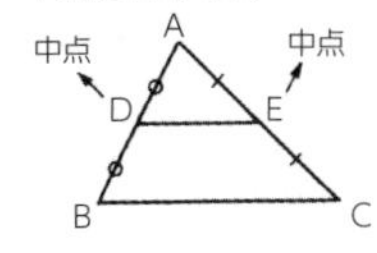

$$\begin{cases} DE = \frac{1}{2}BC \\ DE // BC \end{cases}$$

▶**三角形の等積移動**

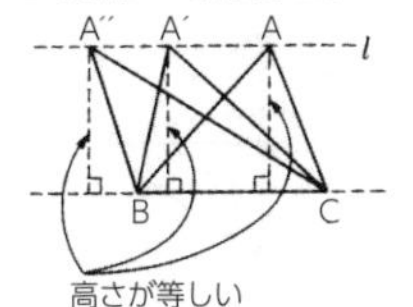

l//BCで，A，A′，…
がl上にあれば
△ABC＝△A′BC＝…

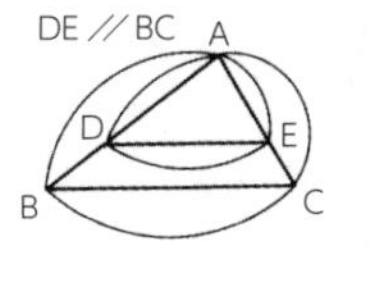

$$\frac{AD}{AB}=\frac{AE}{AC}=\frac{DE}{BC}$$

▶**三角形の重心**

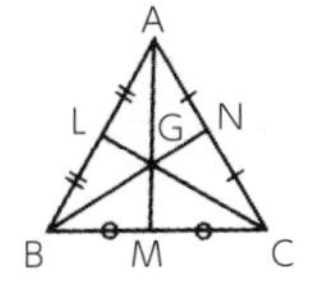

① 3つの中線の交点G
② AG：GM
＝BG：GN
＝CG：GL
＝2：1

▶**三角形の相似**（3つのうち1つ）〔∽〕
①**3辺の比**がそれぞれ等しい
②**2辺の比**とその間の角がそれぞれ等しい
③**2組の角**がそれぞれ等しい

▶**三角形の合同条件**（3つのうち1つ）〔≡〕
①**3辺**がそれぞれ等しい
②**2辺**とその**間の角**がそれぞれ等しい
③**1辺**とその**両端の角**がそれぞれ等しい

▶**直角三角形の合同条件**（2つのうち1つ）
①斜辺と他の1辺がそれぞれ等しい
②斜辺と1鋭角がそれぞれ等しい

〔例　題〕

(1)　正方形ABCDの辺BC上に，Pを∠DPE＝∠Rとなるようにとるとき，△BPE∽△CDPを証明しなさい。

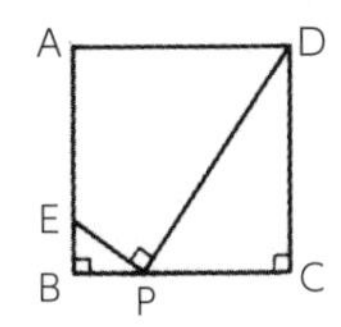

〔証　明〕　△BPEで
∠BEP＋∠EPB＝90°
∠DPE＝∠Rより
∠CPD＋∠EPB＝90°
∴∠BEP＝∠CPD
∠B＝∠C＝90°
2角がそれぞれ等しいから
△BPE∽△CDP

(2)　台形ABCDの辺AB，DCの中点をE，Fとすると，

EF＝$\frac{1}{2}$(AD＋BC)を証明しなさい。

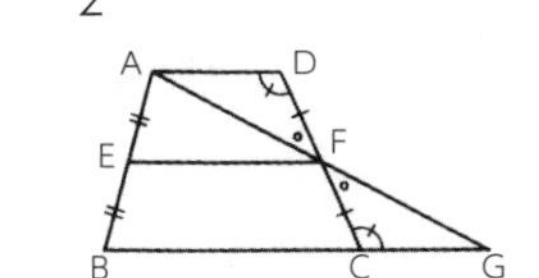

〔証　明〕　AFとBCの延長線の交点をGとする。△FAD≡△FGC
(1辺とその両端の角がそれぞれ等しい)
△ABGで中点連結定理を用いると

EF＝$\frac{1}{2}$BG＝$\frac{1}{2}$ (BC＋CG)

＝$\frac{1}{2}$ (BC＋AD)

● Reference

（ア） 台　形

$S=\frac{1}{2}(a+b)\mathrm{h}$

（イ） ひし形

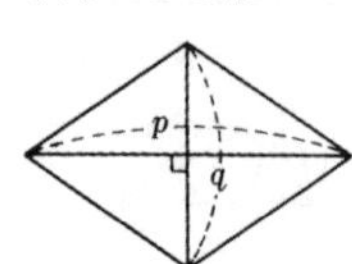

$S=\frac{1}{2}pq$

（ウ） 円

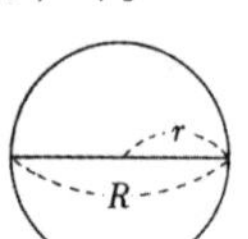

$S=\pi r^2$

（エ） おうぎ形
（l：弧の長さ）

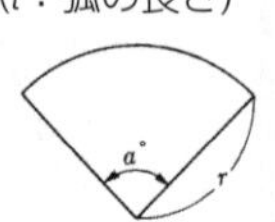

$S=\frac{a}{360}\cdot\pi r^2=\frac{1}{2}lr$

$l=\frac{a}{360}\cdot 2\pi\mathrm{r}$

（オ） 正三角形

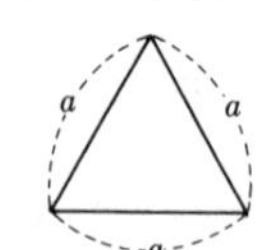

$h=\frac{\sqrt{3}}{2}a$

$S=\frac{\sqrt{3}}{4}a^2$

（カ） ヘロンの公式

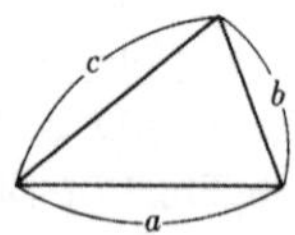

$S=\sqrt{s(s-a)(s-b)(s-c)}$

ただし$s=\frac{a+b+c}{2}$とする。

※以上，すべてSは面積を表す。

〔例　題〕

⑴　次の図の斜線部分の面積を求めなさい。

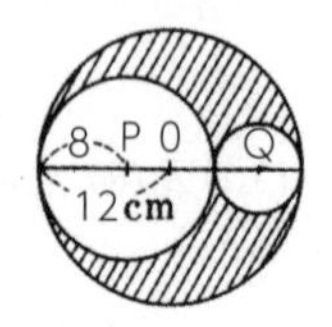

解　円Qの半径は

$(12\times2-8\times2)\div2=4$

斜線部分＝円Oの面積
　　－(円Pの面積＋円Qの面積)

$12^2\pi-(8^2\pi+4^2\pi)$

$=144\pi-64\pi-16\pi$

$=\underline{64\pi\,〔\mathrm{cm}^2〕}$

● **発展もんだい**

⑴　次の三角形の面積を求めよ。

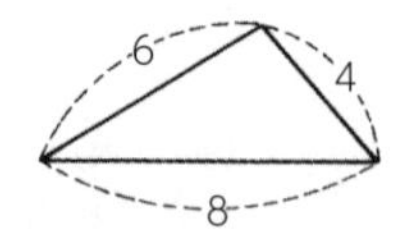

(単位cm)

⑵　半径5cmの球を2個円柱の容器に入れ球の上端まで水を入れたら18cmの深さになった。円柱の直径を求めよ。

(1) $3\sqrt{15}\mathrm{cm}^2$

(2) 16cm

▶**角柱**（V：体積，S：表面積，A：底面積，h：高さ）

（ア）立方体

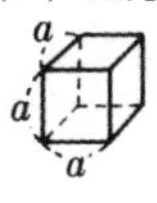

$S=6a^2$
$V=a^3$

（イ）直方体

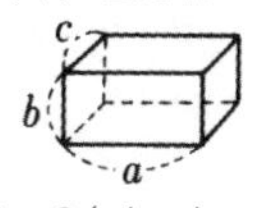

$S=2(ab+bc+ca)$
$V=abc$

（ウ）角柱

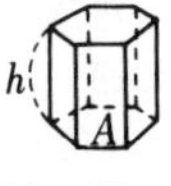

$V=Ah$

（エ）角すい

$V=\frac{1}{3}Ah$

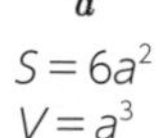

▶**球・円柱**（V：体積，S：表面積，S'：側面積，h：高さ，r：半径，l：母線の長さ）

（ア）球

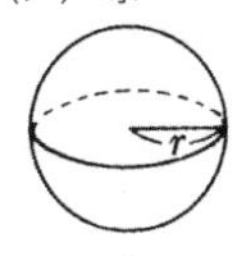

$S=4\pi r^2$
$V=\frac{4}{3}\pi r^3$

（イ）円柱

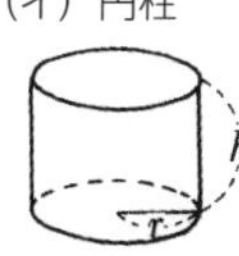

$S=2\pi r(r+h)$
$S'=2\pi rh$
$V=\pi r^2h$

（ウ）円すい

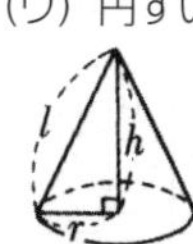

$S=\pi r(r+l)$
$S'=\pi rl$
$V=\frac{1}{3}\pi r^2h$

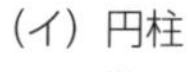

●Reference

〔例　題〕

⑴　底面の半径がrの円すいを，図のように頂点Vを中心に平面上をすべらぬようにころがして，点線で示した円の上を1周させたら，円すいはVHを軸として2回転した。次の問いに答えなさい。

①VHの長さを求めなさい。
②円すいの体積をrで表しなさい。
③円すいの表面積を求めなさい。

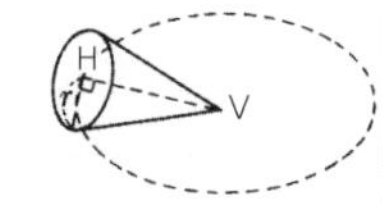

解　①円すいの母線の長さをlとすると，$2\pi l=2\pi r\times 2$　$\therefore l=2r$

従って$r:l:\mathrm{VH}=1:2:\sqrt{3}$　$\therefore \mathrm{VH}=\underline{\sqrt{3}r}$

②$\pi r^2\times\sqrt{3}r\times\frac{1}{3}=\underline{\frac{\sqrt{3}}{3}\pi r^3}$

③$(2r)^2\pi\times\frac{1}{2}+\pi r^2=\frac{4\pi r^2}{2}+\pi r^2=2\pi r^2+\pi r^2=\underline{3\pi r^2}$

⑵　AOを軸として回転したとき△ABCがつくる回転体の体積を求めなさい。

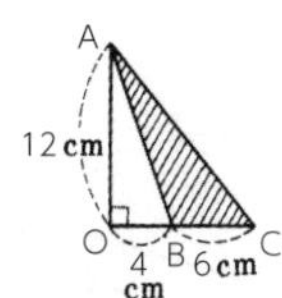

解　△AOCがつくる回転体の体積は，

$\frac{1}{3}\times 10^2\pi\times 12=400\pi$〔$\mathrm{cm}^3$〕

△AOBがつくる回転体の体積は，

$\frac{1}{3}\times 4^2\pi\times 12=64\pi$〔$\mathrm{cm}^3$〕

∴求める体積は　$400\pi-64\pi=\underline{336\pi}$〔$\mathrm{cm}^3$〕

● Reference

▶**三平方の定理（ピタゴラスの定理）**

直角三角形の斜辺の平方は，直角をはさむ2辺の平方の和に等しい。

$\angle C=\angle R$ ならば $a^2+b^2=c^2$

▶**三平方の定理の逆**

3辺が a, b, c の三角形で $a^2+b^2=c^2$ ならば，この三角形は $\angle C=\angle R$ の直角三角形である。

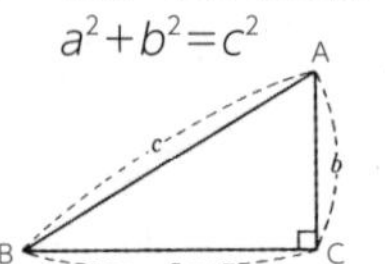

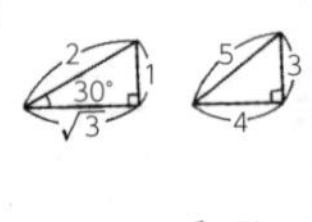

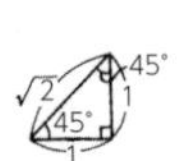

▶**三角比の定義**

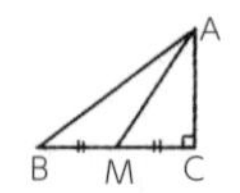

$\sin\theta=\dfrac{BC}{AB}\left(=\dfrac{対辺}{斜辺}\right)$　正弦

$\cos\theta=\dfrac{CA}{AB}\left(=\dfrac{隣辺}{斜辺}\right)$　余弦

$\tan\theta=\dfrac{BC}{CA}\left(=\dfrac{対辺}{隣辺}\right)$　正接

（ただし，$0°<\theta<90°$　$\angle A=\theta$　$\angle C=90°$）

▶**三角関数の相互関係**

○ $\sin^2\theta+\cos^2\theta=1$

○ $\tan\theta=\dfrac{\sin\theta}{\cos\theta}$

○ $1+\tan^2\theta=\dfrac{1}{\cos^2\theta}$

〔例　題〕

(1)　次の図で $AB=5$，$AC=3$ のとき AM の長さを求めなさい。

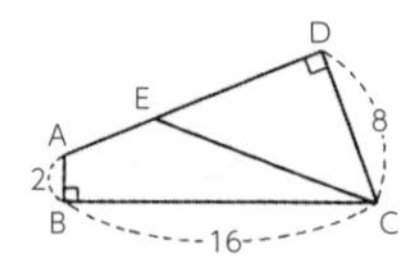

解　$BC^2=AB^2-CA^2=5^2-3^2=25-9=16$　$\therefore BC=4$

$AM^2=MC^2+CA^2=2^2+3^2=4+9=13$　$\underline{\therefore AM=\sqrt{13}}$

(2)　次の四角形ABCDについて各問いに答えなさい。

①辺ADの長さを求めなさい。

②点Eが辺AD上にあって，線分CEが四角形ABCDの面積を2等分するときの線分DEの長さを求めなさい。

解　①$AD^2=AC^2-CD^2$

$AC^2=AB^2+BC^2=2^2+16^2=260$

$\therefore AD^2=260-8^2=196$　　$\therefore AD=\sqrt{196}=\underline{14}$

②DEの長さを x とし，四角形ABCDの面積を S とすると，

$$S=\triangle ABC+\triangle ACD=\frac{1}{2}(2\times16)+\frac{1}{2}(8\times14)=16+56=72$$

$72\times\dfrac{1}{2}=36$　　$36=\dfrac{1}{2}(8\times x)$　　$\underline{\therefore x=9}$

● **発展もんだい**

(1)　次の図でDは△ABCの辺ABの延長上，AD＝ACとなる点である。このことを利用して $\sin15°$ の値を求めよ。

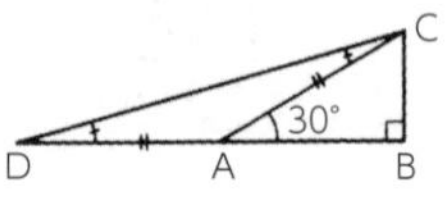

(1) $\dfrac{\sqrt{6}-\sqrt{2}}{4}$

5 場合の数・確率，統計

重要度 A ／／／

▶**場合の数**

〔**和の法則**〕　2つの事柄A，Bがあって，この2つは同時には起こらないとする。そして，Aにはm通り，Bにはn通り の場合があるとき，
AまたはBが起こる場合の数は，$m+n$通りである。

〔**積の法則**〕　2つの事柄A，Bがあって，Aにはm通りの場合があって，その各々の場合に対して，Bにはn通りの場合があるとき，
AとBがともに起こる場合の数は$m \times n$通りである。

＊場合の数を求めるときには，数え落としや重複がないように**樹形図**を用いるなど，いろいろな場合に分類して，順序よく数えることがポイント。

▶**階乗，円順列**

◎順列…異なるn個のものからr 個を取り出して並べる

$$nPr = n \cdot (n-1)(n-2) \cdots\cdots (n-r+1)$$

◎階乗…異なるn個のものを全て並べるときの並べ方

$$n! = n \cdot (n-1) \cdot (n-2) \cdots\cdots 3 \cdot 2 \cdot 1$$

◎円順列…いくつかのものを円形に並べる並べ方

$$(n-1)! = (n-1) \cdot (n-2) \cdots\cdots 3 \cdot 2 \cdot 1$$

◎組合せ…異なるn個のものから異なるr個を取る組合せ

$${}_nC_r = \frac{n!}{r!(n-r)!}$$

▶**確率**

ある事柄Aが起こりうるすべての場合の数がn通りで，そのどれが起こることも同様に確からしいとする。

ある事柄Aが起こるのは，上のn通りのうちのa通りであるとき，Aの起こる確率は$\frac{a}{n}$である。

▶**統計**

〔平均〕　平均＝データの総和÷データの大きさ

◎**中央値**…データを大きさ順に並べたとき真ん中にあるものの値

◎**最頻値**…最も頻度の高い値

〔度数分布〕

◎度数…階級に属している人数

◎相対度数…データの大きさを1としたときの度数の割合

相対度数＝**度数÷データの大きさ**

〔例　題〕

⑴　0，1，2，3，4の5枚のカードがある。この中から異なる2つの数字をとり出して，その一方を10の位の数，他方を1の位の数として2桁の整数をつくるとき，偶数は全部で何通りあるか求めなさい。

解　10の位の数字になるのは1，2，3，4，1の位の数字になるのは，2桁の偶数でなければならないので0，2，4

1＜0, 2, 4　　2＜0, 4　　3＜0, 2, 4　　4＜0, 2　　の**10通り**

⑵　2枚の10円玉を投げるとき，次の確率を求めなさい。

①2枚とも表が出る確率

②少なくとも1枚が裏である確率

解　①2枚の10円玉をA，Bとして（A，B）で表すと，起こりうる場合は，(A－表，B－表)，(A－表，B－裏)，(A－裏，B－表)，(A－裏，B－裏)の4通りである。よって$\frac{1}{4}$

②「少なくとも1枚が裏」とは，(表，表）にならない場合である。

したがって$1-\frac{1}{4}=\frac{3}{4}$

⑶　袋の中に，赤玉が3個，白玉が5個入っている。この中から1個ずつ2個，玉を取り出すとする。このとき，次の確率を求めなさい。ただし，一度取り出した玉はもとに戻さないものとする。

①最初に赤玉，次に白玉が出る確率を求めなさい。

②2番目に白玉が出る確率を求めなさい。

解　①最初に赤玉を取り出す確率は$\frac{3}{8}$，次に白玉が出る確率は$\frac{5}{7}$

よって　$\frac{3}{8}\times\frac{5}{7}=\frac{15}{56}$

②白玉，白玉の順に取り出す確率と赤玉，白玉の順で取り出す確率の和は，

$\left(\frac{5}{8}\times\frac{4}{7}\right)+\left(\frac{3}{8}\times\frac{5}{7}\right)=\frac{5}{8}$

⑷　2個のサイコロを同時に投げたとき，次の確率を求めなさい。

①両方とも3の目が出る確率

②同じ目が出る確率

③両方とも奇数の目が出る確率

④少なくとも1つは1の目が出る確率

⑤出た目の積が偶数になる確率

解　①(3の目が出る確率)×(3の目が出る確率)　$\frac{1}{6}\times\frac{1}{6}=\underline{\frac{1}{36}}$

②同じ目の組合せは6通り　$\frac{6}{36}=\underline{\frac{1}{6}}$

③(奇数の目の出る確率)×(奇数の目の出る確率)　$\frac{3}{6}\times\frac{3}{6}=\frac{9}{36}=\underline{\frac{1}{4}}$

④2つとも1以外の出方は　5×5＝25通り　$1-\frac{25}{36}=\underline{\frac{11}{36}}$

⑤奇数×奇数以外は偶数である　$1-\left(\frac{3}{6}\times\frac{3}{6}\right)=\underline{\frac{3}{4}}$

●発展もんだい

(1)　甲，乙，丙の3人がジャンケンをするとき，次の問いに答えよ。

①全部で何通りの出し方があるか。

②甲だけが勝つ確率を求めよ。

③あいこになる確率を求めよ。

(2)　正六角形の3つの頂点を選び，それを結んでできる三角形の総数を求めよ。

(1)①27通り

②$\frac{1}{9}$

③$\frac{1}{3}$

(2)20個

■計算もんだい

(1)　$a*b=a-b+3ab$のとき，方程式 $(x*5)*x=x*5$の解を求めなさい。

(2)　$x+\frac{1}{x}=1$のとき，$x^2+\frac{1}{x^2}$はいくらか計算しなさい。

(3)　$x=3+\sqrt{2}$，$y=3-\sqrt{2}$のとき，x^2+y^2の値を求めなさい。

(4)　①107を，2進法であらわしなさい。

②86を，5進法であらわしなさい。

③5進法の103を，10進法であらわしなさい。

④3進法の2012を，10進法であらわしなさい。

(5)　3%と8%の濃さの食塩水を混ぜて，6%の食塩水を400gつくるためにはそれぞれ何gずつ混ぜればよいか。

(6)　ある大学の学生数は12720人で，これは前年比で，男子が9%増，女子は3%減で，全体では6%増であった。今年の男子，女子それぞれの学生数を求めなさい。

(7)　ある道のりを往路は4km/h，帰路は6km/hで往復した。往復の平均速度を求めなさい。

[解　答]　(1)$x=0,\ \frac{1}{3}$　(2)-1　(3)22　(4)①1101011　②321　③28　④59

(5)3%の食塩水を160g，8%を240g　(6)男子は9810人，女子は2910人

(7)4.8km/h

[解　説]

(1)　$x*5=16x-5$だから，

与式は$(16x-5)*x=16x-5$

$16x-5-x+3(16x-5)\times x=16x-5$

$48x^2-16x=0$　　$16x(3x-1)=0$

(2)　$x^2+\frac{1}{x^2}=(x+\frac{1}{x})^2-2$

(3)　$(x+y)^2-2xy$　$x+y$とxyを求め，これに代入。

(4)　①2進法　$2\,\underline{)\,107}$ 余り

$2\,\underline{)\,53}$……1

$2\,\underline{)\,26}$……1

$2\,\underline{)\,13}$……0

$2\,\underline{)\,\ 6}$……1

$2\,\underline{)\,\ 3}$……0

　　1……1

②5進法　$5\,\underline{)\,86}$ 余り

$5\,\underline{)\,17}$……1

　　3……2

③$103_{(5)}=5^2\times1+5^1\times0+5^0\times3$

$=25+0+3=28$

④$2012_{(3)}=3^3\times2+3^2\times0+3^1\times1+3^0\times2$

$=54+0+3+2=59$

(5)　3%の食塩水をxg，8%の食塩水をyg混ぜるとする。6%の食塩水400g中には，食塩が24g，水が376gある。

$$\begin{cases}0.03x+0.08y=24\text{……①}\\ x+y=400\text{……②}\end{cases}$$

(6)　昨年の男子をx人，女子をy人とすると，

$$\begin{cases}1.06(x+y)=12720\text{……①}\\ 1.09x+0.97y=12720\text{……②}\end{cases}$$

①×1.09−②×1.06

$$\begin{array}{rr} & 1.1554x+1.1554y=13864.8\\ -) & 1.1554x+1.0282y=13483.2\\ \hline & 0.1272y=381.6\end{array}$$

$\therefore y=3000$…前年の女子

$y=3000$を①に代入

…中略…$x=9000$…前年の男子

今年の男子は$9000\times1.09=9810$

女子は$3000\times0.97=2910$

(7)　片道の距離を$x$kmとすると，

$2x\div\left(\frac{x}{4}+\frac{x}{6}\right)=2x\div\frac{5x}{12}=\frac{24x}{5x}=4.8$(km/h)

● Reference

▶分散・標準偏差

〈例〉　自家用車で会社へ行くのにかかった時間（分）

自家用車	24	29	23	25	21	28

→平均は，(24+29+23+25+21+28) ÷ 6 = 25

平均との差は，

自家用車	24	29	23	25	21	28
平均との差(偏差)	1	4	2	0	4	3

$$分散=\frac{偏差の2乗の和}{データの大きさ}$$

○分散……　$(1^2+4^2+2^2+0^2+4^2+3^2)\div6\fallingdotseq7.8$

○標準偏差（$\sqrt{分散}$）……$\sqrt{7.8}$

4
理　科

1 学習指導要領

1．目　標

> 自然に親しみ，理科の見方・考え方を働かせ，**見通し**をもって**観察**，**実験**を行うことなどを通して，自然の事物・現象についての問題を[1]に解決するために必要な資質・能力を次のとおり育成することを目指す。
>
> ⑴　自然の事物・現象についての理解を図り，**観察**，**実験**などに関する[2]を身に付けるようにする。
>
> ⑵　**観察**，**実験**などを行い，[3]を養う。
>
> ⑶　[4]や**主体**的に**問題解決**しようとする態度を養う。

1. 科学的
2. 基本的な技能
3. 問題解決の力
4. 自然を愛する心情

2．指導計画の作成と内容の取扱い

▶指導計画の作成

○　主体的・対話的で深い学び

⑴　単元など内容や時間のまとまりを見通して，その中で育む資質・能力の育成に向けて，児童の**主体**的・**対話**的で深い学びの実現を図るようにすること。その際，理科の学習過程の特質を踏まえ，理科の見方・考え方を働かせ，[1]をもって**観察**，**実験**を行うことなどの，問題を[2]に解決しようとする学習活動の充実を図ること。

1. 見通し
2. 科学的

○　問題解決の力の育成

⑵　各学年で育成を目指す思考力，判断力，表現力等については，該当学年において育成することを目指す力のうち，主なものを示したものであり，実際の指導に当たっては，他の学年で掲げている力の育成についても十分に配慮すること。

○　障害のある児童への指導

⑶　障害のある児童などについては，学習活動を行う場合に生じる困難さに応じた指導内容や指導方法の

工夫を**計画**的，**組織**的に行うこと。

○　道徳科などとの関連

⑷　第1章総則の第1の2の⑵に示す道徳教育の目標（P.248参照）に基づき，道徳科などとの関連を考慮しながら，第3章特別の教科道徳の第2に示す内容について，理科の特質に応じて適切な指導をすること。

▶内容の取扱い

⑴　問題を見いだし，**予想**や**仮説**，**観察**，**実験**などの方法について考えたり説明したりする学習活動，**観察**，**実験**の結果を整理し考察する学習活動，**科学**的な言葉や概念を使用して考えたり説明したりする学習活動などを重視することによって，**言語活動**が充実するようにすること。

⑵　**観察**，**実験**などの指導に当たっては，指導内容に応じて**コンピュータ**や**情報通信ネットワーク**などを適切に活用できるようにすること。また，［ 3 ］を体験しながら**論理**的思考力を身に付けるための学習活動を行う場合には，児童の負担に配慮しつつ，例えば各学年の内容の〔第6学年〕の「A　物質・エネルギー」の⑷における［ 4 ］を利用した道具があることを捉える学習など，与えた条件に応じて動作していることを考察し，更に**条件**を変えることにより，動作が変化することについて考える場面で取り扱うものとする。

⑶　生物，天気，川，土地などの指導に当たっては，野外に出掛け地域の**自然**に親しむ活動や［ 5 ］を多く取り入れるとともに，**生命**を尊重し，［ 6 ］に寄与する態度を養うようにすること。

⑷　天気，川，土地などの指導に当たっては，［ 7 ］に関する基礎的な理解が図られるようにすること。

⑸　個々の児童が**主体**的に**問題解決**の活動を進めるとともに，**日常生活**や他教科等との関連を図った学習活動，目的を設定し，計測して**制御**するという考え方に基づいた学習活動が充実するようにすること。

⑹　**博物館**や科学学習センターなどと連携，協力を図りながら，それらを積極的に活用すること。

▶事故防止，薬品などの管理

3.　プログラミング

4.　電気の性質や働き

5.　体験的な活動

6.　自然環境の保全

7.　災害

観察，実験などの指導に当たっては，**事故防止**に十分留意すること。また，**環境整備**に十分配慮するとともに，［ 8 ］についても適切な措置を取るよう配慮すること。

8. 使用薬品

3．各学年の目標

A　物質・エネルギー

		習得する知識の内容		問題解決の力
第3学年	①	物の性質，［ 1 ］の働き，光と音の性質，［ 2 ］の性質及び［ 3 ］について	の理解を図り，	**観察，実験**などに関する基本的な技能を身に付けるようにする。
	②		追究する中で，	主に**差異点**や**共通点**を基に，［ 4 ］を見いだす力を養う。
	③			**主体的に問題解決**しようとする態度を養う。
第4学年	①	空気，水及び［ 5 ］の性質，［ 6 ］について	の理解を図り，	**観察，実験**などに関する基本的な技能を身に付けるようにする。
	②		追究する中で，	主に既習の内容や**生活経験**を基に，［ 7 ］や**仮説**を発想する力を養う。
	③			**主体的に問題解決**しようとする態度を養う。
第5学年	①	物の溶け方，［ 8 ］，［ 9 ］について	の理解を図り，	**観察，実験**などに関する基本的な技能を身に付けるようにする。
	②		追究する中で，	主に**予想**や**仮説**を基に，［ 10 ］を発想する力を養う。
	③			**主体的に問題解決**しようとする態度を養う。
第6学年	①	燃焼の仕組み，［ 11 ］の性質，［ 12 ］及び［ 13 ］の性質や働きについて	の理解を図り，	**観察，実験**などに関する基本的な技能を身に付けるようにする。
	②		追究する中で，	主にそれらの仕組みや性質，**規則性及び働き**について，より［ 14 ］をつくりだす力を養う。
	③			**主体的に問題解決**しようとする態度を養う。

1. 風とゴムの力
2. 磁石
3. 電気の回路
4. 問題

5. 金属
6. 電流の働き
7. 根拠のある予想

8. 振り子の運動
9. 電流がつくる磁力
10. 解決の方法

11. 水溶液
12. てこの規則性
13. 電気
14. 妥当な考え

B　生命・地球

		習得する知識の内容		問題解決の力
第3学年	①	身の回りの生物，[1]について	の理解を図り，	**観察**，**実験**などに関する基本的な技能を身に付けるようにする。
	②		追究する中で，	主に**差異点**や**共通点**を基に，[2]を見いだす力を養う。
	③			生物を**愛護**する態度や**主体**的に**問題解決**しようとする態度を養う。
第4学年	①	[3]と運動，動物の活動や植物の成長と環境との関わり，[4]と地面の様子，気象現象，月や星について	の理解を図り，	**観察**，**実験**などに関する基本的な技能を身に付けるようにする。
	②		追究する中で，	主に既習の内容や**生活経験**を基に，[5]や**仮説**を発想する力を養う。
	③			生物を**愛護**する態度や**主体**的に**問題解決**しようとする態度を養う。
第5学年	①	[6]，[7]，気象現象の規則性について	の理解を図り，	**観察**，**実験**などに関する基本的な技能を身に付けるようにする。
	②		追究する中で，	主に**予想**や**仮説**を基に，[8]の方法を発想する力を養う。
	③			生命を**尊重**する態度や**主体**的に**問題解決**しようとする態度を養う。
第6学年	①	[9]と働き，生物と環境との関わり，[10]と変化，月の形の見え方と太陽との位置関係について	の理解を図り，	**観察**，**実験**などに関する基本的な技能を身に付けるようにする。
	②		追究する中で，	主にそれらの働きや関わり，変化及び関係について，[11]をつくりだす力を養う。
	③			生命を**尊重**する態度や**主体**的に**問題解決**しようとする態度を養う。

1. 太陽と地面の様子
2. 問題

3. 人の体のつくり
4. 雨水の行方
5. 根拠のある予想

6. 生命の連続性
7. 流れる水の働き
8. 解決

9. 生物の体のつくり
10. 土地のつくり
11. より妥当な考え

4．理科の内容の構成

※　実線は新規項目，破線は移行項目。以下同様。

学年	エネルギー		
	エネルギーの捉え方	エネルギーの変換と保存	エネルギー資源の有効利用
第3学年	**風とゴムの力の働き** ◦風の力の働き ◦ゴムの力の働き **光と音の性質** ◦光の反射・集光 ◦光の当て方と明るさや暖かさ ◦音の伝わり方と大小 **磁石の性質** ◦磁石に引き付けられる物 ◦異極と同極	**電気の通り道** ◦電気を通すつなぎ方 ◦電気を通す物	
第4学年		**電流の働き** ◦乾電池の数とつなぎ方	
第5学年	**振り子の運動** ◦振り子の運動	**電流がつくる磁力** ◦鉄心の磁化，極の変化 ◦電磁石の強さ	
第6学年	**てこの規則性** ◦てこのつり合いの規則性 ◦てこの利用	**電気の利用** ◦発電（光電池（小４から移行）を含む），蓄電 ◦電気の変換 ◦電気の利用	

学年	粒子			
	粒子の存在	粒子の結合	粒子の保存性	粒子のもつエネルギー
第3学年			**物と重さ** ◦形と重さ ◦体積と重さ	
第4学年	**空気と水の性質** ◦空気の圧縮 ◦水の圧縮			**金属，水，空気と温度** ◦温度と体積の変化 ◦温まり方の違い ◦水の三態変化
第5学年			**物の溶け方（溶けている物の均一性（中１から移行）を含む）** ◦重さの保存 ◦物が水に溶ける量の限度 ◦物が水に溶ける量の変化	
第6学年	**燃焼の仕組み** ◦燃焼の仕組み	**水溶液の性質** ◦酸性，アルカリ性，中性 ◦気体が溶けている水溶液 ◦金属を変化させる水溶液		

<table>
<tr><th rowspan="2">学年</th><th colspan="3">生命</th></tr>
<tr><th>生物の構造と機能</th><th>生命の連続性</th><th>生物と環境の関わり</th></tr>
<tr><td>第3学年</td><td colspan="3">身の回りの生物
◦身の回りの生物と環境との関わり
◦昆虫の成長と体のつくり
◦植物の成長と体のつくり</td></tr>
<tr><td>第4学年</td><td>人の体のつくりと運動
◦骨と筋肉
◦骨と筋肉の働き</td><td></td><td>季節と生物
◦動物の活動と季節
◦植物の成長と季節</td></tr>
<tr><td>第5学年</td><td></td><td>植物の発芽，成長，結実
◦種子の中の養分
◦発芽の条件
◦成長の条件
◦植物の受粉，結実

動物の誕生
◦卵の中の成長
◦母体内の成長</td><td></td></tr>
<tr><td>第6学年</td><td>人の体のつくりと働き
◦呼吸
◦消化・吸収
◦血液循環
◦主な臓器の存在

植物の養分と水の通り道
◦でんぷんのでき方
◦水の通り道</td><td></td><td>生物と環境
◦生物と水，空気との関わり
◦食べ物による生物の関係（水中の小さな生物（小5から移行）を含む）
◦人と環境</td></tr>
</table>

<table>
<tr><th rowspan="2">学年</th><th colspan="3">地　球</th></tr>
<tr><th>地球の内部と地表面の変動</th><th>地球の大気と水の循環</th><th>地球と天体の運動</th></tr>
<tr><td>第3学年</td><td></td><td></td><td>太陽と地面の様子
◦日陰の位置と太陽の位置の変化
◦地面の暖かさや湿り気の違い</td></tr>
<tr><td>第4学年</td><td>雨水の行方と地面の様子
◦地面の傾きによる水の流れ
◦土の粒の大きさと水のしみ込み方</td><td>天気の様子
◦天気による1日の気温の変化
◦水の自然蒸発と結露</td><td>月と星
◦月の形と位置の変化
◦星の明るさ，色
◦星の位置の変化</td></tr>
<tr><td>第5学年</td><td>流れる水の働きと土地の変化
◦流れる水の働き
◦川の上流・下流と川原の石
◦雨の降り方と増水</td><td>天気の変化
◦雲と天気の変化
◦天気の変化の予想</td><td></td></tr>
<tr><td>第6学年</td><td>土地のつくりと変化
◦土地の構成物と地層の広がり（化石を含む）
◦地層のでき方
◦火山の噴火や地震による土地の変化</td><td></td><td>月と太陽
◦月の位置や形と太陽の位置</td></tr>
</table>

2 生命・地球

1. B
2. 光合成
3. 茎
4. A
5. 根
6. 紫
7. ㋐ (あ)
8. ㋑
9. ㋐
10. (い)
11. ㋒
12. 子葉
13. 胚乳
14. 呼吸作用
15. 二酸化炭素
16. 適温

▶いも

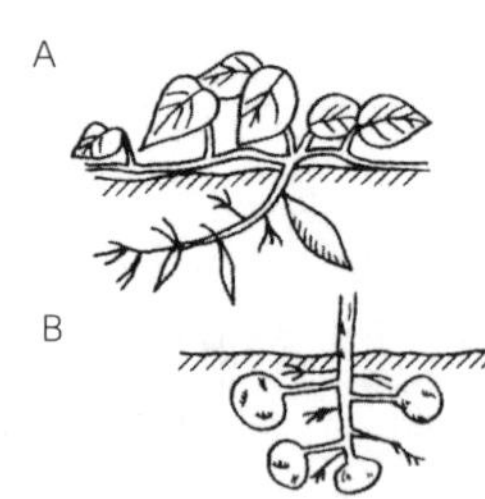

(1) **ジャガイモ**は記号の[1]

日当たりのよいところで[2]を行い，できた**でんぷん**は地下の[3]に蓄えられる。

〈なかま〉サトイモ

(2) **サツマイモ**は記号の[4]

暑い地方の植物で，できた**でんぷん**は地下の[5]に蓄えられる。

〈なかま〉ダリア，キクイモ

＊でんぷんは**ヨウ素液**によって[6]色に変わる。

▶種のつくり

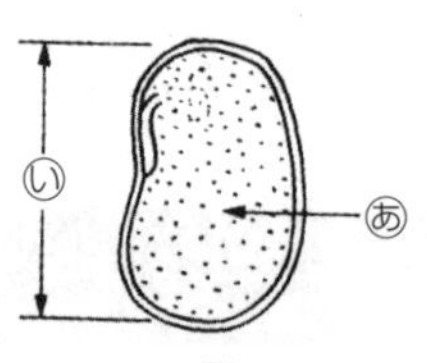

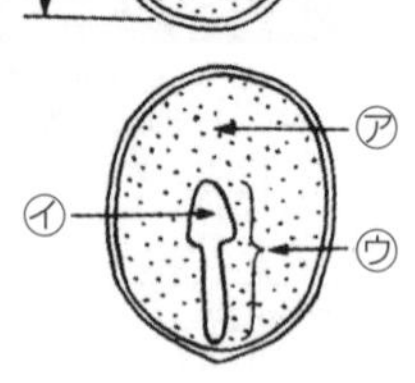

次は図の中のどの部分か。

	ダイズ	カキ
子葉	7	8
胚乳	(――)	9
胚	10	11

(1) ダイズの種…**無胚乳種子**で[12]に必要な養分がたくわえられている。

(2) カキの種…**有胚乳種子**で[13]に必要な養分がたくわえられている。

▶種子の発芽

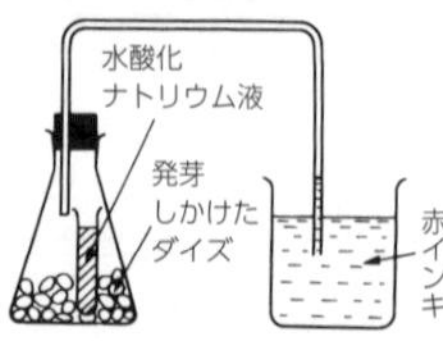

(1) ダイズが発芽するとき[14]が行われることによって発生した[15]が**水酸化ナトリウム溶液**にとけてフラスコ内の気体の体積が下がり，赤インキは**上昇**する。

(2) **発芽に必要な条件**…水，空気，[16]

▶花のつくり

各部分の名称を答えなさい。

㋐[17]　㋑[18]

㋒[19]　㋓[20]

(1)　花が咲いた後，実になる部分は，記号[21]の[22]

(2)　花が咲いた後，**種子**になる部分は，記号[23]の[24]

17. 柱頭
18. めしべ
19. おしべ
20. がく
21. ㋔
22. 子房
23. ㋕
24. 胚珠

▶受粉（ヘチマの花）

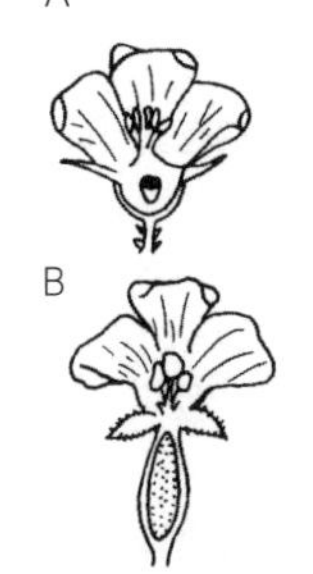

(1)　め花は記号の[25]。

(2)　ヘチマの花粉は，[26]によって運ばれる。

(3)　同じ種類の花の花粉を虫や風に運んでもらう受粉を[27]受粉，同じ花のおしべとめしべの間での受粉を[28]受粉という。

(4)　マツ，スギの花粉は[29]によって運ばれる。

25. B
26. 昆虫
27. 他家
28. 自家
29. 風

▶受精

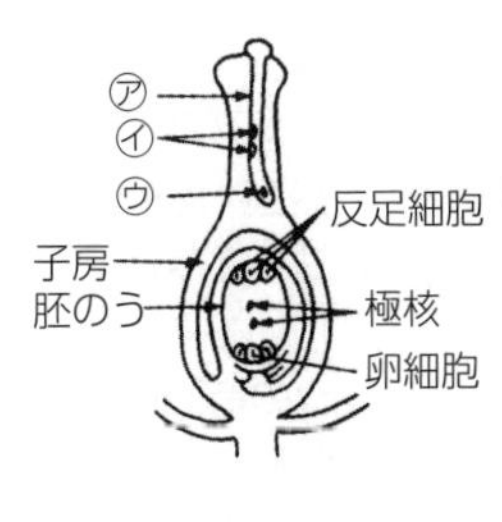

(1)　花粉が**柱頭**につくと㋐[30]を伸ばし**胚珠**の入口に伸びていく。このとき，**花粉核**は2個の㋑[31]と1個の㋒[32]に分かれる。

(2)　㋑のうち1つは**卵細胞**とむすびつき，種子の[33]となり，他の1つは**胚珠**の中の**極核**とむすびつき種子の[34]となる。このような受精のしかたを[35]という。

30. 花粉管
31. 精細胞（精核）
32. 花粉管核
33. 胚
34. 胚乳
35. 重複受精

36. 接眼
37. 対物

▶顕微鏡の使い方①

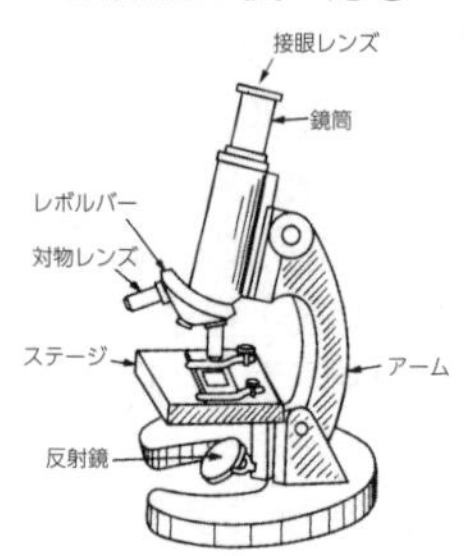

①[36]レンズをとりつける。
②[37]レンズをとりつける。
③反射鏡の**角度**を変えて，**光**がレンズを通るようにする。
④横から見ながら対物レンズをゆっくり**プレパラート**の近くまでおろす。⑤**接眼レンズ**をのぞき，鏡筒をあげてよく見えるところで止める。⑥**反射鏡**やしぼりを調節する。

---

38. ㋑
39. ㋒
40. 暗く
41. 凹

▶顕微鏡の使い方②

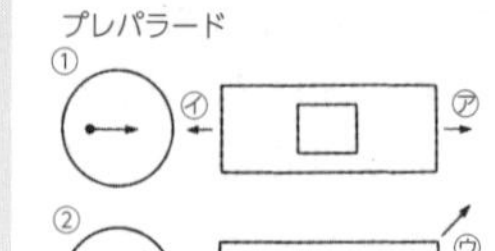

見たい物の位置を矢印の方向に動かしたいとき，プレパラートは，どちらの方向へ動かしたらよいか。

①[38]　②[39]

顕微鏡の倍率
＝接眼レンズ×対物レンズ

倍率を高くすると，像は[40]なり，**反射鏡**は[41]面を使う。

---

42. ㋑
43. ㋓
44. ㋐
45. ㋒

▶植物のつくり

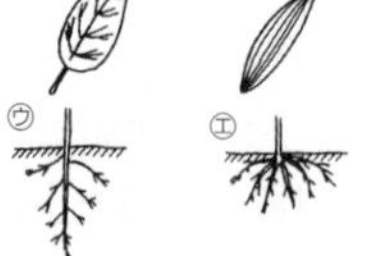

	葉	根
単子葉植物	[42]	[43]
イネ，チューリップなど		
双子葉植物	[44]	[45]
アブラナ，アサガオなど		

---

46. ㋐
47. ㋑
48. 師管
49. ⓐ

▶茎のつくり

(1)　トウモロコシの断面…記号[46]（単子葉植物）
(2)　ホウセンカの断面…記号[47]（双子葉植物）

次ページ㋑の，ⓐⓑⓒについて答えよ。

①葉でつくられた養分を根などに送る部分。
[48]…記号[49]

㋑
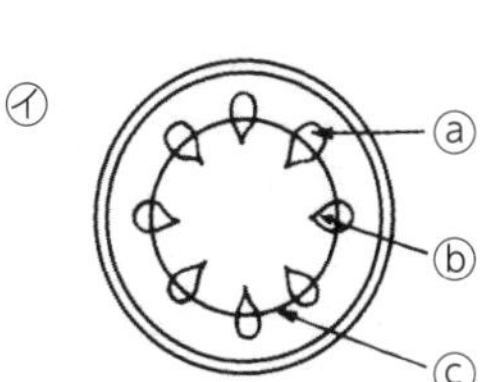

②根から取り入れた水や**養分**を葉や花に送る部分。

[50]…記号[51]

③**細胞**の数が増え茎を太くする部分。

[52]…記号[53]

50. 道管
51. ⓑ
52. 形成層
53. ⓒ

▶葉のつくり

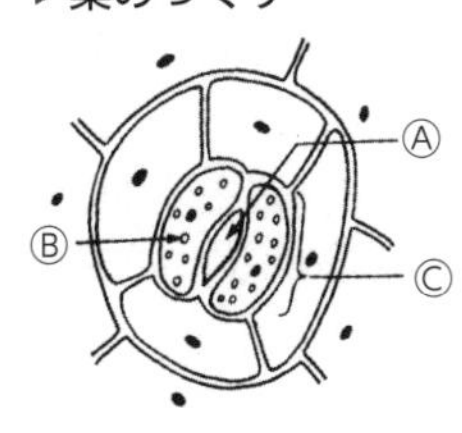

Ⓐ…[54]といい，葉の[55]に多く見られる。

Ⓑ…**緑色**の小さな粒で[56]といわれる。

Ⓒ…[57]と呼ばれ，Ⓐの部分を開閉して**水蒸気**，空気の出し入れを行う。

54. 気孔
55. 裏側
56. 葉緑体
57. 孔辺細胞

▶植物と日光

①
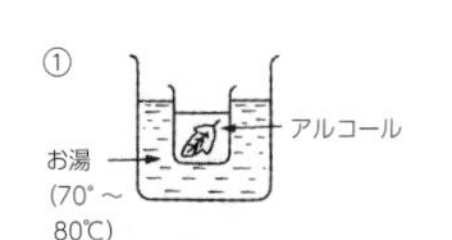

③

※温度が高いと
反応が出ない。

青紫色

〔実験〕…ふ入りのアサガオの葉

①アルコールにつけてあたため[58]をぬく。

②水につけてアルコールをぬく。

③[59]にひたすと緑色の部分は青紫色になった。

④白い部分が青紫色にならなかったのは，その部分に[60]がないため，**光合成**によって[61]がつくられなかったからである。

58. 葉緑素
59. ヨウ素液
60. 葉緑素
61. でんぷん

〈光合成化学式〉

6[62]＋12[63]＋光エネルギー

→[64]＋6[65]＋6[66]

62. CO_2
63. H_2O
64. $C_6H_{12}O_6$
65. H_2O
66. O_2

▶**昆虫のつくり**

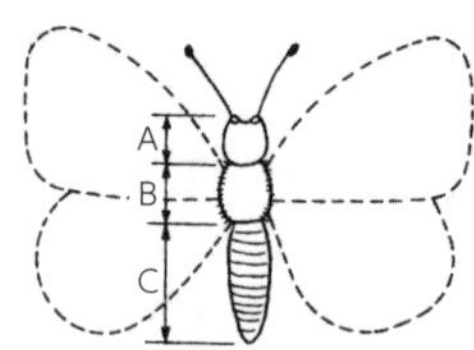

モンシロチョウの形態

⑴ A，B，Cの名称。

A[67] B[68]

C[69]

⑵ モンシロチョウの足は，[70]に[71]つく。

⑶ 昆虫は，[72]呼吸をし，腹部の両側にある[73]という小穴から空気を出し入れする。

⑷ モンシロチョウは卵→幼虫→**さなぎ**→成虫の順に変態する。このような変態を[74]**変態**といい，**さなぎ**の期間のないものを[75]**変態**という。

67. 頭
68. 胸
69. 腹
70. 胸部の左右
71. 3本ずつ
72. 気管
73. 気門
74. 完全
75. 不完全

▶**メダカ**

⑴ オスのメダカは記号の[76]である。

⑵ メダカは1回に約[77]個くらい卵を産む。卵の直径は約[78]mmで，まるくうすい黄色をしている。卵がかえるまで約11日かかる。

⑶ よく卵を産むようにするには，①水温が[79]℃くらい，②メス5匹，オス7匹くらい，③**日光**がよく当たる，④エサを十分与える。

76. ㋑
77. 10
78. 1
79. 25

▶**プランクトン**

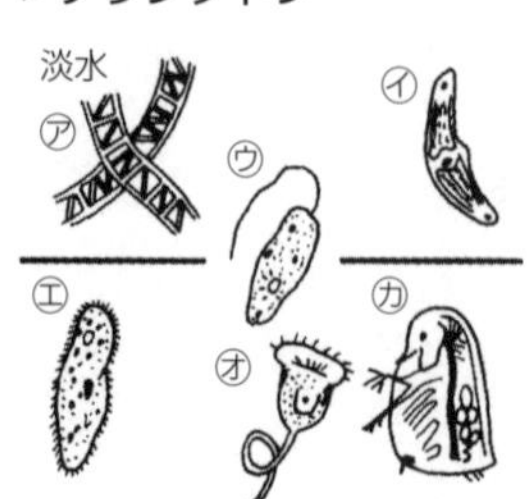

㋐〜㋕の名称は何か。

植物性プランクトン

㋐[80] ㋑[81]

㋒[82]

動物性プランクトン

㋓[83] ㋔[84]

㋕[85]

80. アオミドロ
81. ミカヅキモ
82. ミドリムシ
83. ゾウリムシ
84. ツリガネムシ
85. ミジンコ

▶心臓のつくり

(1) ㋐〜㋓の部分の名称は何か。

㋐ 86　㋑ 87

㋒ 88　㋓ 89

(2) 左図の①〜④を入れなさい。

○大動脈 90

○大静脈 91

○肺動脈 92

○肺静脈 93

86. 左心房
87. 右心房
88. 左心室
89. 右心室
90. ③
91. ④
92. ①
93. ②

▶血液のつくり

下図の①〜④の名称を答えなさい。

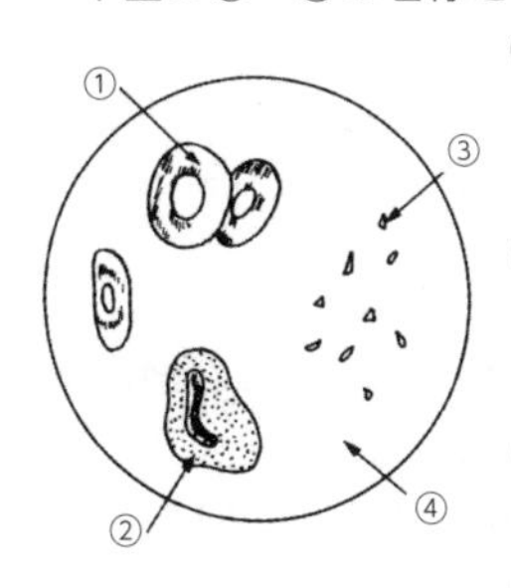

① 94 …**ヘモグロビン**という色素を含み，肺で**酸素**を受け取りからだの各部に運ぶ。

② 95 …アメーバのように動き，体にはいった**細菌**を殺す。

③ 96 …体外に出るとこわされ，血液を**凝固**させる。

④ 97 …酸素，養分，二酸化炭素，老廃物を運ぶ。

94. 赤血球
95. 白血球
96. 血小板
97. 血しょう

▶人のからだ（消化）

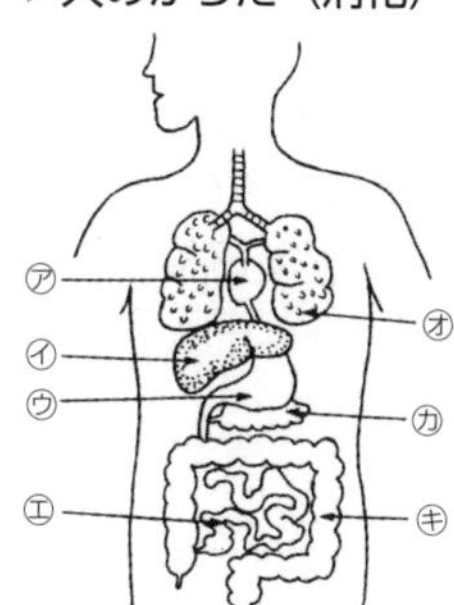

図を見て以下「・」では左の空欄に器官名や適語を，右の空欄に記号を入れなさい。

(1) 98 · 99 …筋肉でできた大きな袋のような消化器。

(2) 100 · 101 …身長の5倍くらいの長さがあり，食べ物を消化しながら，**柔突起**から養分を吸収する。

(3) 102 · 103 …胆汁をつくって消化を助け，糖分をグリコーゲンにして蓄えたり血液を蓄えたりする。**解毒**作用をもつ。

98. 胃
99. ㋒
100. 小腸
101. ㋓
102. 肝臓
103. ㋑

104.㋕
105.脂肪酸
106.モノグリセリド
107.大腸
108.㋖

⑷ すい臓・[104]…**すい液**を作る。**すい液**は**脂肪**を[105]と[106]に変えるはたらきをもつ。

⑸ [107]・[108]…養分を取った残りものから水分を吸収する。

▶人のからだ（呼吸）

109.呼吸
110.肺
111.横隔膜
112.ふくらむ
113.えら
114.えら
115.肺

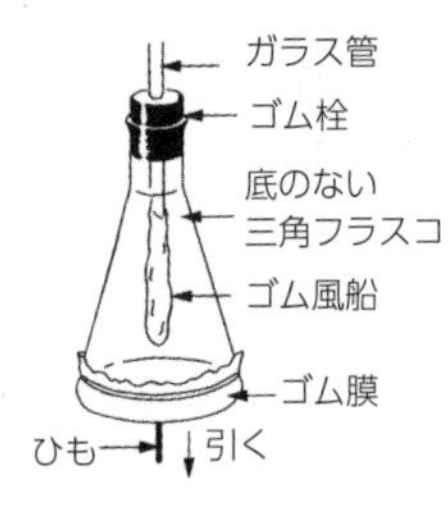

⑴ この実験装置は，何を説明するためのものか。[109]

⑵ ゴム風船は何を表しているか。[110]

⑶ ゴム膜は何を表しているか。[111]

⑷ ひもを下に引くとゴム風船は[112]。

⑸ 魚は，[113]で呼吸している。カエルはオタマジャクシの時には[114]で呼吸し足が生えそろうころ，[115]ができる。

▶目のつくり

116.虹彩
117.毛様体
118.視神経
119.盲点
120.黄斑

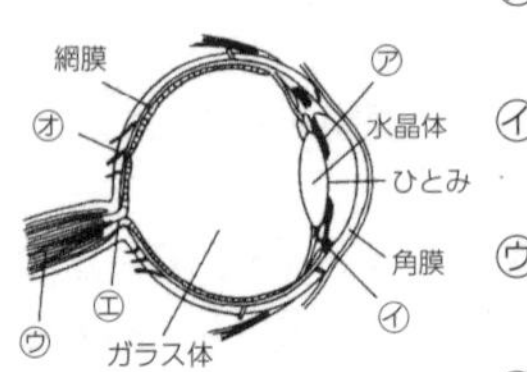

図中の㋐〜㋔の各部分の名称を答えなさい。

㋐[116]…カメラの絞りと同じはたらき。

㋑[117]…レンズ（水晶体）の厚みを調節する。

㋒[118]…光の刺激を大脳に伝達する。

㋓[119]…光を感じない部分。

㋔[120]…網膜の後方部分。光を感じる細胞が密集しており，その中心を中心窩という。

▶星の動き① 〔北の空の動き〕

北の星は**北極星**を中心として図の［ 1 ］の方向に，1時間に［ 2 ］度，回転する。星は1日たつと，前日とほぼ**同じ**位置に見える。このような星の動きを星の［ 3 ］運動という。これは，地球が［ 4 ］しているからである。

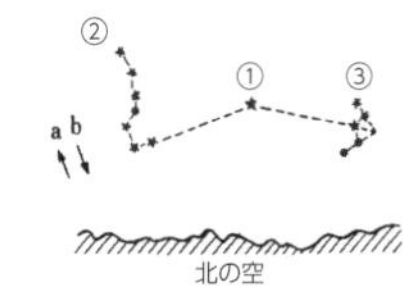

①北極星…［ 5 ］座の一部
②北斗七星…［ 6 ］座
③［ 7 ］座

1. b
2. 15
3. 日周
4. 自転
5. こぐま
6. おおぐま
7. カシオペア

▶星の動き② 〔1年の星の動き〕

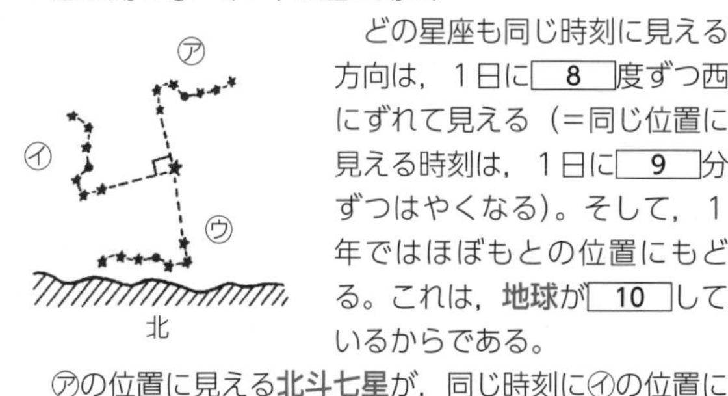

どの星座も同じ時刻に見える方向は，1日に［ 8 ］度ずつ西にずれて見える（＝同じ位置に見える時刻は，1日に［ 9 ］分ずつはやくなる）。そして，1年ではほぼもとの位置にもどる。これは，**地球**が［ 10 ］しているからである。

㋐の位置に見える**北斗七星**が，同じ時刻に㋑の位置に見えるのは［ 11 ］か月後。**北斗七星**が㋒の位置に見える季節は［ 12 ］。

8. 1
9. 4
10. 公転
11. 3
12. 秋

▶星の動き③

Ⓐ，Ⓑで見られるような星の動きをするのは地球上のどの地点か。㋐～㋓から選べ。

㋐赤道　㋑南極
㋒北極　㋓日本

Ⓐ
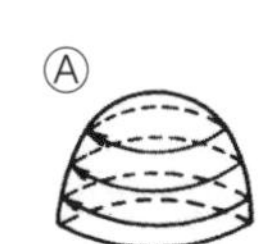

Ⓑ

Ⓐ［ 13 ］
Ⓑ［ 14 ］

13. ㋒
14. ㋐

4 理科

▶星座

夏の大三角

白鳥座の［15］…㋐
こと座の［16］…㋑
わし座の［17］…㋒

15. デネブ
16. ベガ
17. アルタイル

①春…しし座，うしかい座，［18］
②夏…こと座，わし座，いて座，［19］
③秋…アンドロメダ座，［20］
④冬…おうし座，おおいぬ座，ふたご座，［21］

18. 乙女座
19. さそり座
20. ペガサス座
21. オリオン座
（＊18.～21.は例）

▶太陽①

①地球と太陽の距離…約１億5000万km（光の速さで［22］分）　②太陽の大きさ…地球の［23］倍　③太陽の表面温度…［24］℃　④**黒点**の温度…［25］℃

22. 8
23. 109
24. 6000
25. 4500

▶太陽②

図は，北緯36度，東経137度の地点の太陽の動きを透明半球に記録したものである。

①北を指す点はA～Dのうち［26］である。

②太陽の**南中高度**が最も高いのは**夏至**の時であるが，それは㋐～㋒のうち［27］である。また，その時の**南中高度**は［28］である。ただし，**地軸**の傾きは23.4度とする。

26. C
27. ㋐
28. 77.4度

▶気温，地温の日変化

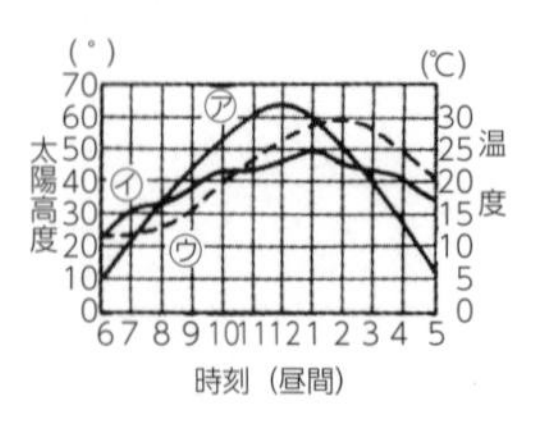

左図は，１日の太陽の高度と気温，地温の変化をグラフにしたものである。㋐～㋒は，ⓐ気温，ⓑ地温，ⓒ太陽高度のうちどれか。

㋐…[29]　㋑…[30]　㋒…[31]

空気は，直射**日光**によってあたためられるのではなく，[32]の熱によってあたためられるので，最高温度に到達する時刻が最も遅い。気温は，地面から[33]～[34]mの高さで測った時の空気の温度のこと。

温度計は，直接**日光**があたらないように注意する。

29. ⓒ
30. ⓑ
31. ⓐ
32. 地面
33. 1.2
34. 1.5

▶月

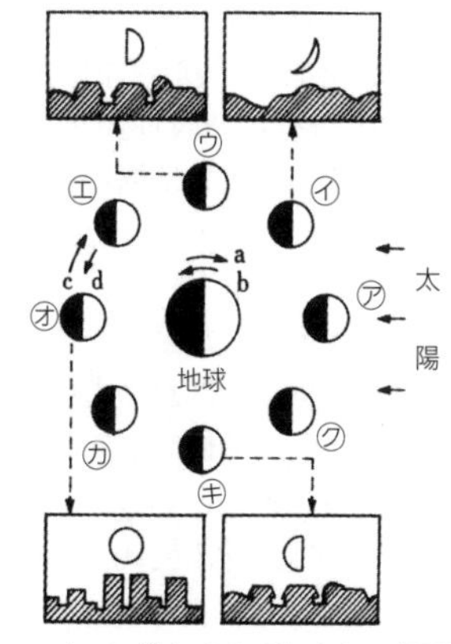

(1) 地球は，a，bのどちらに動くか。[35]

(2) 月は，c，dのどちらに動くか。[36]

(3) 月のみちかけと位置について答えよ。

(名称・㋐～㋗の記号)

[37]・[38]…夕方，西の空の低い所に見える。

[39]・[40]…夕方，南の空の高い所に見える。

[41]・[42]…夕方，東の空の低い所に見える。

[43]・[44]…真夜中，東の空の低い所に見える。

＊月の**公転**と月の**自転**の周期が等しいので，地球から見た月はいつも同じ面しか見えない。

○月は，約[45]日で**公転**するが，地球も**公転**するので，新月から次の新月までには[46]日かかる。

○月齢０とは[47]月のことである。

35. b
36. d
37. 三日月
38. ㋑
39. 上弦の月
40. ㋒
41. 満月
42. ㋔
43. 下弦の月
44. ㋖
45. 27.3
46. 29.5
47. 新

▶**地層**

次ページの図の㋐は[48]面で，地層Bが堆積した後，一度隆起し，のち陸上で風化・侵食され，その上に地層が堆積してできた。

48. 不整合

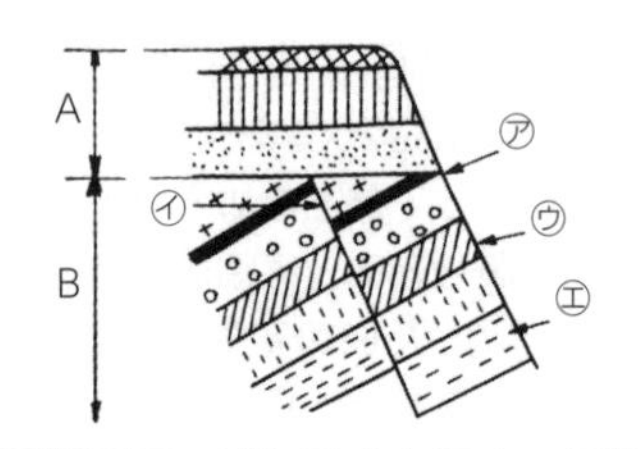

㋑は［ 49 ］断層で，横にひく力によって地層がずり落ちてできた。㋒は，**凝灰岩**の地層である。これは，（ⓐ生物の遺骸が堆積したもの　ⓑ火山灰が堆積したもの）である［ 50 ］。この地層は，離れた地層の新旧を知るための［ 51 ］になりやすい。㋓の地層からは，フズリナの化石が見つかった。この地層のできた時代は，［ 52 ］である。

このように，地層が**堆積**した**時代**を決定するのに役立つ化石を［ 53 ］化石〔生存期間が短く，分布が広い〕といい，地層が**堆積**した当時の**環境**を知るのに役立つ化石を［ 54 ］化石（サンゴなど）という。

次に示す化石の時代は，ⓐ古生代，ⓑ中生代，ⓒ新生代のうちどれか。

①三葉虫［ 55 ］　②アンモナイト［ 56 ］
③始祖鳥［ 57 ］　④ナウマン象［ 58 ］

49. 正
50. ⓑ
51. 鍵層
52. 古生代
53. 示準
54. 示相
55. ⓐ
56. ⓑ
57. ⓑ
58. ⓒ

▶火成岩

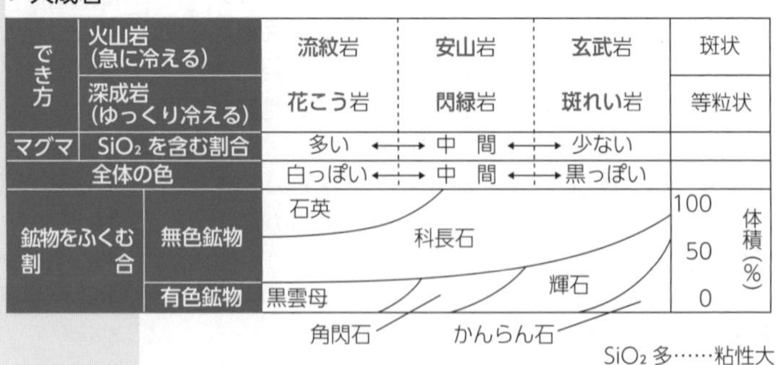

でき方	火山岩（急に冷える）	流紋岩	安山岩	玄武岩	斑状
	深成岩（ゆっくり冷える）	花こう岩	閃緑岩	斑れい岩	等粒状
マグマ	SiO_2 を含む割合	多い ←→	中　間	←→ 少ない	
全体の色		白っぽい ←→	中　間	←→ 黒っぽい	
鉱物をふくむ割合	無色鉱物	石英	科長石		100 / 50 / 0　体積(%)
	有色鉱物	黒雲母	角閃石	輝石　かんらん石	

SiO_2 多……粘性大

▶川のはたらき

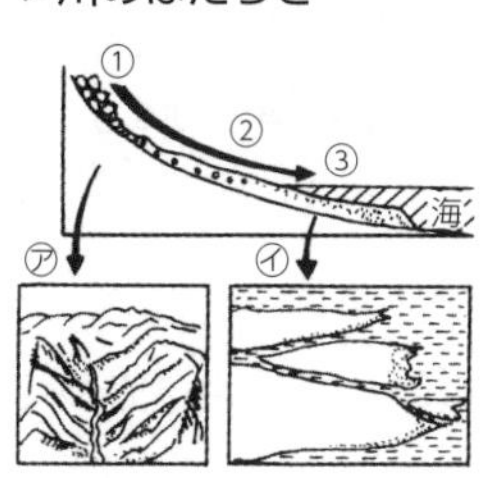

〔流水のはたらき〕

①石や土砂を削る
…[59]作用

②石や土砂を運ぶ
…[60]作用

③石や土砂をつもらせる
…[61]作用

〔流水によってできた地形〕

㋐[62]…山の斜面が急なところで，水の**侵食**作用によってできる。

㋑[63]…**堆積**作用によってできる土地。**河口**付近にできる地形。

▶地震

図は地震計に記録された地震のゆれである。地震のゆれは，はじめに振幅の小さな**縦波**の[64]波が訪れ，つぎに振幅の大きな**横波**の[65]波が現れる。

縦波　横波

㋐

縦波がはじまってから**横波**が現れるまでの時間㋐を[66]といい，**震源**から**観測地点**までの距離を求めるのに用いられる。

[67]…地震の**規模**の大きさ。[68]…ある観測地点での地震動の強さ。

▶天気の変化

㋐[69]前線…冷気が暖気へはいり込む。[70]雲。激しい風，雨。通過後に気温[71]。

㋑[72]前線…暖気が冷気へのし上がる。乱層雲，巻雲（絹雲）。弱い雨。通過後に気温[73]。

○…風向[74]，風力[75]，天気[76]

○**高気圧**は[77]気流が[78]回りに吹き出す。

59. 侵食

60. 運搬

61. 堆積

62. V字谷

63. 三角州

64. P
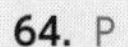

65. S

66. 初期微動継続時間（P－S時間）

67. マグニチュード

68. 震度

69. 寒冷

70. 積乱

71. 下降

72. 温暖

73. 上昇

74. 北西　**75.** 3

76. 晴　**77.** 下降

78. 右

3 物質・エネルギー

重要度 A

1. 石灰石
2. 塩酸
3. $CaCO_3$
4. HCl
5. 下方置換
6. 重い
7. 白濁
8. $Ca(OH)_2$
9. $CaCO_3$
10. 低い
11. 炭酸水
12. 二酸化マンガン（MnO_2）
13. 過酸化水素水（H_2O_2）
14. 水上置換
15. にくい
16. 21

▶二酸化炭素

(1) **二酸化炭素の作り方**

○㋐［ 1 ］や大理石に，㋑薄い［ 2 ］を注いでつくる。

〈化学反応式〉

［ 3 ］+ 2［ 4 ］→ $CaCl_2 + H_2O + CO_2$

○図のような気体の捕集方法を［ 5 ］法という。

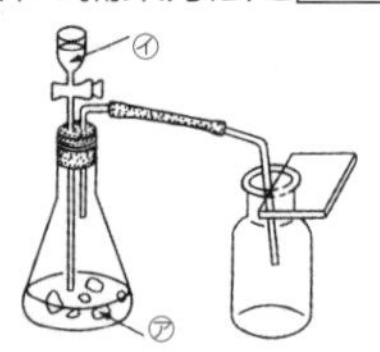

(2) **二酸化炭素の性質**

○空気より［ 6 ］気体。

○**石灰水**を注ぐと［ 7 ］する。

〈化学反応式〉 CO_2 +［ 8 ］→［ 9 ］+ H_2O

(3) 温度が［ 10 ］ほど水に溶けやすく，水に溶けた液体を［ 11 ］という。

〈化学反応式〉 $CO_2 + H_2O \rightarrow H_2CO_3$

▶酸素

(1) **酸素の作り方**…㋐［ 12 ］を触媒として㋑［ 13 ］（3～5%）を注いでつくる。

〈化学反応式〉

$2H_2O_2 \rightarrow 2H_2O + O_2 \uparrow$

(2) 図のような気体の捕集方法を［ 14 ］法という。

(3) **酸素の性質**…空気よりやや**重い**気体（約1.1倍）。水に溶け［ 15 ］。物を**燃やす**はたらき（助燃性）をもつ。＊酸素が燃えるわけではない。

空気中の成分の約［ 16 ］%（78%は窒素）。

▶水素

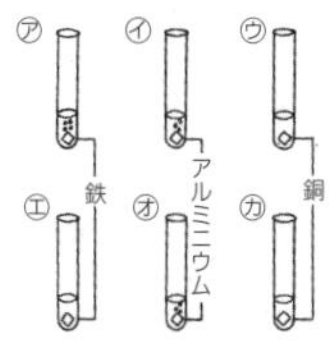

⑴　㋐，㋑，㋒，の試験管にとった水溶液は，薄い[17]，㋓，㋔，㋕，の試験管にとった水溶液は，[18]。発生した気体は，どれも[19]である。

〈㋑の化学反応式〉

$2Al + 6$[20]$\rightarrow 2$[21]$+ 3H_2 \uparrow$

⑵　**水素の性質**…空気より[22]気体。たいへん燃えやすい。（空気中では爆発）

17. 塩酸
18. 水酸化ナトリウム溶液
19. 水素
20. HCl
21. $AlCl_3$
22. 軽い

▶気体の性質

	色・におい	重さ	可溶性	捕集	その他
二酸化炭素	無色・無臭	空気より重い	水に溶ける	下方置換	石灰水に通すと白濁
水　素	無色・無臭	空気より軽い	水に溶けにくい	**水上置換**	酸素と混合し燃やすと爆発
塩化水素	無色・刺激臭	空気より重い	水によく溶ける	下方置換	アンモニア水を近づけると白煙を生じる
アンモニア	無色・刺激臭	空気より軽い	水によく溶ける	**上方置換**	濃塩酸を近づけると白煙を生じる

▶水溶液の性質（指示薬）

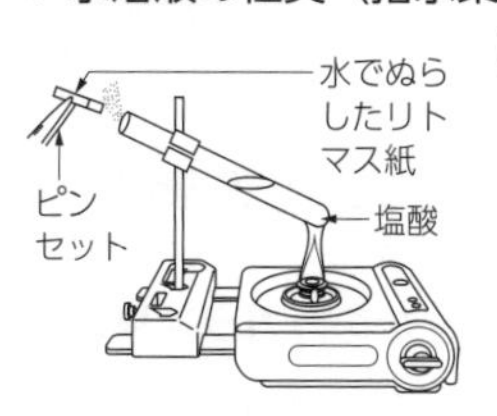

⑴　**リトマス紙**…塩酸から出てきた気体は[23]である。この気体は，水で湿らせた[24]色リトマス紙を[25]色に変える。
（塩酸は酸性）

⑵　**BTB溶液**…酸性→[26]色，中性→[27]色，アルカリ性→[28]色

＊ネスラー試薬…アンモニア濃度に応じ，黄褐色（橙黄色）になる。

23. 塩化水素
24. 青
25. 赤
26. 黄
27. 緑
28. 青

▶炎（ほのお）

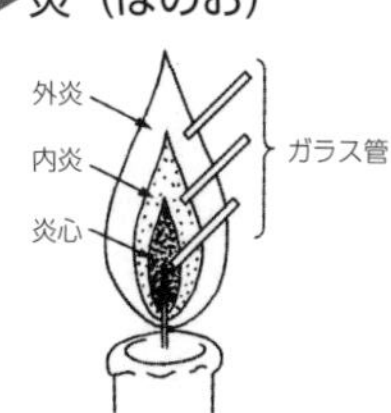

外炎，内炎，炎心の様子と，ガラス管から出る煙について述べたものを，それぞれ㋐～㋒とⓐ～ⓒから選びなさい。

4
理科

29. ㋑，ⓐ
30. ㋐，ⓒ
31. ㋒，ⓑ

外炎[29]　内炎[30]　炎心[31]

㋐最も明るく輝く　ⓐうすい煙
㋑高温だが光はほとんど出ない　ⓑ白い煙
㋒低温で薄暗い　ⓒ黒い煙

＊**炎色反応**…Li（赤），Na（黄），Sr（紅），Cu（青緑）

---

32. タール
33. 割れる

▶**木の乾溜**

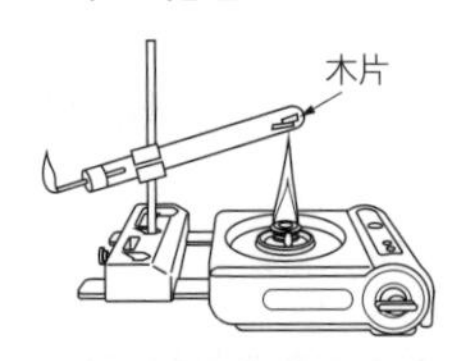

ガラス管の先から出た白い煙に，マッチの火を近づけると炎を出して燃えるが，木片は炎を出さずに燃える。ガラス管を**下向き**にとりつけるのは，木片から出た[32]が流れて，**試験管**が[33]のを防ぐためである。

---

34. 元せん
35. コック
36. 炎

▶**ガスバーナーの使い方**

・上下ふたつのねじが閉まっていることを確認し、[34][35]の順に開く。ガス調節ねじを調節し、点火する。
・空気調節ねじをゆるめて空気の量を調節し，適正な[36]にする。火を消すときはこの逆の手順で行う。

---

37. 上
38. ⓐ

▶**薬品の溶かし方**

(1)　Aでは，**ラベル**を[37]にしてもち，**試験管**の口にびんの口をつけ静かに注ぐ。
(2)　Bでは，薬品がはねるのを防ぐため，**ガラス棒**を伝わらせて注ぐ。

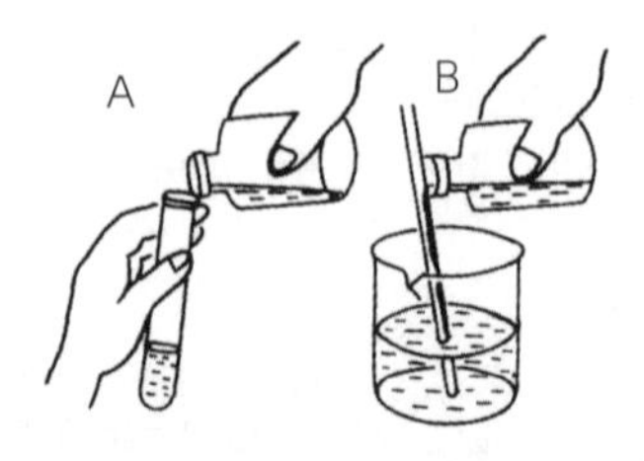

◎濃硫酸や水酸化ナトリウムを溶かす時には，（ⓐ水に薬品を少しずつ注ぐ　ⓑ薬品に水を少しずつ注ぐ）ようにする。このとき，**発熱**する。[38]

▶力の分解

図のような斜面に600Nの物体を置いたとき，
①Pにはたらく力＝［39］N
②Qにはたらく力＝［40］N

39. 360
40. 480

▶圧力

図の注射器A，Bの断面積は，それぞれ$4cm^2$，$5cm^2$である。Bの注射器に1Nのおもりをのせたとき，Aの注射器に［41］Nのおもりをのせると同じ**水面**でつりあう。

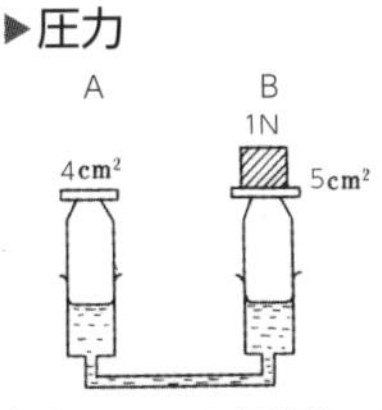

〔パスカルの原理〕 閉じ込められた液体の一部に加えた**圧力**は，他の部分に**同じ大きさ**で伝わる。

41. 0.8

▶ばねの伸び

0.1Nのおもりで1cm伸びるばねを図のようにつなぎ，0.2Nのおもりをつけたとき，㋐［42］cm，㋑［43］cmのばねの伸びになる。

〈ばねの伸び〉 直列つなぎの場合，ばねの本数に［44］。並列つなぎの場合，ばねの本数に［45］。

42. 1
43. 4
44. 比例
45. 反比例

▶てこ

(1) 図1のxに［46］Nのおもりをのせるとつり合う。また，Aを1cm持ち上げるにはxを［47］cm下げる。
(2) 図2のyを［48］Nの力で持ち上げるとつり合う。（ただし，棒の重さを1Nとする）

46. 10
47. 4
48. 1

4 理科

49. 1.5

50. 20

▶滑車①

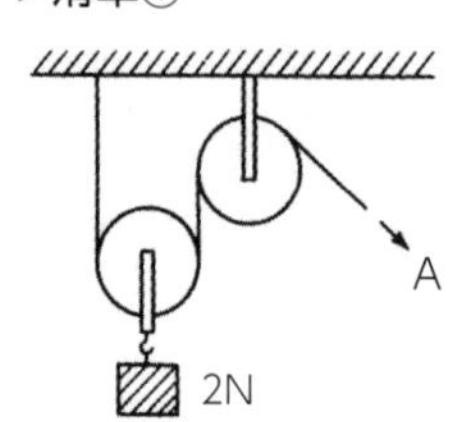

(1)　図中の2Nのおもりを持ち上げるには，Aを[49]Nの力で引くとよい。(ただし，滑車の重さは1つ1Nとする)

(2)　図中のおもりを10cm引き上げるには，Aを[50]cm引けばよい。

---

51. 0.1

52. 0.5

53. 0.5

54. 8

55. 8

56. 4

▶滑車②

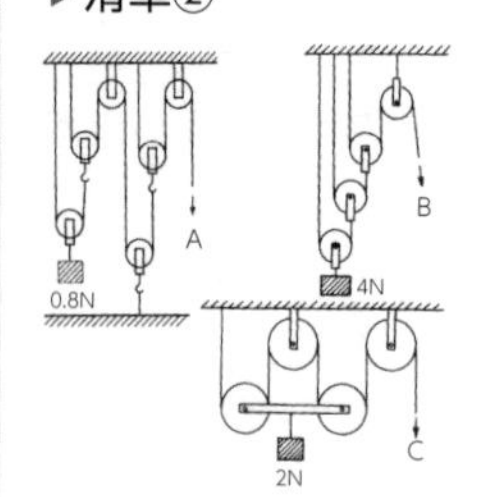

(1)　図のおもりを引き上げるには，A，B，Cをそれぞれ何Nの力で引けばよいか。(ただし，滑車の重さは考えない)

A[51]N

B[52]N

C[53]N

(2)　図のおもりを1cm引き上げるには，A，B，Cをそれぞれ何cm引けばよいか。

A[54]cm

B[55]cm

C[56]cm

---

57. ①

58. ③

59. ②

60. ⑤

61. ④

62. 120

▶凸レンズ

図の㋐～㋔はどのような像をつくるか。下の①～⑤の中から選びなさい。

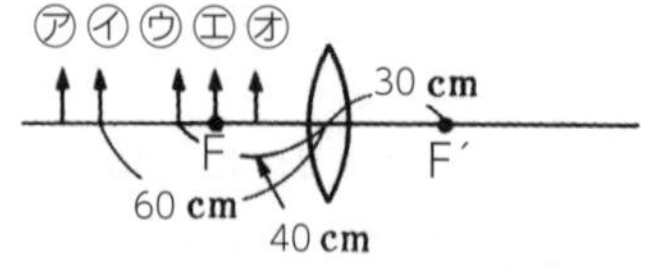

F，F´は焦点

㋐[57]　①実物より小さな倒立の像

㋑[58]　②実物より大きな倒立の像

㋒[59]　③実物と同じ大きさの倒立の像

㋓[60]　④虚像

㋔[61]　⑤実像も虚像もできない。

＊㋒の像はレンズから[62]cmのところに像をつくる。

＊$\frac{1}{a}+\frac{1}{b}=\frac{1}{f}$　a：実物からレンズまでの距離，b：レンズから像までの距離，f：焦点距離

▶**プリズム**

図の㋐～㋓のうち入射角は［63］，反射角は［64］である。（**入射角＝反射角**）太陽の光をプリズムに通すと，スクリーンには7つの光の色に分かれる。これは，太陽の光の中の色の［65］のしかたの違いによる。a，bはそれぞれ何色の光か。a［66］　b［67］

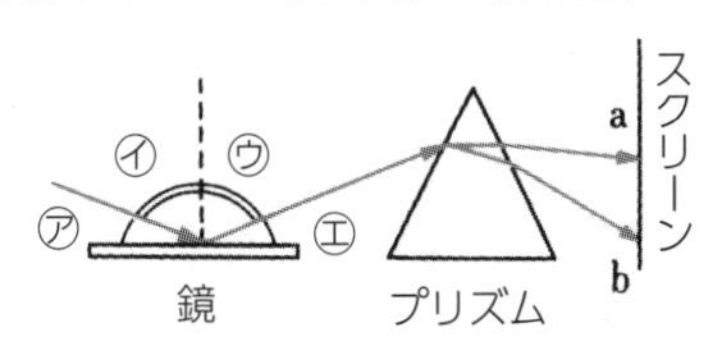

63. ㋑
64. ㋒
65. 屈折
66. 赤
67. 紫

▶**電流計，電圧計**

㋐，㋑の器具を利用して，電流，電圧を測定するには，どのように回路をつなげばよいか。

㋐の器具は［68］で，回路に対して［69］につなぐ。
㋑の器具は［70］で，回路に対して［71］につなぐ。

電流の測定…⊕の端子（［72］色）に乾電池の＋極からの導線をつなぎ，⊖の端子（［73］色）に乾電池の−極からの導線をつなぐ。この時，5Aの端子につなぎ，針の振れが小さいときは，500mAの端子につなぐ。

68. 電流計
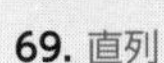
69. 直列
70. 電圧計
71. 並列
72. 赤
73. 黒

▶**電流，電圧，抵抗①**

図のような配線のとき，どのような関係が成り立つか。

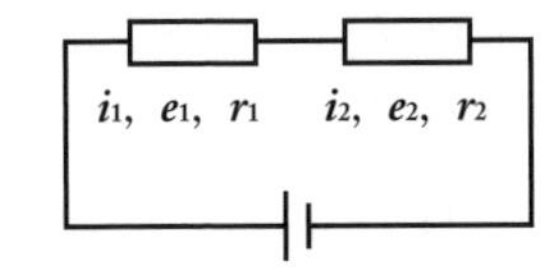

I＝［74］
E＝［75］
R＝［76］

74. $i_1=i_2$
75. e_1+e_2
76. r_1+r_2

4
理科

77. $i_1 + i_2$
78. $e_1 = e_2$
79. $\frac{1}{r_1} + \frac{1}{r_2}$

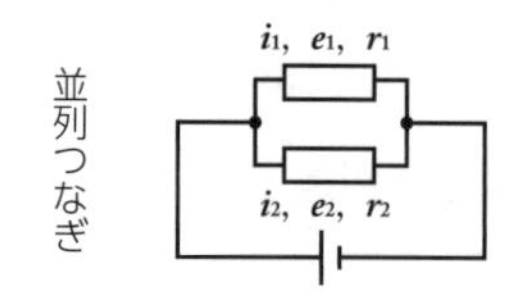

I = 77
E = 78
$\frac{1}{R}$ = 79

▶**電流，電圧，抵抗②**

図を見て以下の問いに答えなさい。ただし電池は1つ1.5Vとする。

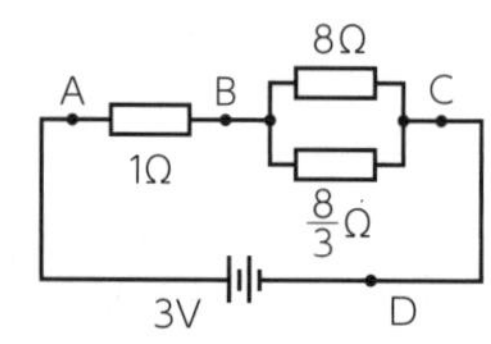

80. 1
81. 1
82. 0.25
83. 0.75

①A—D間の電流は 80 Aである。
②A—B間の電圧は 81 Vである。
③8Ωの抵抗にかかる電流は 82 A
④$\frac{8}{3}$Ωの抵抗にかかる電流は 83 A

〔オームの法則〕
$E = IR$　(E：電圧　I：電流　R：抵抗)

▶**電磁石**

コイルに**電流**を流すと，コイルの両端にN極とS極ができ棒磁石と同じ働きをする。

電磁石は**電流**の向きを変えると**極**が変わる。

84. N極
85. 電流
86. ㋐

矢印㋐の方向に電流が流れるとき，AはN極，S極のどちらになるか。 84

電磁石の磁力は， 85 の大きさとコイルの巻き数に比例する。

磁石のN極をコイルに近づけたとき，電流は，㋐，㋑のどちらの方向に流れるか。 86

〔右ねじの法則〕

▶電流と磁針のふれ

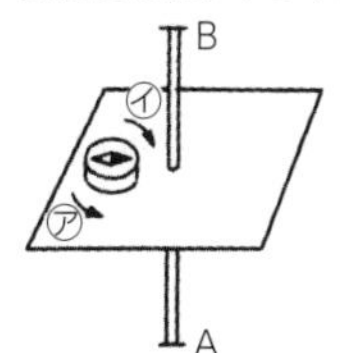

図のAからBへ電流が流れるとき，方位磁針は，㋐，㋑どちらの方向へふれるか。
[87]

87. ㋑

▶浮力

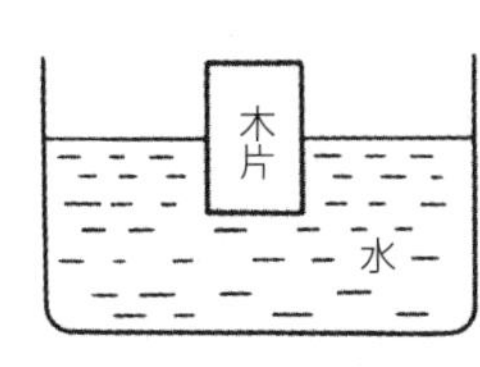

重さ500gの木片が図のように半分だけ沈んでいるとき，下の問いに答えなさい。

①この木の体積は[88]cm³。
②この木の比重は[89]。
③この木を沈めるには[90]gの力が必要。

88. 1000
89. 0.5
90. 500

〈計算もんだい〉

(1) **湯と水の混合**…50℃の湯100gの中に，30℃の水を100g加えてよくかき混ぜると水温は何度になるか。[1]

(2) **ジュールの法則**…100V－5Aの電熱線に，40Vの電圧をかけたときの5分間の発熱量は何ジュールになるか。[2]

(3) **溶液の濃度**…水100gに食塩を25g溶かしたとき，食塩水の濃度はいくらか。[3]

(4) **仕事率**…物体を500Nの力で，滑車で6m引き上げるのに1分かかった。このときの仕事率はいくらか。[4]

(5) **加速度**…地面から物体を真上に10m/sの初速度で投げ上げた時，物体の最高点の高さは，約何mになるか。ただし重力加速度は9.8m/s²とする。[5]

1. 40℃
2. 24000J
3. 20%
4. 50J/s
5. 5m

▶科学史［人名（国籍）と科学上のできごと］

ターレス（ギリシア）	コハクの摩擦電気を発見（B.C.600）
デモクリトス（ギリシア）	古代原子論を完成（B.C.400）
アルキメデス（ギリシア）	てこおよび浮力の原理を発見（B.C.250）
コペルニクス（ポーランド）	**地動説**をとなえる（1543）
ガリレイ（イタリア）	振り子の等時性を発見（1583） 望遠鏡を発明（1609）
ケプラー（ドイツ）	ケプラーの法則（第一，第二）を発見（1609）
トリチェリー（イタリア）	トリチェリーの真空をつくる（1643）
フック（イギリス）	フックの法則発見（1660発見，1678発表）
ボイル（イギリス）	ボイルの法則発見（1662）
ニュートン（イギリス）	**万有引力**の法則発見（1665）
ラボアジェ（フランス）	質量保存の法則発見，燃焼の理論完成（1774）
クーロン（フランス）	クーロンの法則発見（1785）
シャルル（フランス）	シャルルの法則発見（1787）
ジェンナー（イギリス）	**種痘法**の創始（1796）
ボルタ（イタリア）	電池を発明（1799）
カーライル（イギリス）	水の電気分解を初めて行う（1800）
ドルトン（イギリス）	分圧の法則発見（1801），原子説，倍数比例の法則発見（1803）
アボガドロ（イタリア）	分子説，アボガドロの法則発見（1811）
オーム（ドイツ）	オームの法則発見（1826）
ブラウン（イギリス）	ブラウン運動発見（1827）
ファラデー（イギリス）	**電気分解**の法則発見（1833）
ドップラー（オーストリア）	ドップラー効果の理論を発表（1842）
ジュール（イギリス）	熱の仕事当量を測定（1847）
パスツール（フランス）	アルコール発酵を解明（1857）
ダーウィン（イギリス）	**『種の起源』**自然選択説を発表（1859）
メンデル（オーストリア）	遺伝三法則を発表（1865）
ノーベル（スウェーデン）	ダイナマイトを発明（1867）
ウェゲナー（ドイツ）	大陸移動（隔離）説提唱（1868）
メンデレエフ（ロシア）	周期律，周期表を発表（1869）
レントゲン（ドイツ）	X線を発見（1895）
キュリー夫妻 （フランス　ポーランド）	ラジウムを発見（1898）
アインシュタイン（ドイツ）	特殊相対性理論をとなえる（1905）
モーガン（アメリカ）	遺伝子説の大成，染色体地図の作成（1926）

5

生　活

1 学習指導要領

1. 自立
2. 習慣
3. 技能
4. 自分との関わり

1．目　標

具体的な活動や体験を通して，身近な**生活**に関わる見方・考え方を生かし，［ 1 ］し**生活**を豊かにしていくための資質・能力を次のとおり育成することを目指す。

⑴　活動や体験の過程において，自分自身，身近な人々，**社会**及び**自然**の特徴やよさ，それらの関わり等に気付くとともに，**生活**上必要な［ 2 ］や［ 3 ］を身に付けるようにする。

⑵　身近な人々，**社会**及び**自然**を［ 4 ］で捉え，自分自身や自分の生活について考え，表現することができるようにする。

⑶　身近な人々，**社会**及び**自然**に自ら働きかけ，意欲や自信をもって学んだり**生活**を豊かにしたりしようとする態度を養う。

1. 身近な生活に関わる見方・考え方
2. 校外での活動
3. 継続的

2．指導計画の作成と内容の取扱い

▶指導計画の作成

⑴　年間や，単元など内容や時間のまとまりを見通して，その中で育む資質・能力の育成に向けて，児童の**主体**的・**対話**的で深い学びの実現を図るようにすること。その際，児童が具体的な**活動**や**体験**を通して，［ 1 ］を生かし，自分と地域の人々，**社会**及び**自然**との関わりが具体的に把握できるような学習活動の充実を図ることとし，［ 2 ］を積極的に取り入れること。

⑵　児童の発達の段階や特性を踏まえ，２学年間を見通して学習活動を設定すること。

⑶　内容の⑺については，２学年間にわたって取り扱うものとし，**動物**や**植物**への関わり方が深まるよう［ 3 ］な**飼育**，**栽培**を行うようにすること。

⑷　他教科等との関連を積極的に図り，指導の効果を高め，低学年における教育全体の充実を図り，中学年以

降の教育へ円滑に接続できるようにするとともに，幼稚園教育要領等に示す幼児期の終わりまでに育ってほしい姿との関連を考慮すること。特に，小学校入学当初においては，幼児期における[4]を通した総合的な学びから他教科等における学習に円滑に移行し，主体的に自己を発揮しながら，より[5]に向かうことが可能となるようにすること。その際，**生活科**を中心とした**合科**的・**関連**的な指導や，弾力的な時間割の設定を行うなどの工夫をすること。

(5) 障害のある児童などについては，学習活動を行う場合に生じる困難さに応じた指導内容や指導方法の工夫を**計画**的，**組織**的に行うこと。

(6) 第１章総則の第１の２の(2)に示す道徳教育の目標(P.248参照) に基づき，道徳科などとの関連を考慮しながら，第３章特別の教科道徳の第２に示す内容について，**生活科**の特質に応じて適切な指導をすること。

▶内容の取扱い

(1) 地域の人々，**社会**及び**自然**を生かすとともに，それらを[6]に扱うよう学習活動を工夫すること。

(2) 身近な人々，**社会**及び**自然**に関する活動の**楽しさ**を味わうとともに，それらを通して気付いたことや楽しかったことなどについて，言葉，絵，動作，劇化などの多様な方法により**表現**し，考えることができるようにすること。また，このように表現し，考えることを通して，気付きを確かなものとしたり，気付いたことを関連付けたりすることができるよう工夫すること。

(3) 具体的な活動や体験を通して気付いたことを基に考えることができるようにするため，見付ける，比べる，[7]，[8]，[9]，[10]などの多様な学習活動を行うようにすること。

(4) 学習活動を行うに当たっては，**コンピュータ**などの**情報機器**について，その特質を踏まえ，児童の発達の段階や特性及び**生活科**の特質などに応じて適切に活用するようにすること。

(5) 具体的な活動や体験を行うに当たっては，身近な幼児や高齢者，障害のある児童生徒などの多様な人々と

4. 遊び
5. 自覚的な学び
6. 一体的
7. たとえる
8. 試す
9. 見通す
10. 工夫する

触れ合うことができるようにすること。

(6) 生活上必要な習慣や技能の指導については，人，社会，自然及び自分自身に関わる学習活動の展開に即して行うようにすること。

3．各学年の目標

▶第１学年及び第２学年

学校，家庭及び地域の生活に関する内容

(1) 学校，家庭及び地域の生活に関わることを通して，自分と身近な人々，社会及び自然との関わりについて考えることができ，それらのよさやすばらしさ，[1]に気付き，地域に愛着をもち自然を大切にしたり，集団や社会の一員として安全で適切な行動をしたりするようにする。

身近な人々，社会及び自然と関わる活動に関する内容

(2) 身近な人々，社会及び自然と触れ合ったり関わったりすることを通して，それらを工夫したり楽しんだりすることができ，[2]に気付き，自分たちの遊びや生活をよりよくするようにする。

自分自身の生活や成長に関する内容

(3) 自分自身を見つめることを通して，自分の生活や成長，身近な人々の支えについて考えることができ，[3]に気付き，意欲と自信をもって生活するようにする。

1. 自分との関わり

2. 活動のよさや大切さ

3. 自分のよさや可能性

4．内容

(1) 内容構成の具体的な視点（11の視点）

㋐健康で安全な生活
㋑身近な人々との接し方
㋒地域への愛着
㋓公共の意識とマナー
㋔生産と消費
㋕情報と交流
㋖身近な自然との触れ合い
㋗時間と季節
㋘遊びの工夫
㋙成長への喜び
㋚基本的な生活習慣や生活技能

(2) 内容を構成する学習対象（15の学習対象）

①学校の施設　②学校で働く人　③友達
④通学路　⑤家族　⑥家庭

⑦地域で生活したり働いたりしている人
⑧公共物　⑨公共施設
⑩地域の行事・出来事　⑪身近な自然
⑫身近にある物　⑬動物　⑭植物
⑮自分のこと

(3) 内容の構成要素と階層性

◎内容の階層性

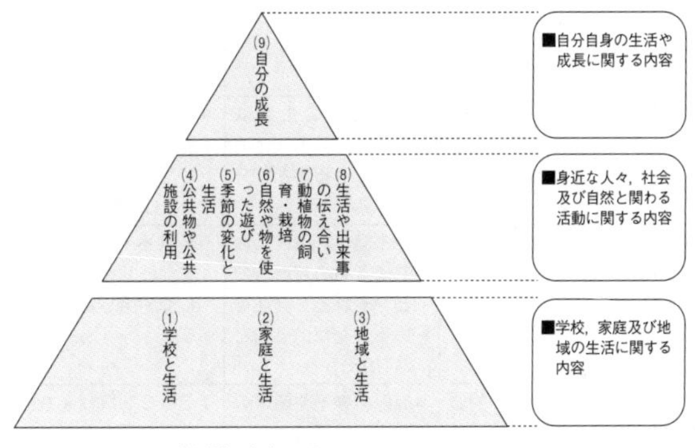

生活科の内容のまとまり

▶内容の全体構成

階層	内容	学習対象・学習活動等	思考力・判断力・表現力等の基礎	知識及び技能の基礎	学びに向かう力，人間性等
学校、家庭及び地域の生活に関する内容	(1)	＊学校生活に関わる活動を行う。	＊学校の施設の様子や学校生活を支えている人々や友達，通学路の様子やその安全を守っている人々などについて考える。	＊学校での生活は様々な人や施設と関わっていることが分かる。	＊楽しく安心して遊びや生活をしたり，安全な登下校をしたりしようとする。
	(2)	＊家庭生活に関わる活動を行う。	＊家庭における家族のことや自分でできることなどについて考える。	＊家庭での生活は互いに支え合っていることが分かる。	＊自分の役割を積極的に果たしたり，規則正しく健康に気を付けて生活したりしようとする。
	(3)	＊地域に関わる活動を行う。	＊地域の場所やそこで生活したり働いたりしている人々について考える。	＊自分たちの生活は様々な人や場所と関わっていることが分かる。	＊それらに親しみや愛着をもち，適切に接したり安全に生活したりしようとする。
身近な人々、社会及び自然と関わる活動に関する内容	(4)	＊公共物や公共施設を利用する活動を行う。	＊それらのよさを感じたり働きを捉えたりする。	＊身の回りにはみんなで使うものがあることやそれらを支えている人々がいることなどが分かる。	＊それらを大切にし，安全に気を付けて正しく利用しようとする。
	(5)	＊身近な自然を観察したり，季節や地域の行事に関わったりするなどの活動を行う。	＊それらの違いや特徴を見付ける。	＊自然の様子や四季の変化，季節によって生活の様子が変わることに気付く。	＊それらを取り入れ自分の生活を楽しくしようとする。
	(6)	＊身近な自然を利用したり，身近にある物を使ったりするなどして遊ぶ活動を行う。	＊遊びや遊びに使う物を工夫してつくる。	＊その面白さや自然の不思議さに気付く。	＊みんなと楽しみながら遊びを創り出そうとする。
	(7)	＊動物を飼ったり植物を育てたりする活動を行う。	＊それらの育つ場所，変化や成長の様子に関心をもって働きかける。	＊それらは生命をもっていることや成長していることに気付く。	＊生き物への親しみをもち，大切にしようとする。
	(8)	＊自分たちの生活や地域の出来事を身近な人々と伝え合う活動を行う。	＊相手のことを想像したり伝えたいことや伝え方を選んだりする。	＊身近な人々と関わることのよさや楽しさが分かる。	＊進んで触れ合い交流しようとする。
自分自身の生活や成長に関する内容	(9)	＊自分自身の生活や成長を振り返る活動を行う。	＊自分のことや支えてくれた人々について考える。	＊自分が大きくなったこと，自分でできるようになったこと，役割が増えたことなどが分かる。	＊これまでの生活や成長を支えてくれた人々に感謝の気持ちをもち，これからの成長への願いをもって，意欲的に生活しようとする。

6
音　楽

1 学習指導要領

1. 音楽の構造
2. 心情
3. 感性
4. 情操

1．目　標

表現及び鑑賞の活動を通して，音楽的な見方・考え方を働かせ，生活や社会の中の音や音楽と豊かに関わる資質・能力を次のとおり育成することを目指す。

⑴　曲想と［1］などとの関わりについて理解するとともに，表したい音楽表現をするために必要な技能を身に付けるようにする。

⑵　音楽表現を工夫することや音楽を味わって聴くことができるようにする。

⑶　音楽活動の楽しさを体験することを通して，音楽を愛好する［2］と音楽に対する［3］を育むとともに，音楽に親しむ態度を養い，豊かな［4］を培う。

1. 音楽表現
2. 関連

2．指導計画の作成と内容の取扱い

▶指導計画の作成

⑴　題材など内容や時間のまとまりを見通して，その中で育む資質・能力の育成に向けて，児童の主体的・対話的で深い学びの実現を図るようにすること。その際，音楽的な見方・考え方を働かせ，他者と協働しながら，［1］を生み出したり音楽を聴いてそのよさなどを見いだしたりするなど，思考，判断し，表現する一連の過程を大切にした学習の充実を図ること。

⑵　各学年の内容の「A 表現」の⑴，⑵及び⑶の指導についてはア，イ及びウの各事項を，「B 鑑賞」の⑴の指導については，ア及びイの各事項を適切に［2］させて指導すること。

⑶　各学年の内容の〔共通事項〕は，表現及び鑑賞の学習において共通に必要となる資質・能力であり「A 表現」及び「B 鑑賞」の指導と併せて，十分な指導が行われるよう工夫すること。

(4) 各学年の内容の「A 表現」の(1)，(2)及び(3)並びに「B 鑑賞」の(1)の指導については，適宜，〔共通事項〕を要として各領域や分野の関連を図るようにすること。

(5) 国歌「君が代」は，いずれの学年においても[3]よう指導すること。

(6) 低学年においては，児童が**主体**的に自己を発揮しながら学びに向かうことが可能となるようにすることを踏まえ，**他教科**等との関連を積極的に図り，指導の効果を高めるようにするとともに，幼稚園教育要領等に示す幼児期の終わりまでに育ってほしい姿との関連を考慮すること。特に，小学校入学当初においては，[4]を中心とした**合科**的・**関連**的な指導や，弾力的な時間割の設定を行うなどの工夫をすること。

(7) 障害のある児童などについては，学習活動を行う場合に生じる困難さに応じた指導内容や指導方法の工夫を**計画**的，**組織**的に行うこと。

(8) 第1章総則の第1の2の(2)に示す道徳教育の目標（P.248参照）に基づき，道徳科などとの関連を考慮しながら，第3章特別の教科道徳の第2に示す内容について，音楽科の特質に応じて適切な指導をすること。

▶内容の取扱い

(1) 各学年の「A表現」及び「B鑑賞」の指導に当たっては，次のとおり取り扱うこと。

ア 音楽によって喚起された**イメージ**や**感情**，音楽表現に対する思いや意図，音楽を聴いて感じ取ったことや**想像**したことなどを伝え合い[5]するなど，音や音楽及び[6]によるコミュニケーションを図り，音楽科の特質に応じた**言語活動**を適切に位置付けられるよう指導を工夫すること。

イ 音楽との[7]を味わい，**想像力**を働かせて音楽と関わることができるよう，指導のねらいに即して体を動かす活動を取り入れること。

ウ 児童が様々な感覚を働かせて音楽への理解を深めたり，**主体**的に学習に取り組んだりすることができるようにするため，[8]や**教育機器**を効果的に活

3. 歌える
4. 生活科
5. 共感
6. 言葉
7. 一体感
8. コンピュータ

用できるよう指導を工夫すること。

エ　児童が学校内及び公共施設などの**学校外**における**音楽活動**とのつながりを意識できるようにするなど，児童や学校，地域の実態に応じ，**生活**や［ 9 ］の中の音や音楽と**主体**的に関わっていくことができるよう配慮すること。

オ　表現したり鑑賞したりする多くの曲について，それらを創作した**著作者**がいることに気付き，学習した曲や自分たちのつくった曲を大切にする態度を養うようにするとともに，それらの**著作者**の創造性を**尊重**する意識をもてるようにすること。また，このことが，［ 10 ］の**継承**，**発展**，**創造**を支えていることについて理解する素地となるよう配慮すること。

⑵　**和音**の指導に当たっては，合唱や合奏などの活動を通して**和音**のもつ［ 11 ］を感じ取ることができるようにすること。また，長調及び短調の曲においては，Ⅰ，Ⅳ，Ⅴ及びV_7などの［ 12 ］を中心に指導すること。

⑶　我が国や**郷土**の音楽の指導に当たっては，そのよさなどを感じ取って表現したり鑑賞したりできるよう，［ 13 ］や［ 14 ］等の示し方，**伴奏**の仕方，曲に合った歌い方や楽器の演奏の仕方などの指導方法を工夫すること。

⑷　各学年の「A 表現」の⑴の歌唱の指導に当たっては，次のとおり取り扱うこと。

ア　歌唱教材については，我が国や**郷土**の音楽に愛着がもてるよう，共通教材のほか，長い間親しまれてきた**唱歌**，それぞれの地方に伝承されている［ 15 ］や**民謡**など日本のうたを含めて取り上げるようにすること。

イ　相対的な**音程感覚**を育てるために，適宜，［ 16 ］を用いること。

ウ　**変声**以前から自分の**声**の特徴に関心をもたせるとともに，［ 17 ］の児童に対して適切に配慮すること。

⑸　各学年の「A 表現」の⑵の楽器については，次のとおり取り扱うこと。

9. 社会
10. 音楽文化
11. 表情
12. 和音
13. 音源
14. 楽譜
15. わらべうた
16. 移動ド唱法
17. 変声期

ア　各学年で取り上げる打楽器は，木琴，鉄琴，［18］，諸外国に伝わる様々な楽器を含めて，演奏の効果，児童や学校の実態を考慮して選択すること。

イ　第1学年及び第2学年で取り上げる**旋律楽器**は，**オルガン**，［19］などの中から児童や学校の実態を考慮して選択すること。

ウ　第3学年及び第4学年で取り上げる**旋律楽器**は，既習の楽器を含めて，［20］や鍵盤楽器，和楽器などの中から児童や学校の実態を考慮して選択すること。

エ　第5学年及び第6学年で取り上げる**旋律楽器**は，既習の楽器を含めて，［21］，和楽器，諸外国に伝わる楽器などの中から児童や学校の実態を考慮して選択すること。

オ　**合奏**で扱う楽器については，［22］の役割を生かした演奏ができるよう，楽器の**特性**を生かして選択すること。

(6)　各学年の「A 表現」の(3)の音楽づくりの指導に当たっては，次のとおり取り扱うこと。

ア　［23］や即興的な表現では，身近なものから多様な音を探したり，リズムや旋律を［24］したりして，音楽づくりのための**発想**を得ることができるよう指導すること。その際，適切な条件を設定するなど，児童が無理なく音を**選択**したり組み合わせたりすることができるよう指導を工夫すること。

イ　どのような音楽を，どのようにしてつくるかなどについて，児童の実態に応じて**具体**的な例を示しながら指導するなど，［25］をもって音楽づくりの活動ができるよう指導を工夫すること。

ウ　つくった音楽については，指導のねらいに即し，必要に応じて作品を記録させること。作品を記録する方法については，図や絵によるもの，**五線譜**など［26］に指導すること。

エ　拍のないリズム，我が国の音楽に使われている音階や**調性**にとらわれない音階などを児童の実態に応じて取り上げるようにすること。

18. 和楽器
19. 鍵盤ハーモニカ
20. リコーダー
21. 電子楽器
22. 各声部
23. 音遊び
24. 模倣
25. 見通し
26. 柔軟

27. 言葉

(7) 各学年の「B 鑑賞」の指導に当たっては，[27]などで表す活動を取り入れ，**曲想**と**音楽**の構造との関わりについて気付いたり理解したり，曲や演奏の楽しさやよさなどを見いだしたりすることができるよう指導を工夫すること。

(8) 各学年の〔共通事項〕に示す「音楽を形づくっている要素」については，児童の発達の段階や指導のねらいに応じて，次のア及びイから適切に選択したり関連付けたりして指導すること。

ア 音楽を特徴付けている要素

音色，[28]，速度，旋律，[29]，音の重なり，**和音**の響き，音階，調，拍，フレーズなど

28. リズム
29. 強弱

イ 音楽の仕組み

[30]，呼びかけとこたえ，[31]，音楽の縦と横との関係など

30. 反復
31. 変化

(9) 各学年の〔共通事項〕の(1)のイに示す「音符，休符，記号や用語」については，児童の**学習状況**を考慮して，次に示すものを音楽における**働き**と関わらせて理解し，活用できるよう取り扱うこと。

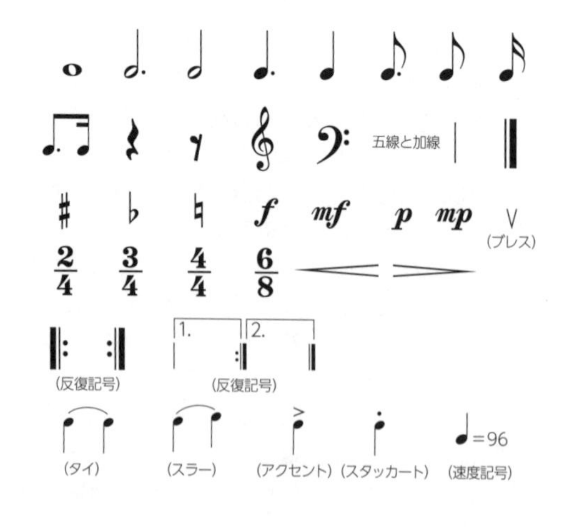

【教科目標と学年目標及び内容構成の関連】

<table>
<tr><th rowspan="7">教科目標</th><th rowspan="2">学年目標</th><th colspan="4">内容構成</th></tr>
<tr><th colspan="2"></th><th>項目</th><th>事項</th></tr>
<tr><td rowspan="5">(1)
各学年の「知識及び技能」の習得に関する目標

(2)
各学年の「思考力，判断力，表現力等」の育成に関する目標

(3)
各学年の「学びに向かう力，人間性等」の涵養に関する目標</td><td rowspan="4">領域</td><td rowspan="3">A 表現</td><td>(1)　歌唱の活動を通して，次の事項を身に付けることができるよう指導する。</td><td>ア　歌唱分野における「思考力，判断力，表現力等」
イ　歌唱分野における「知識」
ウ　歌唱分野における「技能」</td></tr>
<tr><td>(2)　器楽の活動を通して，次の事項を身に付けることができるよう指導する。</td><td>ア　器楽分野における「思考力，判断力，表現力等」
イ　器楽分野における「知識」
ウ　器楽分野における「技能」</td></tr>
<tr><td>(3)　音楽づくりの活動を通して，次の事項を身に付けることができるよう指導する。</td><td>ア　音楽づくり分野における「思考力，判断力，表現力等」
イ　音楽づくり分野における「知識」
ウ　音楽づくり分野における「技能」</td></tr>
<tr><td>B 鑑賞</td><td>(1)　鑑賞の活動を通して，次の事項を身に付けることができるよう指導する。</td><td>ア　鑑賞領域における「思考力，判断力，表現力等」
イ　鑑賞領域における「知識」</td></tr>
<tr><td colspan="2">〔共通事項〕</td><td>(1)　「A 表現」及び「B鑑賞」の指導を通して，次の事項を身に付けることができるよう指導する。</td><td>ア　表現及び鑑賞の学習において共通に必要となる「思考力，判断力，表現力等」
イ　表現及び鑑賞の学習において共通に必要となる「知識」</td></tr>
</table>

3．各学年の目標

<table>
<tr><th></th><th>第1・2学年</th><th>第3・4学年</th><th>第5・6学年</th></tr>
<tr><td rowspan="2">「知識及び技能」の習得</td><td colspan="2">⑴　曲想と音楽の構造などとの関わりについて[1]とともに，</td><td>⑴　曲想と音楽の構造などとの関わりについて[3]とともに，</td></tr>
<tr><td>音楽表現を楽しむために必要な歌唱，器楽，音楽づくりの技能を身に付けるようにする。</td><td colspan="2">[2]音楽表現をするために必要な歌唱，器楽，音楽づくりの技能を身に付けるようにする。</td></tr>
<tr><td rowspan="2">「思考力、判断力、表現力等」の育成</td><td>⑵　音楽表現を考えて表現に対する思いをもつことや，</td><td colspan="2">⑵　音楽表現を考えて表現に対する思いや[5]をもつことや，</td></tr>
<tr><td>曲や演奏の[4]を見いだしながら音楽を味わって聴くことができるようにする。</td><td colspan="2">曲や演奏の[6]などを見いだしながら音楽を味わって聴くことができるようにする。</td></tr>
<tr><td rowspan="2">「学びに向かう力、人間性等」の涵養</td><td>⑶　楽しく音楽に関わり，協働して音楽活動をする楽しさを感じながら，身の回りの様々な音楽に親しむとともに，</td><td>⑶　進んで音楽に関わり，協働して音楽活動をする楽しさを感じながら，様々な音楽に親しむとともに，</td><td>⑶　主体的に音楽に関わり，協働して音楽活動をする楽しさを味わいながら，様々な音楽に親しむとともに，</td></tr>
<tr><td colspan="3">音楽経験を生かして生活を明るく潤いのあるものにしようとする態度を養う。</td></tr>
</table>

1. 気付く
2. 表したい
3. 理解する
4. 楽しさ
5. 意図
6. よさ

4．音楽の内容

A 表 現

第1・2学年	第3・4学年	第5・6学年
(1) 歌唱の活動を通して		
ア 歌唱表現についての知識や技能を得たり生かしたりしながら，曲想を**感じ取って**表現を工夫し，どのように歌うかについて思いをもつこと。	ア 歌唱表現についての知識や技能を得たり生かしたりしながら，曲の特徴を**捉えた**表現を工夫し，どのように歌うかについて思いや［ 1 ］をもつこと。	ア 歌唱表現についての知識や技能を得たり生かしたりしながら，曲の特徴に**ふさわしい**表現を工夫し，どのように歌うかについて思いや意図をもつこと。
イ 曲想と音楽の構造との関わり，曲想と歌詞の表す［ 2 ］や気持ちとの関わりについて気付くこと。	イ 曲想と音楽の構造や歌詞の内容との関わりについて［ 3 ］こと。	イ 曲想と音楽の構造や歌詞の内容との関わりについて［ 4 ］こと。
ウ 思いに合った表現をするために必要な次の(ア)から(ウ)までの技能を身に付けること。	ウ 思いや意図に合った表現をするために必要な次の(ア)から(ウ)までの技能を身に付けること。	
(ア) **範唱**を聴いて歌ったり，［ 5 ］で**模唱**したり暗唱したりする技能。	(ア) **範唱**を聴いたり，［ 7 ］の楽譜を見たりして歌う技能。	(ア) **範唱**を聴いたり，ハ長調及び［ 9 ］の楽譜を見たりして歌う技能。
(イ) 自分の［ 6 ］及び発音に気を付けて歌う技能。	(イ) 呼吸及び発音の仕方に気を付けて，自然で無理のない歌い方で歌う技能。	(イ) 呼吸及び発音の仕方に気を付けて，自然で無理のない，［ 10 ］歌い方で歌う技能。
(ウ) 互いの**歌声**や**伴奏**を聴いて，声を合わせて歌う技能。	(ウ) 互いの**歌声**や［ 8 ］的な旋律，伴奏を聴いて，声を合わせて歌う技能。	(ウ) 各声部の**歌声**や［ 11 ］，伴奏を聴いて，声を合わせて歌う技能。

1. 意図

2. 情景
3. 気付く
4. 理解する

5. 階名
6. 歌声
7. ハ長調
8. 副次
9. イ短調
10. 響きのある
11. 全体の響き

12. 曲想を感じ取って
13. 曲の特徴を捉えた
14. 曲の特徴にふさわしい

<table>
<tr><th colspan="3">(2) 器楽の活動を通して</th></tr>
<tr><td>ア 器楽表現についての知識や技能を得たり生かしたりしながら，[12] 表現を工夫し，どのように演奏するかについて思いをもつこと。</td><td>ア 器楽表現についての知識や技能を得たり生かしたりしながら，[13] 表現を工夫し，どのように演奏するかについて思いや意図をもつこと。</td><td>ア 器楽表現についての知識や技能を得たり生かしたりしながら，[14] 表現を工夫し，どのように演奏するかについて思いや意図をもつこと。</td></tr>
<tr><td colspan="2">イ 次の(ア)及び(イ)について気付くこと。</td><td>イ 次の(ア)及び(イ)について理解すること。</td></tr>
<tr><td colspan="3">(ア) 曲想と音楽の構造との関わり。</td></tr>
<tr><td>(イ) 楽器の音色と演奏の仕方との関わり。</td><td>(イ) 楽器の音色や響きと演奏の仕方との関わり。</td><td>(イ) 多様な楽器の音色や響きと演奏の仕方との関わり。</td></tr>
<tr><td>ウ 思いに合った表現をするために必要な次の(ア)から(ウ)までの技能を身に付けること。</td><td colspan="2">ウ 思いや意図に合った表現をするために必要な次の(ア)から(ウ)までの技能を身に付けること。</td></tr>
<tr><td>(ア) 範奏を聴いたり，[15] などを見たりして演奏する技能。</td><td>(ア) 範奏を聴いたり，[16] の楽譜を見たりして演奏する技能。</td><td>(ア) 範奏を聴いたり，ハ長調及び [18] の楽譜を見たりして演奏する技能。</td></tr>
<tr><td>(イ) 音色に気を付けて，旋律楽器及び打楽器を演奏する技能。</td><td colspan="2">(イ) 音色や響きに気を付けて，旋律楽器及び打楽器を演奏する技能。</td></tr>
<tr><td>(ウ) 互いの楽器の音や伴奏を聴いて，音を合わせて演奏する技能。</td><td>(ウ) 互いの楽器の音や [17]，伴奏を聴いて，音を合わせて演奏する技能。</td><td>(ウ) 各声部の楽器の音や [19]，伴奏を聴いて，音を合わせて演奏する技能。</td></tr>
</table>

15. リズム譜
16. ハ長調
17. 副次的な旋律
18. イ短調
19. 全体の響き

<table>
<tr><th colspan="3">(3)　音楽づくりの活動を通して</th></tr>
<tr><td colspan="3">ア　音楽づくりについての知識や技能を得たり生かしたりしながら，次の(ア)及び(イ)をできるようにすること。</td></tr>
<tr><td>(ア)　音遊びを通して，音楽づくりの発想を得ること。</td><td>(ア)　即興的に表現することを通して，音楽づくりの発想を得ること。</td><td>(ア)　即興的に表現することを通して，音楽づくりの[20]を得ること。</td></tr>
<tr><td>(イ)　どのように音を音楽にしていくかについて思いをもつこと。</td><td>(イ)　音を音楽へと構成することを通して，どのようにまとまりを意識した音楽をつくるかについて思いや意図をもつこと。</td><td>(イ)　音を音楽へと構成することを通して，どのように[21]のまとまりを意識した音楽をつくるかについて思いや意図をもつこと。</td></tr>
<tr><td>イ　次の(ア)及び(イ)について，それらが生み出す面白さなどと関わらせて気付くこと。</td><td>イ　次の(ア)及び(イ)について，それらが生み出すよさや面白さなどと関わらせて気付くこと。</td><td>イ　次の(ア)及び(イ)について，それらが生み出すよさや面白さなどと関わらせて理解すること。</td></tr>
<tr><td>(ア)　声や身の回りの様々な音の特徴。</td><td colspan="2">(ア)　いろいろな音の響きやそれらの[22]の特徴。</td></tr>
<tr><td>(イ)　音やフレーズのつなげ方の特徴。</td><td colspan="2">(イ)　音やフレーズのつなげ方や[23]の特徴 。</td></tr>
<tr><td>ウ　発想を生かした表現や，思いに合った表現をするために必要な次の(ア)及び(イ)の技能を身に付けること。</td><td colspan="2">ウ　発想を生かした表現や，思いや意図に合った表現をするために必要な次の(ア)及び(イ)の技能を身に付けること。</td></tr>
<tr><td>(ア)　設定した条件に基づいて，即興的に音を選んだりつなげたりして表現する技能。</td><td colspan="2">(ア)　設定した条件に基づいて，即興的に音を選択したり組み合わせたりして表現する技能 。</td></tr>
<tr><td>(イ)　音楽の仕組みを用いて，簡単な音楽をつくる技能。</td><td colspan="2">(イ)　音楽の仕組みを用いて，音楽をつくる技能。</td></tr>
</table>

20. 様々な発想

21. 全体

22. 組合せ

23. 重ね方

〔共通教材〕

第1学年	第3学年	第5学年
『［1］』（文部省唱歌） 林柳波 作詞 井上武士 作曲 『［2］』（文部省唱歌） 『［3］』（文部省唱歌） 高野辰之 作詞 岡野貞一 作曲 『［4］』（わらべうた）	『［9］』（日本古謡） 『［10］』（文部省唱歌） 『［11］』（文部省唱歌） 高野辰之 作詞 岡野貞一 作曲 『［12］』（文部省唱歌） 巌谷小波 作詞	『［17］』（文部省唱歌） 『［18］』（日本古謡） 『［19］』（文部省唱歌） 林柳波 作詞 橋本国彦 作曲 『［20］』（文部省唱歌）
第2学年	**第4学年**	**第6学年**
『［5］』（文部省唱歌） 林柳波 作詞 下総皖一 作曲 『［6］』（文部省唱歌） 高野辰之 作詞 岡野貞一 作曲 『［7］』（文部省唱歌） 『［8］』 中村雨紅 作詞 草川信 作曲	『［13］』（日本古謡） 『［14］』 葛原しげる 作詞 梁田貞 作曲 『［15］』（文部省唱歌） 船橋栄吉 作曲 『［16］』（文部省唱歌） 高野辰之 作詞 岡野貞一 作曲	『［21］』（日本古謡） 慈鎮和尚 作歌 （歌詞は第2節まで） 『［22］』（文部省唱歌） 高野辰之 作詞 岡野貞一 作曲 『［23］』（文部省唱歌） 高野辰之 作詞 岡野貞一 作曲 『［24］』（文部省唱歌） （歌詞は第3節まで）

1. うみ
2. かたつむり
3. 日のまる
4. ひらいたひらいた
5. かくれんぼ
6. 春がきた
7. 虫のこえ
8. 夕やけこやけ
9. うさぎ
10. 茶つみ
11. 春の小川
12. ふじ山
13. さくらさくら
14. とんび
15. まきばの朝
16. もみじ
17. こいのぼり
18. 子もり歌
19. スキーの歌
20. 冬げしき
21. 越天楽今様
22. おぼろ月夜
23. ふるさと
24. われは海の子

B　鑑賞

第1・2学年	第3・4学年	第5・6学年
(1)　**鑑賞の活動を通して**		
ア　鑑賞についての知識を得たり生かしたりしながら，		
曲や演奏の［1］を見いだし，**曲全体を味わって聴くこと。**	曲や演奏の［2］などを見いだし，**曲全体を味わって聴くこと。**	
イ　曲想と音楽の構造との関わりについて気付くこと。	イ　曲想及びその変化と，音楽の構造との関わりについて［3］こと。	イ　曲想及びその変化と，音楽の構造との関わりについて［4］こと。

1. 楽しさ
2. よさ
3. 気付く
4. 理解する

〔鑑賞教材〕

第1・2学年	第3・4学年	第5・6学年
ア　我が国及び諸外国の[1]や遊びうた，**行進曲**や踊りの音楽など体を動かすことの快さを感じ取りやすい音楽，日常の生活に関連して情景を思い浮かべやすい音楽など，いろいろな種類の曲。	ア　和楽器の音楽を含めた我が国の音楽，[2]，諸外国に伝わる民謡など生活との関わりを捉えやすい音楽，劇の音楽，人々に長く親しまれている音楽など，いろいろな種類の曲。	ア　和楽器の音楽を含めた我が国の音楽や[3]など文化との関わりを捉えやすい音楽，人々に長く親しまれている音楽など，いろいろな種類の曲。
イ　音楽を形づくっている要素の働きを感じ取りやすく，[4]やすい曲。	イ　音楽を形づくっている要素の働きを感じ取りやすく，聴く[5]を得やすい曲。	イ　音楽を形づくっている要素の働きを感じ取りやすく，聴く[6]を深めやすい曲。
ウ　楽器の音色や人の声の特徴を捉えやすく親しみやすい，いろいろな演奏形態による曲。	ウ　楽器や人の声による演奏表現の違いを聴き取りやすい，[7]，**重奏**，**独唱**，**重唱**を含めたいろいろな演奏形態による曲。	ウ　楽器の音や人の声が重なり合う響きを味わうことができる，[8]，**合唱**を含めたいろいろな演奏形態による曲。

1. わらべうた
2. 郷土の音楽
3. 諸外国の音楽
4. 親しみ
5. 楽しさ
6. 喜び
7. 独奏
8. 合奏

◎これまでの小学校学習指導要領（音楽）で示されてきた鑑賞共通教材

〔第1学年〕	〔第2学年〕	〔第3学年〕
「アメリカンパトロール」 ミーチャム作曲 **「踊る子猫」** アンダソン作曲 **「おもちゃの兵隊」** イェッセル作曲 **「ガボット」** ゴセック作曲 **「森のかじや」** ミヒャエリス作曲	**「おどる人形」** ポルディーニ作曲 **「かじやのポルカ」** ヨーゼフ・シュトラウス作曲 **「かっこうワルツ」** ヨナッソン作曲 「出発」（組曲「冬のかがり火」から）プロコフィエフ作曲 **「トルコ行進曲」** ベートーベン作曲 **「メヌエット」**（歌劇「アルチーナ」から）ヘンデル作曲 **「ユーモレスク」** ドボルザーク作曲	**「おもちゃのシンフォニー」** ハイドン作曲 **「金婚式」** マリー作曲 「金と銀」 レハール作曲 歌劇「**軽騎兵**」序曲 スッペ作曲 **「メヌエット」**（組曲「アルルの女」より）ビゼー作曲 「メヌエット」ト長調 ベートーベン作曲 **「ポロネーズ」**（管弦楽組曲第2番から） J.S.バッハ作曲
〔第4学年〕	〔第5学年〕	〔第6学年〕
「ガボット」 ラモー作曲 **「軍隊行進曲」** シューベルト作曲 **「スケーターズワルツ」** ワルトトイフェル作曲 **「ノルウェー舞曲」**第2番イ長調 グリーグ作曲 **「白鳥」** サン・サーンス作曲 ホルン協奏曲 第1番 ニ長調 第1楽章 モーツァルト作曲	歌劇「**ウィリアム・テル**」序曲 ロッシーニ作曲 「管弦楽のための木挽歌」 小山清茂作曲 組曲「**くるみ割り人形**」 チャイコフスキー作曲 **「荒城の月」**，「箱根八里」，「花」のうち1曲 滝廉太郎作曲 **「タンホイザー行進曲**（合唱の部分を含む）」 ワーグナー作曲 ピアノ五重奏「**ます**」第4楽章 シューベルト作曲	**「赤とんぼ」**，「この道」，「待ちぼうけ」のうち1曲 山田耕筰作曲 第9交響曲から合唱の部分 ベートーベン作曲 組曲「**道化師**」 カバレフスキー作曲 **「春の海」** 宮城道雄作曲 組曲「**ペール・ギュント**」 グリーグ作曲 **「流浪の民」** シューマン作曲 **「六段」** 八橋検校作曲

▶共通事項

第1・2学年	第3・4学年	第5・6学年
「A表現」及び「B鑑賞」の指導を通して，次の事項を身に付けることができるよう指導する。		
ア 音楽を形づくっている要素を聴き取り，それらの働きが生み出すよさや面白さ，美しさを感じ取りながら，聴き取ったことと感じ取ったこととの関わりについて考えること。		
イ 音楽を形づくっている要素及びそれらに関わる身近な**音符，休符，**記号や用語について，音楽における働きと関わらせて理解すること。	イ 音楽を形づくっている要素及びそれらに関わる**音符，休符，**記号や用語について，音楽における働きと関わらせて理解すること。	

2 共通教材

重要度 A ／／／

1．次の楽譜を見て，下の問いに答えなさい。

(1)　この曲の題名［ 1 ］，第［ 2 ］学年の共通教材。

1.　夕やけこやけ
2.　2

▶ト音記号，ヘ音記号

2．次の楽譜を見て，下の問いに答えなさい。

(1)　この曲の題名［ 1 ］，第［ 2 ］学年の共通教材。
(2)　㋐～㋔の音符，休符の名称を答えなさい。
　㋐［ 3 ］　㋑［ 4 ］　㋒［ 5 ］
　㋓［ 6 ］　㋔［ 7 ］
(3)　次の休符を長さの長い順に並べなさい。［ 8 ］
　ⓐ 𝄽　ⓑ 𝄻　ⓒ 𝄾　ⓓ 𝄼　ⓔ 𝄿

1.　子もり歌
2.　5
3.　4分音符
4.　8分休符
5.　8分音符
6.　付点2分音符
7.　4分休符
8.　ⓑ—ⓓ—ⓐ—ⓒ—ⓔ

▶音符と休符

音符	全音符	2分音符	4分音符	8分音符	16分音符	付点2分音符	付点4分音符
	𝅝	𝅗𝅥	♩	♪	𝅘𝅥𝅯	𝅗𝅥.	♩.
♩(𝄽)を1拍とおくと	4	2	1	$\frac{1}{2}$	$\frac{1}{4}$	3(♩+♩+♩)	$1\frac{1}{2}$(♩+♪)
休符	𝄻	𝄼	𝄽	𝄾	𝄿		
	全休符	2分休符	4分休符	8分休符	16分休符		

「・(付点)」は，その音の半分の長さをプラスした長さ。

3．次の楽譜を見て，下の問いに答えなさい。

1. ト音記号
2. 小節
3. シャープ
4. 半音上げる
5. フラット
6. 半音下げる
7. ナチュラル
8. もとに戻す
9. ブレス
10. 息つぎ

⑴　この楽譜の左端にある記号を［ 1 ］，縦線で区切られた区分を［ 2 ］という。

⑵　次の記号の読みと意味を答えなさい。

㋐　♯…読み［ 3 ］，意味［ 4 ］

㋑　♭…読み［ 5 ］，意味［ 6 ］

㋒　♮…読み［ 7 ］，意味［ 8 ］

㋓　v…読み［ 9 ］，意味［ 10 ］

▶♯と♭

調号として用いられる時は，その**曲全体**に影響が及ぶ。**臨時記号**として用いられる時は，その**小節内**に影響が及ぶ。

曲の途中で音符の左についた♯や♭を**臨時記号**といい，𝄞などの右に書かれた♯や♭を**調号**という。

4．次の楽譜を見て，下の問いに答えなさい。

1. ふるさと
2. 6
3. ト長調

⑴　この曲の題名［ 1 ］，第［ 2 ］学年の共通教材。

⑵　この曲は，何調の曲か。［ 3 ］

▶長音階と短音階

㋐　**長音階**…オクターブ中に全音全音半音全音全音全音半音とならんだ音階

○ハ長調…主音がハ（ド）の**長音階**（次ページ左図）

㋑　**短音階**…オクターブ中に全音半音全音全音半音全音全音とならんだ音階

○イ短調…主音がイ（ラ）の**短音階**（次ページ右図）

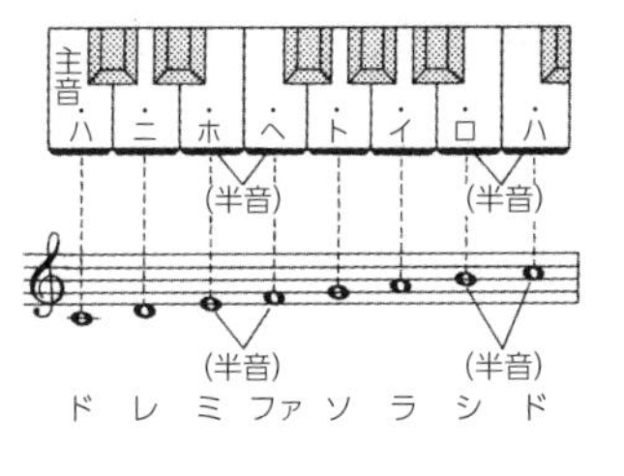

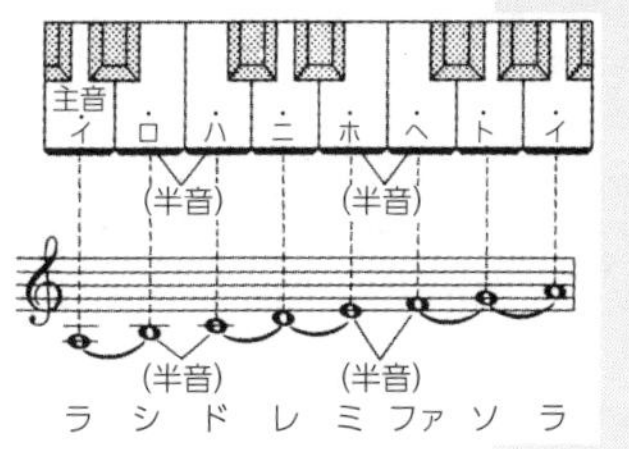

〔長調と短調の区別〕

○**長調**…明るく快活で，**ドミソのどれかの音から始まり**，終止音はドが多い。

○**短調**…暗くて，重々しく，さびしく，やわらかいものが多く，**ラドミのどれかの音から始まり**，和声短音階の場合ソの音（第7音）が半音上がる。

5．次の楽譜を見て，下の問いに答えなさい。

(1)　この曲の題名[1]，第[2]学年の共通教材。

(2)　㋐の部分にはいるこの曲の拍子は何か。[3]

1. スキーの歌
2. 5
3. $\frac{4}{4}$

▶拍子

$\frac{4}{4}$ = 1小節に4拍ある ⬅小節に入る下の音符の数 / 4分音符（♩）を1拍と数えた時 ⬅音符の種類

＊8分の6拍子は2拍子系であり小節のまん中で**2等分できる**が，4分の3拍子は3拍子系であるので**2等分できない**。

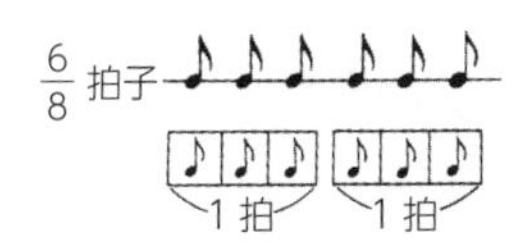

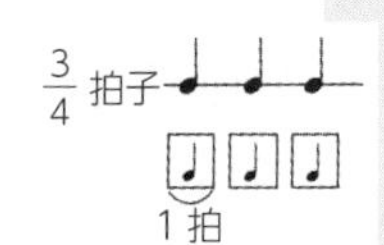

6．次の楽譜を見て，下の問いに答えなさい。

(1)　この曲の題名[1]，第[2]学年の歌唱共通教材。

1. もみじ　**2.** 4

⑵　㋐，㋑，㋒の音名と階名を答えなさい。

㋐音名［ 3 ］，階名［ 4 ］
㋑音名［ 5 ］，階名［ 6 ］
㋒音名［ 7 ］，階名［ 8 ］

3. ヘ
4. ド
5. ハ
6. ソ
7. ハ
8. ソ

▶音名と階名

○**音名**…ハ，ニ，ホ，ヘ～を用いた固定的名称で何調を用いても**変わることはない。**

○**階名**…音名に対して，歌う時に用いるドレミファソラシをいい，調によって**変わる**。(移動ド唱法)

長調➡主音が[ド]，　短調➡主音が[ラ]になる。

○**調の見当のつけ方**…調号（#，♭）がいくつかある時には，一番右にある#の位置がシ（♭の場合はファ)。

7．次の楽譜を見て，下の問いに答えなさい。

⑴　Aの曲の題名［1］，第［2］学年の共通教材。
⑵　Bの曲の題名［3］，第［4］学年の共通教材。
⑶　A，Bのうち，陰旋法の曲はどちらか。［5］

1. さくらさくら
2. 4
3. かくれんぼ
4. 2
5. A

▶日本の音階

⑴　**陽旋法**…隣接した音に**半音**の組み合わせがない。
『ひらいたひらいた』（わらべうた），『かくれんぼ』
『子守り歌』（日本古謡）

⑵　**陰旋法**…隣接した音に2か所**半音**をもつ。
『うさぎ』（日本古謡），『さくらさくら』（日本古謡）

8．次の楽譜を見て，下の問いに答えなさい。

⑴　この曲は，何調の曲か。［1］

1. へ長調

▶移調と転調

○**移調**…ある調から，曲全体を何度か上げたり下げたりすること。
○**転調**…曲の**途中**から調が変わっていくこと。

9．次の楽譜を見て，下の問いに答えなさい。

⑴　この曲の題名［ 1 ］，第［ 2 ］学年の共通教材。

⑵　この曲の各小節に，Ⅰ，Ⅳ，Ⅴの和音名を記しなさい。

1小節［ 3 ］　2小節［ 4 ］

3小節［ 5 ］　4小節［ 6 ］

1. とんび
2. 4
3. Ⅰ
4. Ⅳ
5. Ⅰ
6. Ⅴ

▶和音〔主要三和音〕

長調の和音（ハ長調）				
階　名	ドミソ	ドファラ	シレソ	シレファソ
和音名	Ⅰ(主和音)	Ⅳ(下属和音)	Ⅴ(属和音)	$Ⅴ_7$(属七)
階　名	ラドミ	ラレファ	ソシミ	ソシレミ
短調の和音（イ短調）				

○協和音程 { ①完全…完全1度，完全4度，完全5度，完全8度 / ②不完全…長（短）3度，長（短）6度

○不協和音程…協和音程以外

10. 次の楽譜を見て，下の問いに答えなさい。

⑴　この曲の題名［ 1 ］，第［ 2 ］学年の共通教材。

⑵　この曲をピアノで弾く時，㋐，㋑はどの鍵盤を押さえるか。㋐［ 3 ］　㋑［ 4 ］

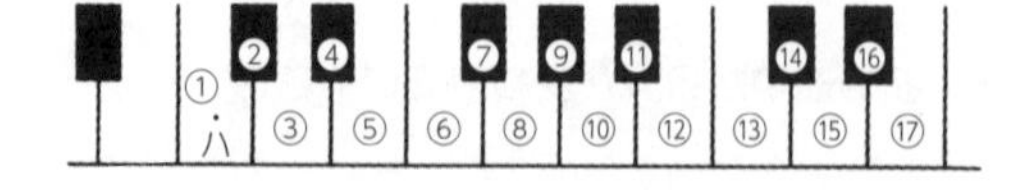

⑶　①この曲を笛で吹く時，㋐，㋑はどのように指で押さえるか。次のⓐ～ⓔから選びなさい。

㋐［ 5 ］　㋑［ 6 ］

1. 冬げしき
2. 5
3. ⑬
4. ⑪
5. ⓓ
6. ⓑ

ⓐ ⓑ ⓒ ⓓ ⓔ

②[7]とは，tu，tu，tu，…と舌で息を切りながら送り込み笛を吹くこと。

③高音部を吹くときのうら穴のあけ方で正しいものを選びなさい。[8]

㋐　㋑　㋒

⑷　この曲の歌詞を書きなさい（１番の二段目まで）。[9]

7.　タンギング

8.　㋐

9.　さぎり　きゆる　みなとえの　ふね　に　しろし　あさ　のしも　ただみず　とりの　こえはし　て　いまだ　さめ　ず　きしのいえ

11．次の楽譜を見て，下の問いに答えなさい。

⑴　この曲の題名[1]，第[2]学年の共通教材。

⑵　㋐の部分にはいるこの曲の拍子は何か。[3]

⑶　この曲は，強起か弱起か。[4]

1.　おぼろ月夜

2.　6

3.　$\frac{3}{4}$

4.　弱起

▶強起と弱起

○**強起**…小節の第１拍（強拍）からはじまる。

○**弱起**…小節の弱拍からはじまる。

12．次の楽譜を見て，下の問いに答えなさい。

⑴　この曲は歌唱共通教材の１つである。①につづけて㋐～㋖を正しい順序に並べかえなさい。[1]

⑵　♩＝96とはどういう意味か。[2]

1.　㋓－㋖－㋔－㋑－㋕－㋐－㋒

2.　♩が１分間に96入る速さを意味する

13. 次の楽譜を見て，下の問いに答えなさい。

1. 春の小川
2. 3
3. メゾフォルテ
4. やや強く
5. クレッシェンド
6. だんだん強く
7. スラー
8. なめらかに
9. ⓑ
10. ⓓ

(1) この曲の題名［ 1 ］，第［ 2 ］学年の歌唱共通教材。

(2) ㋐，㋑，㋒の記号の名称と意味を答えなさい。

㋐名称［ 3 ］　意味［ 4 ］

㋑名称［ 5 ］　意味［ 6 ］

㋒名称［ 7 ］　意味［ 8 ］

(3) Ⓐ，Ⓑには，次のどれがはいるか。

Ⓐ［ 9 ］　Ⓑ［ 10 ］

ⓐ 

ⓑ 

ⓒ 

ⓓ 

▶**終止形**…主和音ではじまって主和音で終わるあいだに，Ⅳ，Ⅴの和音をおいてつないだもの

①Ⅰ—Ⅳ—Ⅰ　②Ⅰ—Ⅴ—Ⅰ

③Ⅰ—Ⅳ—Ⅴ—Ⅰ　④Ⅰ—Ⅳ—Ⅰ—Ⅴ—Ⅰ

共通教材章1～13からのひとことHint

☒1…音名（ハ，ニ，ホ…）が同じで，高さが異なる2音の隔りを「**オクターブ**」という。例えば，ハ̇とハは1オクターブ違う音となる。

☒2…n分音符は，全音符をn等分したうちの1つの長さを表す。

☒4…主音とは，音階のはじめの音で長調は**ド**，短調は**ラ**である。

☒6…長調の場合は#が1つつくごとに**トニイホロヘハ**，♭が1つつくごとに**ヘロホイニトハ**と変化する。

☒7…主音に♭がつく場合その調を変○長（短）調といい，主音に#がつく場合その調を嬰○長（短）調という。

☒8…移調する前には，原調の階名を考える。（階名は，調が変わっても変化なし）

※　共通教材においては，低学年及び中学年では各学年4曲の中から4曲を扱う。高学年では4曲の中から3曲を扱う。（P.136の〔共通教材〕参照）

3 鑑賞教材

重要度 B ／／／

1．次の楽譜を見て，下の問いに答えなさい。

(1)　この曲の題名［ 1 ］，作曲者名［ 2 ］。
(2)　第1小節と第2小節の階名は何か。［ 3 ］
(3)　Ⓐには⓪クレッシェンド，ⓑデクレッシェンドのどちらが入るか。［ 4 ］

1. 赤とんぼ
2. 山田耕筰
3. ソドドレ｜ミソドラソ
4. ⓑ

2．次の楽譜を見て，下の問いに答えなさい。

(1)　この曲の題名［ 1 ］，作曲者名［ 2 ］。
(2)　この曲の㋐にはいる拍子は何か。［ 3 ］
(3)　㋑は［ 4 ］といい，２等分すべき音符の長さを３等分した音符である。

1. おもちゃの兵隊
2. イェッセル
3. $\frac{2}{4}$
4. 三連符

3．次の楽譜を見て，下の問いに答えなさい。

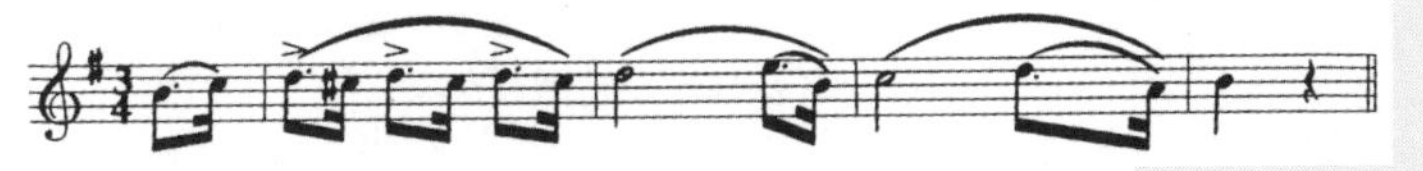

(1)　この曲は［ 1 ］の作曲した［ 2 ］である。
(2)　メヌエットとはフランスの宮廷で盛んに行われた［ 3 ］拍子の舞曲のことである。
(3)　この曲は何調の曲か。［ 4 ］

1. ベートーヴェン
2. メヌエット
3. 3
4. ト長調

▶舞曲の種類

①メヌエット…フランス宮廷で発達した**3拍子の舞曲**。
②［ 5 ］…16世紀南東フランスに起こった$\frac{2}{2}$**あるいは**$\frac{4}{4}$**拍子の舞曲**。
③［ 6 ］…19世紀ドイツに起こった**3拍子**の舞曲。

5. ガボット
6. ワルツ

4．次の楽譜を見て，下の問いに答えなさい。

Moderato

tr.

⑴　この曲の題名［1］，作曲者名［2］。

⑵　Moderatoの読みは［3］で，意味は［4］。

⑶　この曲を鑑賞するねらいには，［5］の音色に親しませることがある。

1.　ポロネーズ
2.　バッハ
3.　モデラート
4.　中ぐらいの速さで
5.　フルート

▶速さを表す記号

Adagio	**ゆるやかに**	Presto	急速に
Largo	幅広くゆるやかに	Vivace	活発に，速く
Andante	歩くようにほどよくゆっくり		
Moderato	中ぐらいの速さで	*ritardando*[*rit.*]	だんだん遅く
Allegretto	**やや速く**	*accelerando*[*accel.*]	だんだん速く
Allegro	**軽快に速く**	*a tempo*	**もとの速さで**

〔演習問題〕　鑑賞教材について解説した次の文は，何という曲についてのものでしょうか。

1．「夜明け」「嵐」「静けさ」「スイス軍の行進」の４つの部分からできている。劇のあらすじを考えながら聴いてみよう。

2．この歌劇は，今ではほとんど上演されず，あらすじもはっきりしない。初めのトランペットの合図，ギャロップのリズムなどに特徴がある。

3．ノルウェーの作家イプセンが伝説をもとに作った劇のために作られた。有名な「朝」の旋律はモロッコ海岸の朝を表している。

1.　ウィリアム・テル序曲
2.　軽騎兵
3.　ペール・ギュント

5．次の各問いに答えなさい。

⑴　「踊る子猫」を作曲したのは，［1］の［2］である。この曲を鑑賞するねらいには，猫の擬声表現など，［3］の音色に親しませることがある。

⑶　次の各記号の名称と意味を答えなさい。

1.　アメリカ
2.　アンダーソン
3.　バイオリン

名称　[4]　[5]　[6]
意味　[7]　[8]　[9]

(エ)　(オ)

名称　[10]　[11]
意味　[12]　[13]

4. スタッカート
5. フェルマータ
6. テヌート
7. 音を短く切る
8. その音を伸ばす
9. 音の長さを十分伸ばす
10. アクセント
11. タイ
12. その音を強く
13. 1つの音にまとめて伸ばす

6．次の楽譜を見て，下の問いに答えなさい。

(1)　この曲の題名は[1]，作曲者名は[2]。
(2)　この曲を鑑賞するねらいには，[3]の音色に親しませることがある。
(3)　この曲は，何調の曲か。[4]
(4)　㋐，㋑，㋒の音名と階名を答えなさい。
　㋐音名[5]，階名[6]
　㋑音名[7]，階名[8]
　㋒音名[9]，階名[10]
(5)　この曲の平行調は[11]，同主調は[12]。

▶平行調と同主調
①平行調……同じ**調号**　②同主調……同じ**主音**

1. ホルン協奏曲
2. モーツァルト
3. ホルン
4. ニ長調
5. 嬰ヘ
6. ミ
7. 嬰ハ
8. シ
9. ホ
10. レ
11. ロ短調
12. ニ短調

7．次の楽譜を見て，下の問いに答えなさい。

(1)　この曲は，歌劇[1]，作曲者は[2]である。
(2)　この曲を鑑賞するねらいには，[3]の音色に親しませることがある。

1. 軽騎兵
2. スッペ
3. トランペット

4. イ長調
5. オペラ

⑶ この曲は何調の曲か。[4]
⑷ 歌劇とは，音楽による劇のことで，[5]ともいう。

▶声楽曲と器楽曲

声楽曲	合唱曲 ミサ / レクイエム	キリスト教教会の礼拝の儀式のためにつくられたもの。 / 鎮魂曲ともいい，死者の霊をなぐさめるためのもの。
	歌劇（オペラ）	音楽を使った劇のことで管弦楽，バレエも加わる。
	オペレッタ	歌劇に対話を用いてこっけいな内容にしたもの。
器楽曲	行進曲（マーチ）	野外を行進するための楽曲。
	変奏曲（バリエーション）	主題をつぎつぎと変化させてまとまった曲にしたもの。
	交響曲（シンフォニー）	管弦楽で演奏するためのソナタの曲。
	協奏曲（コンチェルト）	独奏楽器と管弦楽で協奏するソナタの曲。
	ソナタ	ソナタ形式の楽曲を含みふつう４楽章からできている。
	ソナチネ	ソナタの形を小さくしたもの。

8．次の楽譜を見て，下の問いに答えなさい。

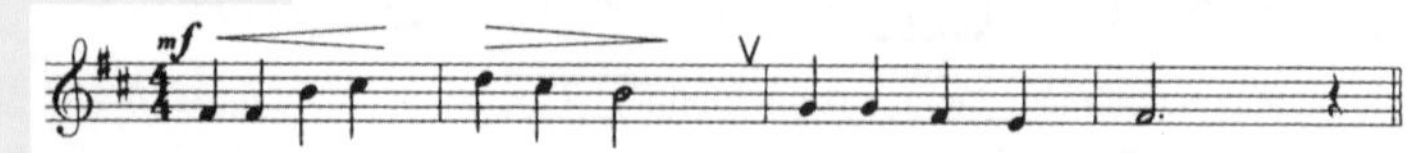

1. 荒城の月
2. 滝廉太郎
3. ロ短調
4. 強起

⑴ この曲の題名は[1]，作曲者名は[2]。
⑵ この曲は，何調の曲か。[3]
⑶ この曲は，強起か弱起か。[4]

9．次の楽譜を見て，下の問いに答えなさい。

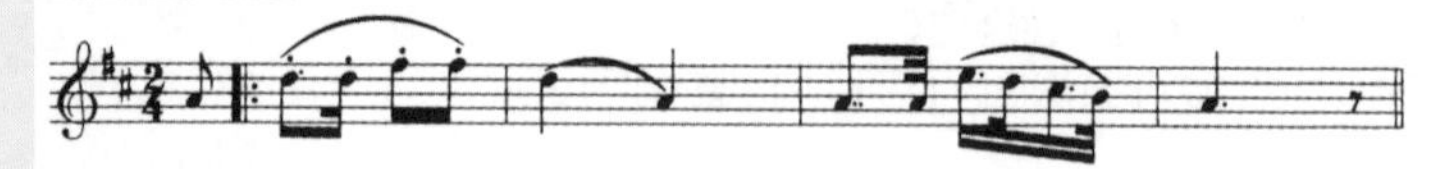

1. ます
2. シューベルト
3. バイオリン
4. ビオラ
5. チェロ
6. コントラバス

⑴ この曲は，ピアノ五重奏曲『[1]』第４楽章で，作曲者は[2]である。
⑵ このピアノ五重奏曲で使われる楽器は何か。
ピアノ，[3]，[4]，[5]，[6]

▶器楽の独奏形態

○独　奏（ソロ）…１人で楽器を演奏する。

○重　奏
- 二重奏（デュエット）…バイオリン二重奏，フルート二重奏など。
- ピアノ三重奏（トリオ）…ピアノ，バイオリン，チェロ
- 弦楽四重奏（**カルテット**）…第１バイオリン，第２バイオリン，ビオラ，チェロ
- ピアノ五重奏（**クインテット**）…ピアノ，第１バイオリン，第２バイオリン，ビオラ，チェロ

○合　奏
- 吹奏楽…管楽器，打楽器の合奏
- 管弦楽（オーケストラ）…弦楽器，管楽器，打楽器の合奏

10. 次の楽譜を見て，下の問いに答えなさい。

◇上の曲は，組曲『四季』の中に，二重唱曲として［ 1 ］によって作曲された曲である。

1. 滝廉太郎

▶声楽の演奏形態

○**独唱**（ソロ）…１人で歌うこと。

○**斉唱**…１つの節を大勢で歌うこと（ユニゾン）。

○**重唱**…２つ以上の節を１人ずつで歌うこと（アンサンブル）。

○**合唱**…２つ以上の節を大人数で歌うこと（コーラス）。

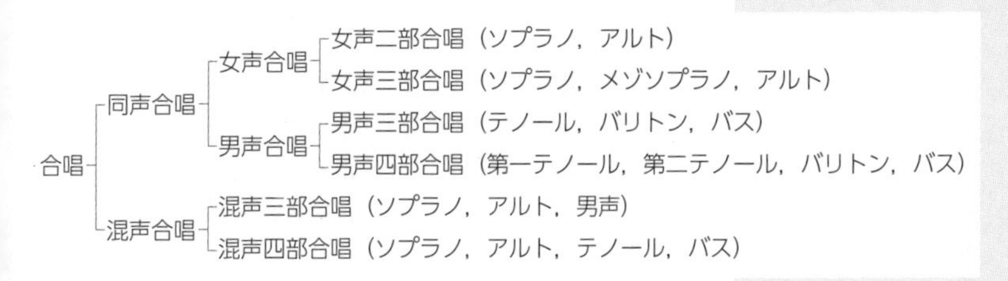

○混声四部合唱

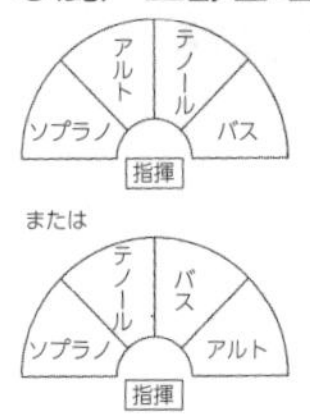

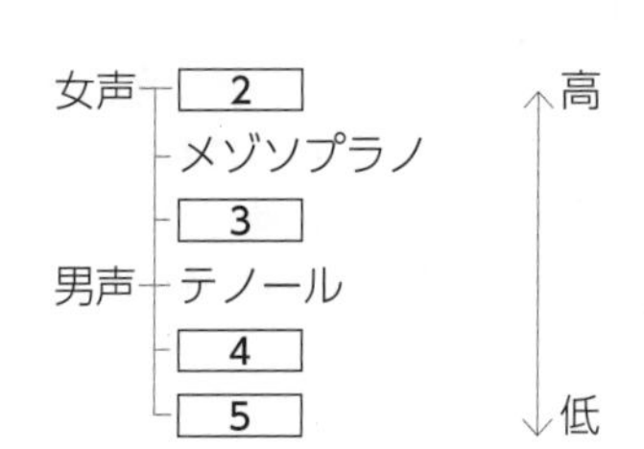

2. ソプラノ
3. アルト
4. バリトン
5. バス

11．次の楽譜を見て，下の問いに答えなさい。

1. 白鳥
2. サン=サーンス
3. チェロ

⑴　この曲の題名は[1]で，[2]の作曲による。
⑵　この曲の鑑賞のねらいには，[3]の音色に親しませることがある。
⑶　次に示す楽器はⓐ弦楽器，ⓑ木管楽器，ⓒ金管楽器，ⓓ打楽器のどれか。記号で答えなさい。

㋐ピッコロ[4]　㋑ビオラ[5]
㋒チューバ[6]　㋓ファゴット[7]
㋔フルート[8]　㋕ホルン[9]
㋖イングリッシュホルン[10]
㋗クラリネット[11]　㋘ティンパニー[12]
㋙オーボエ[13]

4. ⓑ　5. ⓐ
6. ⓒ　7. ⓑ
8. ⓑ　9. ⓒ
10. ⓑ
11. ⓑ　12. ⓓ
13. ⓑ

12．和楽器

▶箏（そう）…一般には琴と呼ばれている。桐で作られた胴に[1]本の弦が張られている楽器。調弦は[2]を動かして行う。右手の３本の指（親指，人差指，中指）に爪をつけ弦をひき，左手で弦を押したり引いたりする。

1. 13
2. 柱（じ）

▶民族楽器

◇次の楽器は，どこの国の民族楽器ですか。

①アルペンホルン[1]　②バグパイプ[2]
③シタール[3]　④ギター[4]
⑤ナイ[5]　⑥ツィンバロム(ン)[6]
⑦胡弓[7]

1. スイス
2. イギリス
3. インド
4. スペイン
5. ルーマニア
6. ハンガリー
7. 中国

▶反復記号

D.S.　（ダル・セーニョ）➡　𝄋のところに戻る
D.C.　（ダ・カーポ）➡　はじめに戻る
𝄌　（コーダマーク）➡　コーダへとぶ
Fine　（フィーネ）➡　おわり

▶音楽史

	人　名	特　徴：有名な作品
バロック～古典	[1]	音楽の父，宗教音楽の巨匠：『小フーガト短調』『G線上のアリア』
	[2]	バロック音楽大成者，音楽の母：『救世主』『水上の音楽』
	[3]	交響曲の父：交響曲『驚愕』『時計』『天地創造』
	[4]	古典音楽の確立者，神童：歌劇『フィガロの結婚』『セレナード』
～	ベートーヴェン	[5]：交響曲『英雄』ピアノ協奏曲『皇帝』『月光』
	ウェーバー	ドイツロマン歌劇の創始者：歌劇『[6]』『舞踏への勧誘』
前期ロマン派	ロッシーニ	イタリア近代歌劇の先駆者：歌劇『ウィリアム・テル』
	シューベルト	[7]：『冬の旅』『美しき水車小屋の娘』『魔王』
	[8]	初期ロマン派の代表作曲家：『[9]』『無言歌集』
	ショパン	ピアノの[10]：『別れの曲』『小犬のワルツ』
	[11]	ロマン派の大作曲家：『謝肉祭』『トロイメライ』
～	リスト	交響詩曲の始祖：『ハンガリー[12]』『ラ・カンパネラ』
	[13]	楽劇の創始者，歌劇の王：歌劇『タンホイザー』『ローエングリーン』
後期ロマン派	[14]	チェコの国民楽派：交響詩『わが祖国』
	J.シュトラウスⅡ世	ワルツの王：『[15]』『皇帝円舞曲』
	[16]	アメリカ民謡の父：『オールド・ブラック・ジョー』
	ブラームス	新古典派の作曲家：『ワルツ変イ長調』『ハンガリー[17]』
	ビゼー	フランス近代歌劇：組曲『[18]』歌劇『カルメン』
	[19]	ロシア国民楽派：『展覧会の絵』交響詩『禿山の一夜』
	[20]	ロシアの大作曲家：舞踊組曲『白鳥の湖』『くるみ割り人形』
	ドヴォルザーク	チェコの国民楽派の作曲家：交響曲『[21]』『ユーモレスク』
	グリーグ	ノルウェーの民族的作曲家：組曲『ペール・ギュント』

1. バッハ
2. ヘンデル
3. ハイドン
4. モーツァルト
5. 楽聖
6. 魔弾の射手
7. 歌曲の王
8. メンデルスゾーン
9. 真夏の夜の夢
10. 詩人
11. シューマン
12. 狂詩曲
13. ワーグナー
14. スメタナ
15. 美しく青きドナウ
16. フォスター
17. 舞曲
18. アルルの女
19. ムソルグスキー
20. チャイコフスキー
21. 新世界より

7
図画工作

1 学習指導要領

1．目　標

表現及び鑑賞の活動を通して，**造形**的な見方・考え方を働かせ，生活や社会の中の形や色などと豊かに関わる資質・能力を次のとおり育成することを目指す。

⑴　対象や事象を捉える[1]について自分の感覚や行為を通して理解するとともに，材料や用具を使い，**表し方**などを工夫して，[2]につくったり表したりすることができるようにする。

⑵　[3]や美しさ，表したいこと，**表し方**などについて考え，**創造的に**発想や構想をしたり，作品などに対する自分の見方や感じ方を深めたりすることができるようにする。

⑶　[4]を味わうとともに，**感性**を育み，楽しく豊かな生活を創造しようとする態度を養い，[5]を培う。

1. 造形的な視点
2. 創造的
3. 造形的なよさ
4. つくりだす喜び
5. 豊かな情操

2．指導計画の作成と内容の取扱い

▶指導計画の作成

⑴　題材など内容や時間のまとまりを見通して，その中で育む資質・能力の育成に向けて，児童の**主体**的・**対話**的で深い学びの実現を図るようにすること。その際，[1]を働かせ，**表現**及び**鑑賞**に関する資質・能力を相互に関連させた学習の充実を図ること。

⑵　各学年の内容の「A 表現」及び「B 鑑賞」の指導については相互の関連を図るようにすること。ただし「B 鑑賞」の指導については，指導の効果を高めるため必要がある場合には，児童や学校の実態に応じて，[2]して行うようにすること。

⑶　各学年の内容の〔[3]〕は，**表現**及び**鑑賞**の学習において共通に必要となる資質・能力であり，「A 表現」及び「B 鑑賞」の指導と併せて，十分な指導が行われるよう工夫すること。

⑷　各学年の内容の「A 表現」については，[4]で

1. 造形的な見方・考え方
2. 独立
3. 共通事項
4. 造形遊びをする活動

は，(1)のア及び(2)のアを，絵や立体，工作に表す活動では，(1)のイ及び(2)のイを関連付けて指導すること。その際，(1)のイ及び(2)のイの指導に配当する授業時数については，[5]に表すことの内容に配当する授業時数が，[6]の内容に配当する授業時数とおよそ等しくなるように計画すること。

(5) 各学年の内容の「A 表現」の指導については，適宜[7]してつくりだす活動を取り上げるようにすること。

(6) 各学年の内容の「B 鑑賞」においては，[8]や美術作品などの特質を踏まえて指導すること。

(7) 低学年においては，児童が**主体**的に自己を発揮しながら学びに向かうことが可能となるようにすることを踏まえ，**他教科**等との関連を積極的に図り，指導の効果を高めるようにするとともに，幼稚園教育要領等に示す幼児期の終わりまでに育ってほしい姿との関連を考慮すること。特に，小学校入学当初においては，[9]を中心とした**合科**的・**関連**的な指導や，弾力的な時間割の設定を行うなどの工夫をすること。

(8) 障害のある児童などについては，学習活動を行う場合に生じる困難さに応じた指導内容や指導方法の工夫を**計画**的，**組織**的に行うこと。

(9) 第１章総則の第１の２の(2)に示す道徳教育の目標（P.248参照）に基づき，道徳科などとの関連を考慮しながら，第３章特別の教科道徳の第２に示す内容について，図画工作科の**特質**に応じて適切な指導をすること。

▶内容の取扱い

(1) 児童が**個性**を生かして活動することができるようにするため，学習活動や**表現方法**などに幅をもたせるようにすること。

(2) 各学年の「A 表現」及び「B 鑑賞」の指導を通して，児童が〔共通事項〕のアとイとの関わりに気付くようにすること。

(3) 〔共通事項〕のアの指導に当たっては，次の事項に配慮し，必要に応じて，その後の学年で繰り返し取り上げること。

ア 第１学年及び第２学年においては，いろいろな**形**

5. 工作
6. 絵や立体に表すこと
7. 共同
8. 自分たちの作品
9. 生活科

10. 触った感じ
11. 色の感じ
12. 奥行き
13. クレヨン
14. 水彩絵の具
15. 糸のこぎり
16. 版
17. 焼成

や色，［ 10 ］などを捉えること。

イ　第3学年及び第4学年においては，形の感じ，［ 11 ］，それらの**組合せ**による感じ，色の明るさなどを捉えること。

ウ　第5学年及び第6学年においては，動き，［ 12 ］，バランス，色の**鮮やかさ**などを捉えること。

(4)　各学年の「A　表現」の指導に当たっては，活動の全過程を通して児童が実現したい思いを大切にしながら活動できるようにし，自分のよさや**可能性**を見いだし，楽しく豊かな生活を創造しようとする態度を養うようにすること。

(5)　各活動において，互いのよさや**個性**などを認め尊重し合うようにすること。

(6)　材料や用具については，次のとおり取り扱うこととし，必要に応じて，当該学年より前の学年において初歩的な形で取り上げたり，その後の学年で繰り返し取り上げたりすること。

ア　第1学年及び第2学年においては，**土**，**粘土**，**木**，紙，［ 13 ］，**パス**，**はさみ**，**のり**，簡単な小刀類など身近で扱いやすいものを用いること。

イ　第3学年及び第4学年においては，**木切れ**，**板材**，**釘**，［ 14 ］，**小刀**，使いやすいのこぎり，**金づち**などを用いること。

ウ　第5学年及び第6学年においては，**針金**，［ 15 ］などを用いること。

(7)　各学年の「A　表現」の(1)のイ及び(2)のイについては，児童や学校の実態に応じて，児童が工夫して楽しめる程度の［ 16 ］に表す経験や［ 17 ］する経験ができるようにすること。

(8)　各学年の「B　鑑賞」の指導に当たっては，児童や学校の実態に応じて，地域の**美術館**などを利用したり，連携を図ったりすること。

(9)　各学年の「A　表現」及び「B　鑑賞」の指導に当たっては，思考力，判断力，表現力等を育成する観点から，〔共通事項〕に示す事項を視点として，感じたことや思ったこと，考えたことなどを，話したり聞いたり話し合ったりする，言葉で整理するなどの**言語活**

動を充実すること。

⑽　コンピュータ，カメラなどの情報機器を利用することについては，**表現**や**鑑賞**の活動で使う用具の一つとして扱うとともに，必要性を十分に検討して利用すること。

⑾　**創造**することの**価値**に気付き，自分たちの作品や美術作品などに表れている［ 18 ］を大切にする態度を養うようにすること。また，こうした態度を養うことが，**美術文化**の継承，発展，創造を支えていることについて理解する素地となるよう配慮すること。

▶　造形活動で使用する材料や用具，活動場所については，**安全**な扱い方について指導する，事前に点検するなどして，**事故防止**に留意するものとする。

▶　校内の適切な場所に作品を**展示**するなどし，**平素**の学校生活においてそれを**鑑賞**できるよう配慮するものとする。また，学校や地域の実態に応じて，［ 19 ］に児童の作品を**展示**する機会を設けるなどするものとする。

18. 創造性

19. 校外

〔教科目標と学年目標及び内容構成の関連（2学年ごと）〕

<table>
<tr><th rowspan="2">教科目標</th><th>学年目標</th><th colspan="4">内容構成</th></tr>
<tr><td rowspan="5">(1)　各学年における，「知識及び技能」に関する目標。
(2)　各学年における，「思考力，判断力，表現力等」に関する目標。
(3)　各学年における，「学びに向かう力，人間性等」に関する目標。</td><td rowspan="4">領域</td><td></td><th>項目</th><th>事項</th></tr>
<tr><td rowspan="4"></td><td rowspan="2">A 表現</td><td>(1)　表現の活動を通して，発想や構想に関する次の事項を身に付けることができるよう指導する。</td><td>ア　造形遊びをする活動を通して育成する「思考力，判断力，表現力等」。
イ　絵や立体，工作に表す活動を通して育成する「思考力，判断力，表現力等」。</td></tr>
<tr><td>(2)　表現の活動を通して，技能に関する次の事項を身に付けることができるよう指導する。</td><td>ア　造形遊びをする活動を通して育成する「技能」。
イ　絵や立体，工作に表す活動を通して育成する「技能」。</td></tr>
<tr><td>B 鑑賞</td><td>(1)　鑑賞の活動を通して，次の事項を身に付けることができるよう指導する。</td><td>ア　鑑賞する活動を通して育成する「思考力，判断力，表現力等」。</td></tr>
<tr><td colspan="2">〔共通事項〕</td><td>(1)　「A 表現」及び「B 鑑賞」の指導を通して，次の事項を身に付けることができるよう指導する。</td><td>ア　「A 表現」及び「B 鑑賞」の指導を通して育成する「知識」。
イ　「A 表現」及び「B 鑑賞」の指導を通して育成する「思考力，判断力，表現力等」。</td></tr>
</table>

1. 気付く
2. 分かる
3. 理解する
4. つくりだす喜び

3．各学年の目標

	第1・2学年	第3・4学年	第5・6学年
知識及び技能	(1) 対象や事象を捉える造形的な視点について自分の感覚や行為を通して［ 1 ］とともに， 手や体全体の**感覚**などを働かせ材料や用具を使い，表し方などを工夫して，創造的につくったり表したりすることができるようにする。	(1) 対象や事象を捉える造形的な視点について自分の感覚や行為を通して［ 2 ］とともに， 手や体全体を**十分に**働かせ材料や用具を使い，表し方などを工夫して，創造的につくったり表したりすることができるようにする。	(1) 対象や事象を捉える造形的な視点について自分の感覚や行為を通して［ 3 ］とともに， 材料や用具を**活用**し，表し方などを工夫して，創造的につくったり表したりすることができるようにする。
思考力、判断力、表現力等	(2) 造形的な面白さや楽しさ，表したいこと，表し方などについて考え，**楽しく**発想や構想をしたり，身の回りの作品などから自分の見方や感じ方を広げたりすることができるようにする。	(2) 造形的なよさや面白さ，表したいこと，表し方などについて考え，**豊かに**発想や構想をしたり，身近にある作品などから自分の見方や感じ方を広げたりすることができるようにする。	(2) 造形的なよさや美しさ，表したいこと，表し方などについて考え，**創造的に**発想や構想をしたり，親しみのある作品などから自分の見方や感じ方を深めたりすることができるようにする。
学びに向かう力、人間性等	(3) **楽しく**表現したり鑑賞したりする活動に取り組み，［ 4 ］を味わうとともに，形や色などに関わり楽しい生活を創造しようとする態度を養う。	(3) **進んで**表現したり鑑賞したりする活動に取り組み，つくりだす喜びを味わうとともに，形や色などに関わり楽しく豊かな生活を創造しようとする態度を養う。	(3) **主体的に**表現したり鑑賞したりする活動に取り組み，つくりだす喜びを味わうとともに，形や色などに関わり楽しく豊かな生活を創造しようとする態度を養う。

4．図画工作の内容

A　表 現

第1・2学年	第3・4学年	第5・6学年
(1) 表現の活動を通して，発想や構想に関する次の事項を身に付けることができるよう指導する。		
ア　**造形遊び**をする活動を通して，身近な**自然物**や[1]の形や色などを基に**造形**的な活動を思い付くことや，[2]や気持ちを生かしながら，どのように活動するかについて考えること。	ア　**造形遊び**をする活動を通して，身近な**材料**や場所などを基に**造形**的な活動を思い付くことや，[4]や色などを思い付きながら，どのように活動するかについて考えること。	ア　**造形遊び**をする活動を通して，材料や場所，[5]などの特徴を基に**造形**的な活動を思い付くことや，[6]したり周囲の様子を考え合わせたりしながら，どのように活動するかについて考えること。
イ　絵や立体，工作に表す活動を通して，感じたこと，**想像**したことから，表したいことを見付けることや，[3]や色を選んだり，いろいろな形や色を考えたりしながら，どのように表すかについて考えること。	イ　絵や立体，工作に表す活動を通して，感じたこと，**想像**したこと，見たことから，表したいことを見付けることや，表したいことや**用途**などを考え，形や色，材料などを生かしながら，どのように表すかについて考えること。	イ　絵や立体，工作に表す活動を通して，感じたこと，**想像**したこと，見たこと，[7]ことから，表したいことを見付けることや，形や色，**材料**の特徴，[8]などの感じ，**用途**などを考えながら，どのように[9]を表すかについて考えること。
(2) 表現の活動を通して，技能に関する次の事項を身に付けることができるよう指導する。		
ア　**造形遊び**をする活動を通して，身近で扱いやすい**材料**や**用具**に十分に慣れるとともに，並べたり，つないだり，積んだりするなど手や**体全体**の感覚などを働かせ，活動を工夫してつくること。	ア　**造形遊び**をする活動を通して，**材料**や**用具**を適切に扱うとともに，前学年までの**材料**や**用具**についての経験を生かし，組み合わせたり，切ってつないだり，形を変えたりするなどして，手や**体全体**を**十分に**働かせ，活動を工夫してつくること。	ア　**造形遊び**をする活動を通して，活動に応じて**材料**や**用具**を活用するとともに，前学年までの**材料**や**用具**についての経験や技能を**総合**的に生かしたり，方法などを組み合わせたりするなどして，活動を工夫してつくること。

1. 人工の材料
2. 感覚
3. 好きな形
4. 新しい形
5. 空間
6. 構成
7. 伝え合いたい
8. 構成の美しさ
9. 主題

イ　絵や立体，工作に表す活動を通して，身近で扱いやすい材料や用具に十分に慣れるとともに，手や体全体の感覚などを働かせ，表したいことを基に表し方を工夫して表すこと。	イ　絵や立体，工作に表す活動を通して，材料や用具を適切に扱うとともに，前学年までの材料や用具についての経験を生かし，手や体全体を十分に働かせ，表したいことに合わせて表し方を工夫して表すこと。	イ　絵や立体，工作に表す活動を通して，表現方法に応じて材料や用具を活用するとともに，前学年までの材料や用具などについての経験や技能を総合的に生かしたり，表現に適した方法などを組み合わせたりするなどして，表したいことに合わせて表し方を工夫して表すこと。

B　鑑　賞

第1・2学年	第3・4学年	第5・6学年
(1)　鑑賞の活動を通して，次の事項を身に付けることができるよう指導する。		
ア　[1]などを鑑賞する活動を通して，自分たちの作品や身近な材料などの造形的な面白さや楽しさ，表したいこと，表し方などについて，感じ取ったり考えたりし，自分の見方や感じ方を広げること。	ア　[2]などを鑑賞する活動を通して，自分たちの作品や身近な美術作品，製作の過程などの造形的なよさや面白さ，表したいこと，いろいろな表し方などについて，感じ取ったり考えたりし，自分の見方や感じ方を広げること。	ア　[3]などを鑑賞する活動を通して，自分たちの作品，我が国や諸外国の親しみのある美術作品，[4]などの造形的なよさや美しさ，表現の意図や特徴，表し方の変化などについて，感じ取ったり考えたりし，自分の見方や感じ方を深めること。

1. 身の回りの作品
2. 身近にある作品
3. 親しみのある作品
4. 生活の中の造形

〔共通事項〕

	第1・2学年	第3・4学年	第5・6学年
	(1) 「A 表現」及び「B 鑑賞」の指導を通して，次の事項を身に付けることができるよう指導する。		
知識	ア 自分の感覚や行為を通して，形や色などに気付くこと。	ア 自分の感覚や行為を通して，形や色などの感じが分かること。	ア 自分の感覚や行為を通して，形や色などの造形的な特徴を理解すること。
思考力、判断力、表現力等	イ 形や色などを基に，自分のイメージをもつこと。	イ 形や色などの感じを基に，自分のイメージをもつこと。	イ 形や色などの造形的な特徴を基に，自分のイメージをもつこと。

2 立　体

1. カービング
2. モデリング

1．彫　　塑

物をくっつけたり，削りとったりしながらかたまりで表現することを**彫塑**という。木や石などを削って形をつくることを**彫刻**（［ 1 ］），粘土などをくっつけて形をつくることを**塑造**（［ 2 ］）という。

2．塑　　造

▶粘土

〔粘土の取り扱い〕

○練る目的…①粘土の中の空気をぬく（焼くときの割れ防止）。②柔らかくする。③質を均一にする。

○練り方…たたみ込むように押しながら練る。

○保存…濡れぞうきんなどをまいた上からビニール袋などをかぶせる。

○乾いて固くなった粘土も，**水につけて練る**とまた使うことができる。

〔心棒〕

○塑像の**骨格**をつくり粘土の**重み**を支える。

○心棒はしっかり**固定**しなければならないが，あとで**はずす**ことを考えなければならない。

○粘土のつきをよくしたり，**たるみ**を防ぐため心棒に［ 1 ］をまきつける。

1. シュロ縄
2. ㋑

◇次のへらの中で形を整えたり仕上げに用いるものを選びなさい。［ 2 ］

▶石こう

〔石こうの取扱い〕

○石こうは固まる速度がはやい。

○**湿り気**を防ぐため，空き缶やビニール袋に入れて保存する。

〔石こうの溶き方〕

○ボウルに水を入れ，石こうをふりかけるように入れ

る。　石こう：水＝［ 3 ］　の割合

○石こうを**泡立てないように**ていねいにかきまぜる。

▶［ 4 ］**（浮き彫り）**

丸彫りと違って，平面に**立体感**を出し**正面から鑑賞する**。**光の方向**によって生まれる明暗の美しさをもつ。

〔浮き彫りの種類〕

厚みの違いにより，**高内彫り**，**中肉彫り**，［ 5 ］に分けられる。

▶**焼き物**

―制作順序―

〔成　形〕

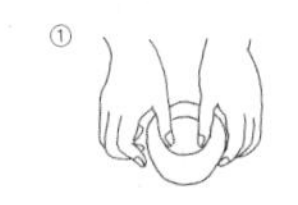

①

名称［ 6 ］

塊からつくる。耳たぶぐらいの柔らかさがよい。

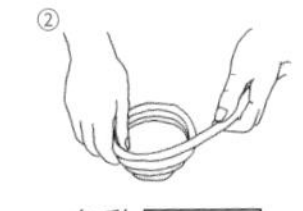

②

名称［ 7 ］

積み上げてつくる。ひもの太さは指の太さぐらいがよい。

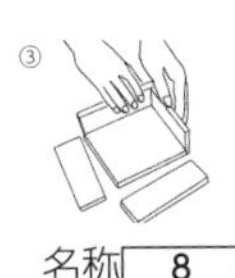

③

名称［ 8 ］

組み立ててつくる。接合にはどべをつけるとよい。

〔乾　燥〕

○**日陰**で，ゆっくり［ 9 ］週間ほど乾燥させる。急ぐ場合は，**日陰**に１週間置いたあと**日なた**に１週間置くと，２週間で乾燥する。

○粘土は乾燥すると［ 10 ］する(乾燥・本焼きで約10～20%収縮)。

〔素焼き〕（テラコッタ）

○火のあがりを考え，あまりつめすぎない。

○**弱火**で作品の**水分**を十分にとる。➡　**あぶりの時間を十分とる。**

○徐々に温度をあげ［ 11 ］℃で６～８時間くらい焼く。

〔絵つけ〕

○焼き物用の絵の具と［ 12 ］を**乳ばち**に入れて溶く。

○絵の具どうしを混ぜない。　○厚くかかない。

〔施　釉〕（うわぐすりをかける）

○**吸水性**をなくす。

○表面を滑らかにする。

○施釉後，十分［ 13 ］させる。

〔本焼き〕

○ツクやトチを使って接触しないようにする。

○あぶった後，［ 14 ］℃で１～２時間ぐらい焼く。

3. 1：1
4. レリーフ
5. 薄肉彫り
6. 手びねり
7. ひもづくり
8. 板づくり
9. 1～3
10. 収縮
11. 800
12. ふのり液
13. 乾燥
14. 1200～1300

3 デザイン

1. 構成美

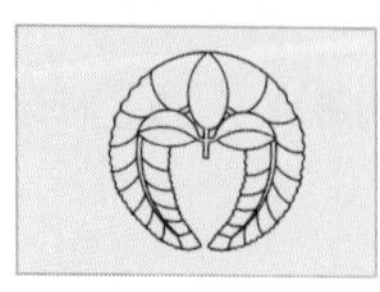

①［ 1 ］…左右対称。

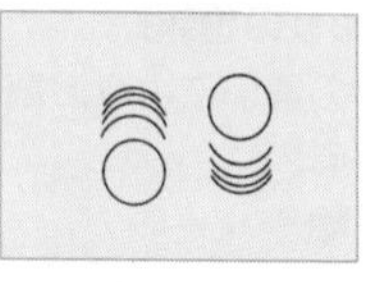

②**バランス**…主として2つのものの釣り合い。

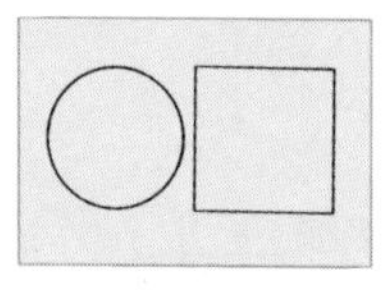

③**コントラスト**…対立によって生まれる美しさ。

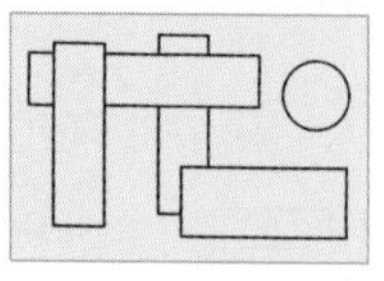

④［ 2 ］…ある部分に変化を加え全体をひきしめる。

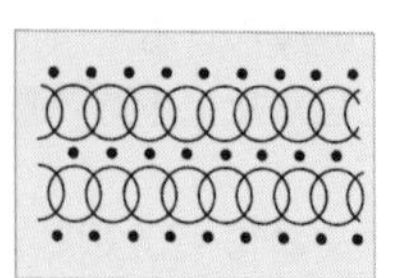

⑤［ 3 ］…同じ形や色を繰り返す。

⑥［ 4 ］…段階的に増減。

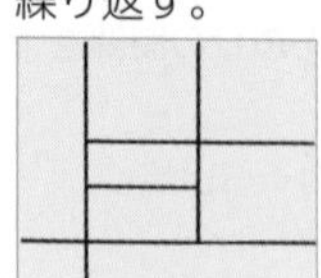

⑦［ 5 ］…全体と部分の美しい関係。

⑧**ムーブマン**…ある方向への動き。

1. シンメトリー
2. アクセント
3. リピテーション
4. グラデーション
5. プロポーション

2. 特殊技法

○［ 1 ］…吸水性の少ない紙に絵の具をたらし，2つ折りにして押し重ねると思いがけない対称形の絵ができる。**合わせ絵**。

○［ 2 ］…絵の具を紙の上にたらし息を吹きかけて絵の具を散らす。**吹き流し**。

1. デカルコマニー
2. ドリッピング

○［　3　］…水面に浮かせた絵の具を**吸水性**の紙で写しとる。**墨流し**。

○［　4　］…絵の具のかわりに紙や布を貼りつける。貼り絵。

○［　5　］…木目や石，貨幣やメダルなど凸凹のある表面の地肌を，鉛筆やクレヨンなどで写しとる。**こすり出し**。

○**スクラッチ**…クレヨンなどで色を重ねてぬり，へらなどでひっかき下の色を出す。**ひっかき絵**。

○**バチック**…ろうやクレヨンでかいた下絵の上に水彩絵の具を塗り，はじく性質を利用する（**はじき絵**ともいう）。

3. マーブリング
4. コラージュ
5. フロッタージュ

3．色　彩

▶**色の分類** ＊すべての色は有彩色と無彩色に分けられる。

○**色の三要素**

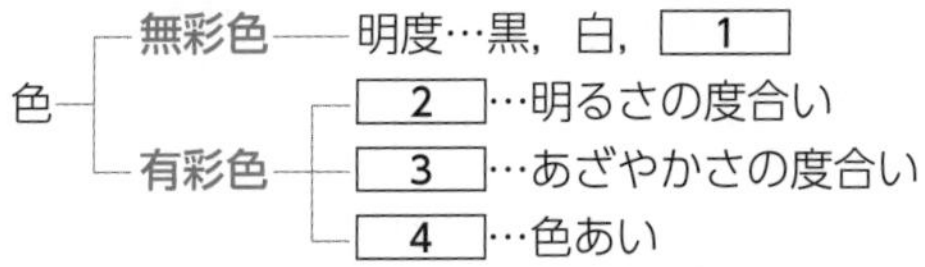

○［　5　］色…同じ色相で最も**彩度**が高い色

○［　6　］色…純色に**白**あるいは**黒**が混ざった色

○［　7　］色…純色に**灰色**が混ざった色

1. 灰色
2. 明度
3. 彩度
4. 色相
5. 純
6. 清
7. 濁

▶**12色相環**

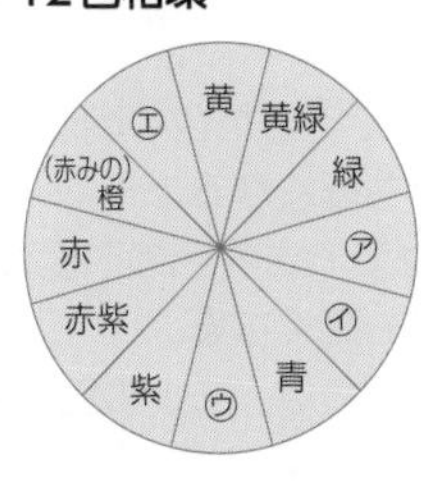

◇左図の12色相環を完成しなさい。

㋐［　8　］

㋑［　9　］

㋒［　10　］

㋓［　11　］

8. 青緑
9. 緑(みの)青
10. 青紫
11. 黄(みの)橙

○［　12　］…①**色相の最も遠い色**（12色相環で向かい合った位置にある色）のこと。②この2色を並べるとあざやかで**目立つ配色**になる。③この2色を混ぜ合わせると［　13　］色になる。

12. 補色
13. 無彩

14. 黄(みの)橙
15. 黄
16. 青緑
17. 中性色
18. 黄
19. 赤

○ 暖色…暖かく感じる色。12色相環では，赤，(赤みの) 橙，[14]，[15]
寒色…冷たく感じる色。12色相環では，[16]，緑(みの)青，青
[17]…暖色，寒色以外の色

○ 12色相環の中で，最も**明度**が高いのは[18]色，最も**彩度**が高いのは[19]色である。

▶**色の三原色・光の三原色**

下の図は，色の三原色，光の三原色を混合したときの様子である。㋐～㋕に適当な色を答えなさい。

○**色の三原色**

20. 黄（イエロー）
21. 緑
22. 黒

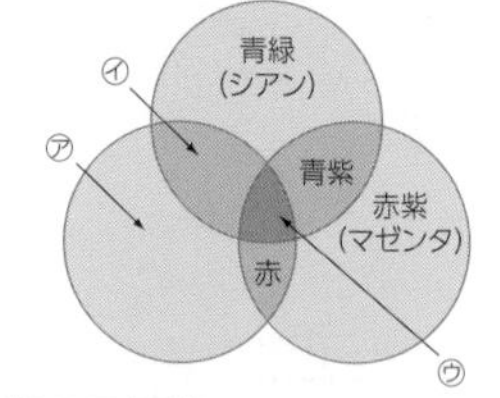

㋐[20]
㋑[21]
㋒[22]

○**光の三原色**

23. 緑
24. 白
25. 黄

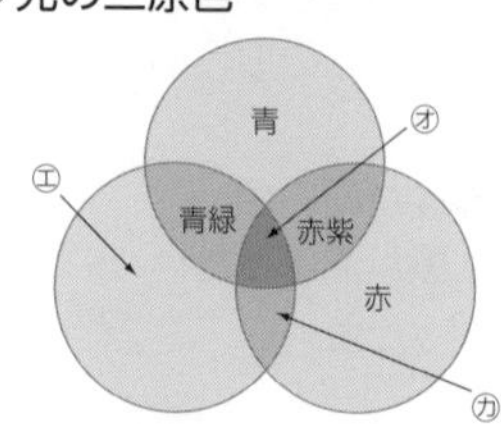

㋓[23]
㋔[24]
㋕[25]

▶**色の混合**

26. 減算
27. 加算

○[26]**混合…色材**を混ぜ合わせてできた色の明度は，混ぜ合わせる色の**平均明度**よりも**低くなる**。

○[27]**混合…色光**を混ぜ合わせてできた色の明度は，混ぜ合わせる色の**平均明度**よりも**高くなる**。

○**中間混合**…**混合**してできた色の明度は，もとの色の**平均明度**となる。
種類：[28]混合（交織(まぜおり)，点描等），[29]混合（コマ等）

28. 並置
29. 回転

▶**色立体**

すべての色を，色の**三要素**に基づいて**立体**的に配置したもの。

○たての位置は[30]の高低を示し，上にいくほど**高くなる**。

○横の位置は[31]の高低を示し，**中心軸**から離れるほど**高くなる**。

○中心の無彩色から**色相順**に[32]にならぶ。同一方向は同じ色相。

▶**色の対比**…周囲の色の影響で，その中の色が**違って**見えること。

㋐[33]対比　㋑[34]対比
㋒[35]対比　㋓[36]対比

30. 明度
31. 彩度
32. 放射状
33. 明度
34. 彩度
35. 色相
36. 補色
（順不同）

4．ポスター

○伝えたい事柄が**一目で**わかること。

○絵柄，文字，色の構成を工夫し美しくひき立つものにすること。

○色数は，（ⓐ多い　ⓑ少ない）ほうがよい。[37]

○**明度**差，[38]差の大きい配色。

37. ⓑ
38. 彩度

5．絵 の 具

○絵の具でかく時は，きれいな水を使い，筆を洗うところと分けて使う。

○筆に水をつけ，ぞうきんや筆洗いのふちで水の量を加減する。

○パレットの**小さい**ますに絵の具を出し，**広い**ますの中で溶いたり混ぜたりする。

○小さなますには，左から白→暖色→赤→寒色→黒の順で必要に応じて出す。

4 工　具

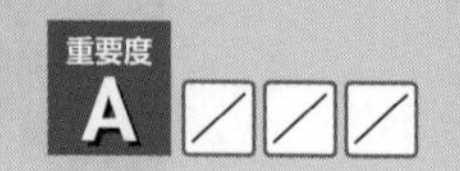

1．のこぎり

図を見て，縦びきのこぎりに関するものにはA，横びきのこぎりに関するものにはBと記しなさい。

▶刃のかたち

▶切る方向

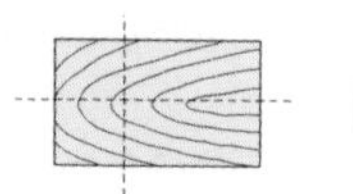

[3] 木の繊維と同じ方向

[4] 木の繊維を横ぎる方向

▶のこぎりの角度

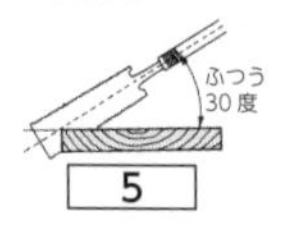

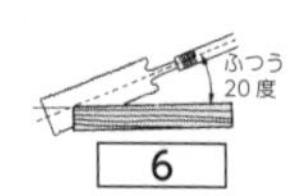

▶のこぎりの使い方

①のこぎりの刃と板の角度は，**柔らかい**板材，**薄い**板材の時には[7]，**堅い**板材，**厚い**板材の時には[8]する。

②のこぎりは（ⓐ引く　ⓑ押す）時に切れる。[9]

1. A
2. B
3. A
4. B
5. B
6. A
7. 小さく
8. 大きく
9. ⓐ

2．糸のこ

曲線や中身を切り抜く時に使う。

▶電動糸のこ

①刃を折る原因となるので，一度スイッチを入れたらむやみに切らない。**方向をかえる時も動かしたままで**かえる。　②刃の近くに手を置き押さえ**ゆっくり**切りすすむ。　③形を切り抜く時は，きりで穴をあけてから刃を通す。　④２枚の板を同じ形に切る時は，板を粘着テープでとめてから切る。

3．かなづち（げんのう）とくぎ

▶くぎの打ち方

くぎを打つ時には，始めに［ 1 ］のほうで打ち，打ち終わりは［ 2 ］で打つ。

▶げんのうの持ち方

◇下図で，**げんのう**の正しい持ち方は［ 3 ］である。

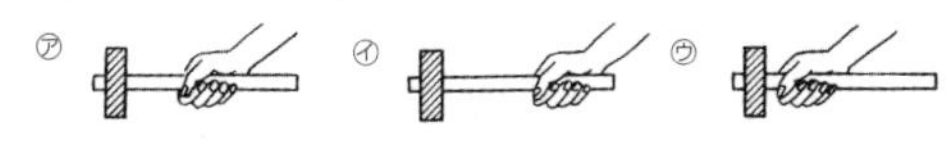

1. 平面
2. 凸面
3. ㋑

▶くぎ

①厚い板と薄い板を結合するときは（ⓐ厚い板　ⓑ薄い板）のほうからくぎを打ちつける。［ 4 ］

②打ちつけるくぎの長さは，板の厚さの［ 5 ］～［ 6 ］倍のものを使う。

③板が薄いときは**角度**をつけて打つ。

4. ⓑ
5. 2
6. 2.5

4．き　り

◇次の名称を語群から選びなさい。

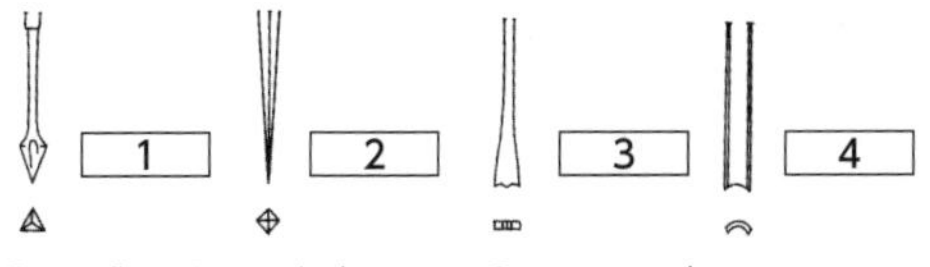

【語群】　㋐つぼぎり　　㋑四つ目ぎり
　　　　　㋒三つ目ぎり　㋓ねずみ歯ぎり

1. ㋒
2. ㋑
3. ㋓
4. ㋐

5．か ん な

○刃を抜くときには［ 1 ］をたたく。

◇右の図の各部分の名称を答えなさい。

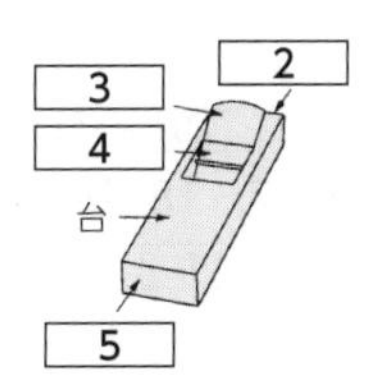

1. 台がしら
2. 台がしら
3. かんな身
4. 裏金
5. 台じり

6．小刀とくぎ抜き

◇下の図のうち正しい使い方はそれぞれどちらか。

小刀…［ 1 ］　　　　くぎ抜き…［ 2 ］

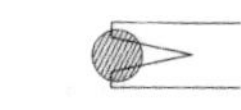
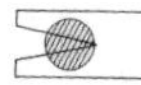

1. ㋐
2. ㋑

7 図画工作

5 鑑　賞

1．西洋美術史

▶原始

○スペインの**アルタミラ**洞窟壁画

○フランスの**ラスコー**洞窟壁画

▶古代

○エジプト…ピラミッド，スフィンクス

○ギリシア…［ 1 ］神殿

○ローマ…ポンペイの壁画，［ 2 ］

▶中世

寺院建築

○**ビザンティン**…東ローマ帝国の首都**コンスタンチノープル**を中心に発展し，モザイクに特色をもつ。［ 3 ］が代表的。

○**ロマネスク**…石造天井，石づくりの半円アーチが特徴。［ 4 ］が代表的。

○**ゴシック**…北フランスにはじまった高い尖塔をもち，ステンドグラスなどに特色をもつ。**ウェストミンスター寺院**（英），［ 5 ］（仏），ケルン本寺（独）が有名。

▶ルネサンス

○［ 6 ］…『ヴィーナスの誕生』『春』

○**レオナルド＝ダ＝ヴィンチ**…『［ 7 ］』『**モナ＝リザ**』

○**ミケランジェロ**…『ダヴィデ像』『［ 8 ］』『天地創造』

○［ 9 ］…『小椅子の聖母』『アテネの学堂』

○［ 10 ］…独自の農民風景画を描く。『雪中の猟師』

▶17，18世紀の美術

A. ［ 11 ］〈豪壮，艶麗を特徴とする絶対王政象徴の美術〉

○ヴェルサイユ宮殿…ルイ14世

○**エル＝グレコ**…縦長の人物像，宗教画『聖家族』

○［ 12 ］…宮廷画家，王族の肖像画

○**ルーベンス**…動的表現で豪華な肉体の表現『三美神』『フェルト帽の女』

○［ 13 ］…光の画家，『**夜警**』

---

1. パルテノン
2. コロセウム
3. アギア・ソフィア大聖堂
4. ピサ大聖堂
5. ノートルダム大聖堂
6. ボッティチェッリ
7. 最後の晩餐
8. 最後の審判
9. ラファエロ
10. ブリューゲル
11. バロック
12. ベラスケス
13. レンブラント

B. [14] 〈フランスを中心とした貴族的で華麗な美術〉

○ワトー…田園風景や宮廷風俗を描く。

○シャルダン…家庭生活を愛情をもって描く。静物画。

○[15]…スペインの宮廷画家，近代絵画へ大きな影響を与える。『**裸のマハ**』『イザベル夫人像』

▶近代美術

A. [16]**主義**〈統一と調和を重んじ**理想美**を追求〉

○[17]…『泉』『グランド・オダリスク』

○[18]…『ナポレオンとジョゼフィーヌの戴冠式』

B. **ロマン主義**　〈感情的で動きが激しい表現〉

○[19]…『**民衆を率いる自由の女神**』

○[20]…『メデューズ号の筏（いかだ）』

C. [21]派〈自然主義ともいう。自然の風景を素直に表現〉

○[22]…素朴な農民生活を描く。『**晩鐘**』『落穂拾い』

○**コロー**…『真珠の女』『マントの橋』

D. [23]〈写実主義ともいう。鋭い洞察と観察で客観的な現象を**そのまま**表現〉

○[24]…「あるがままのものを，あるがままに捉えることが芸術だ」と主張した。『石割り（人夫）』『荒海』

○**ドーミエ**…『三等列車』『洗濯女』

E. **印象派**〈自然の中では，光の当たり具合によって物体は違った色に見える様子を表現〉

○[25]…『草上の食事』『オランピア』『笛を吹く少年』

○[26]…『印象－日の出－』『睡蓮』

○[27]…『舞台の踊り子』

○[28]…『ムーラン・ド・ラ・ガレットの舞踏会』

F. [29]派〈印象派の色彩理論を科学的に追求し，**点描**による技法を用いた〉

○[30]…『グランド・ジャット島の日曜日の午後』

○**シニャック**…『港』

G. **ポスト印象派**〈後期印象派とも。自然の現象のみにとらわれず，より本質的なものを表現〉

○[31]…「自然は，球，円筒形，円錐形によって処理しなければならない」とした。近代絵画の父。『水浴』『リンゴとオレンジのある静物』『[32]』

14. ロココ
15. ゴヤ
16. 新古典
17. アングル
18. ダヴィッド
19. ドラクロワ
20. ジェリコー
21. バルビゾン
22. ミレー
23. レアリスム
24. クールベ
25. マネ
26. モネ
27. ドガ
28. ルノワール
29. 新印象
30. スーラ
31. セザンヌ
32. サント・ヴィクトワール山

『赤いチョッキの少年』
○ [33] …燃えあがるようなタッチ。『ひまわり』『糸杉』『アルルのはね橋』
○ [34] …『タヒチの女』
○ [35] …『ムーラン・ルージュのダンス』

▶**現代美術**

※　19世紀〜の動き
○**アヴァンギャルド**…「前衛」の意味。文化・芸術・政治分野で前衛的，革新的，実験的な立場をとる人々やその作品をさす。
○**バウハウス**…ドイツに設立された美術学校。建築をはじめ美術，工芸，彫刻，舞台など総合的な造形の教育を試みた。
○**アール・ヌーヴォー**…フランス語で新しい芸術の意。19世紀末から国際的に流行した装飾の様式。有機的な曲線などが特徴。

A. [36] **(野獣派)**〈激しい感情を大胆なタッチで**原色**により表現。**浮世絵**，ゴッホ，ゴーギャンの影響〉
○ [37] …『赤い食卓』『アネモネと婦人』
○**デュフィ**
○**ルオー**
○**ブラマンク**

B. [38] **(立体派)**〈**自然**を分解して面に再構成して表現〉
○ [39] …『アヴィニョンの娘たち』『ゲルニカ』
○ブラック
○レジェ

C. [40] 派　〈イタリアで起こった芸術運動。**伝統**を否定し**運動性**をもった美を追求〉
○ボッチョーニ
○バッラ

D. [41] 〈第1次大戦中から戦後にかけて西欧でおこった文学・芸術上の**反抗運動**〉
○アルプ
○エルンスト

E. [42] **(超現実主義)**〈ダダイスムの反動として第

33. ゴッホ
34. ゴーギャン（ゴーガン）
35. ロートレック
36. フォーヴィスム
37. マティス
38. キュビスム
39. ピカソ
40. 未来
41. ダダ（ダダイスム）
42. シュルレアリスム

1次大戦後に起こった。無意識や夢の世界を表現〉

○[43]…『オランダの室内』

○[44]…『記憶の固執』（柔らかい時計）

○**キリコ**…『吟遊詩人』

F. [45]**主義**〈具体的なテーマやモチーフなく，線や点，色で表現〉

○[46]

○ロスコ

○ニューマン

G. [47]（パリ派）〈第1次世界大戦ころから1930年代にかけて**パリ**で活躍した外国人画家たち。特定の理論・主張はない〉

○シャガール

○[48]…『裸婦』

○ユトリロ

○藤田嗣治

○スーティン

〔彫　刻〕

A. 具象彫刻

○[49]…**『カレーの市民』『考える人』**

○[50]…**『弓をひくヘラクレス』**『アポロンの首』『聖母子』

○[51]…『イル・ド・フランス』『地中海』

B. 抽象彫刻

○[52]…『母と子』

○アルプ…『彩色された木』『トルソ』

○カルダー…モビール（動く彫刻）

○マリーニ…『馬と騎手』

○ジャコメッティ…『指差す男』

2．日本美術史

○藤原隆能…**『源氏物語絵巻』**

○**藤原隆信**…『源頼朝像』

○[1]…『瓢鮎（ねん）図』

○狩野永徳…『[2]』

○**長谷川等伯**…『松林図屏風（しょうりんずびょうぶ）』『楓図』

○[3]…『風神雷神図屏風』

43. ミロ
44. ダリ
45. 抽象表現
46. ポロック
47. エコール・ド・パリ
48. モディリアニ
49. ロダン
50. ブールデル
51. マイヨール
52. ムーア

1. 如拙
2. 唐獅子図屏風
3. 俵屋宗達

○**円山応挙**（まるやまおうきょ）…『雪松図屏風（ゆきまつずびょうぶ）』
○［ 4 ］…『紅白梅図屏風』
○**鈴木春信**…『弾琴美人』～錦絵
○**喜多川歌麿**…『婦女人相十品』
○**東洲斎写楽**…『中山富三朗』～役者絵
○［ 5 ］…『富嶽三十六景』
○［ 6 ］…『東海道五十三次』
○［ 7 ］…『舟橋蒔絵硯箱（ふなばしまきえすずりばこ）』
○［ 8 ］…『鷹見泉石像（たかみせんせき）』
○［ 9 ］…『女』（彫刻）
○［ 10 ］…『墓守』（彫刻）
○［ 11 ］…『老猿』（彫刻）
○［ 12 ］…『悲母観音』
○［ 13 ］…『山路』『生々流転』
○**菱田春草**（ひしだしゅんそう）…『落葉』『黒き猫』
○**黒田清輝**（くろだせいき）…『読書』『湖畔』
○**高橋由一**…『鮭』
○［ 14 ］…『海の幸』
○［ 15 ］…『収穫』
○藤島武二…『芳蕙』『大王岬に打ち寄せる怒濤』
○［ 16 ］…『麗子像』
○［ 17 ］…『桜島』
○［ 18 ］…『薔薇』『金蓉』
○**速水御舟**（はやみぎょしゅう）…『名樹散椿（めいじゅちりつばき）』
○**竹内栖鳳**（たけうちせいほう）…『鯖』

▶人物

○［ 19 ］…明治11年に来朝したアメリカ人。旧物破壊の風潮の中で衰えた古美術の復興に努めた。とくに，**浮世絵**の真価を発見し日本画復興を唱え，**東京美術学校**の設立に尽くした。
○［ 20 ］…**東京美術学校**の初代校長。『東洋の理想』『茶の本』などの英文著書で東洋美術の理解普及をはかった。後に，日本美術院を創立した。
○［ 21 ］…明治9年に日本政府に招かれて来朝したイタリアの画家。工部美術学校を設立し，西洋写実表現を伝えた。

4. 尾形光琳
5. 葛飾北斎
6. 歌川広重
7. 本阿弥光悦
8. 渡辺崋山
9. 荻原守衛（碌山）
10. 朝倉文夫
11. 高村光雲
12. 狩野芳崖
13. 横山大観
14. 青木繁
15. 浅井忠
16. 岸田劉生
17. 梅原龍三郎
18. 安井曾太郎
19. フェノロサ
20. 岡倉天心
21. フォンタネージ

○ラグーザ…明治９年に日本政府に招かれて来朝したイタリアの彫刻家。日本に西欧彫技の伝統を初めて紹介した。

▶**図画教育**

○［22］…オーストリアの教授。**子ども**の中にある精神的イメージを解放し，創造的衝動を伸ばそうとした。これは，世界の進歩的図画教育の根本の精神となっている。「子どもたちをして成長せしめよ，発達させ，成熟せしめよ」

○［23］…臨画教育により個性的表現を塞がれてしまうことを恐れ，「**自由画**」を唱えた。これは**子ども**が直接目で見たものを描くことや，**心の中**にあるものを素直に表現させようというものである。

○ヴィクター・ローウェンフェルド…著書に『美術による人間形成』があり，**児童の美術教育**の研究で知られる。

○ハーバード・リード…**個性**を伸ばそうとする美術教育をめざした。

22. チゼック

23. 山本鼎（かなえ）

6 絵　画

重要度 B ／／／

1. 錯画(なぐりがき)
2. 象徴
3. 展開図描法
4. レントゲン描法

1．発達段階

a. [1]期…2～3歳頃からはじまるなぐりがきの時期。(スクリブル)

⬇

b. [2]期…円や線などによって何かを表そうとする時期。(意味づけ期)

⬇

c. カタログ期…パターン化された図形が繰り返される時期。

⬇

d. 図式期…
- ㋐[3]…真上から物を見たように描く。
- ㋑[4]…物の中が透視されたように描く。

○基底線を決めて描く。
○視点が動く（多視点法)。
○知っていることを描く。
○主観的に色を選択する。

⬇

e. 写実期

1. クロッキー
2. デッサン
3. レイアウト

2．描　画

○[1]…フランス語の「速写」という意味で，短時間のうちに，対象の動きや重心をとらえて描くこと。

○[2]…物の形や特徴を線や明暗をつけて描くこと。素描ともいう。

○[3]…文字やイラストを配置・構成すること。

○ラフスケッチ…構想を練る段階でアイデアを大まかに表すこと。

3．版　画

▶版画の種類

◇凸版，凹版，孔版，平版について，ⓐ～ⓓの中から刷り方を，㋐～㋘の中から具体例を答えなさい。

	凸版	凹版	孔版	平版
刷り方	1	2	3	4
具体例	5	6	7	8

【刷り方】

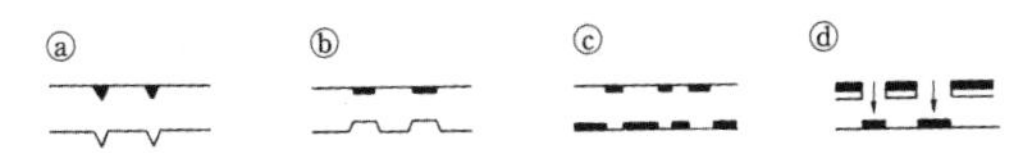

【具体例】

㋐ドライポイント　㋑リノリウム版
㋒エッチング　㋓シルクスクリーン
㋔リトグラフ　㋕ステンシル
㋖謄写版　㋗メゾチント
㋘デカルコマニー

1. ⓑ
2. ⓐ
3. ⓓ
4. ⓒ
5. ㋑
6. ㋐，㋒，㋗
7. ㋓，㋕，㋖
8. ㋔，㋘

▶凸版

(1)　**種類**

○**紙版画**

ア　切り取り紙版画…作りたい絵の形を何枚か切り取り，それらを**組み合わせて**版にしたもの。

イ　[9]紙版画…紙から切り取った形を，**台紙**に貼って版にしたもの。

9. 台紙つき

○**木版画**

ア　[10]木版…木を**縦**に切断した面を使い，**日本**で発達した。**浮世絵**などに用いた。材料；朴（ホウ），[11]

イ　[12]木版…木を**横**に切断した面を使い，**西洋**で発達した。細かい表現に適している。材料；[13]

10. 板目
11. 桂（カツラ）
12. 木口
13. ツゲ

(2)　**版木の名称**

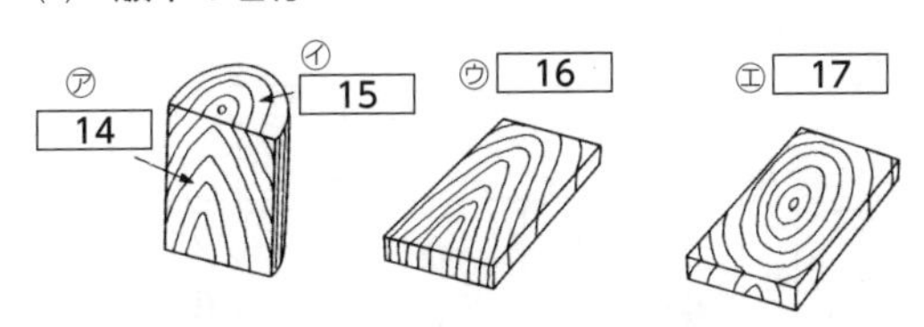

14. 板目
15. 木口
16. 板目（板）
17. 木口（板）

(3)　**彫り方**

①**陽刻**…線の部分を**残して**彫り込む。

②**陰刻**…線の部分を彫り込む。

18. 切り出し
19. 平刀
20. 丸刀

⑷ 版木

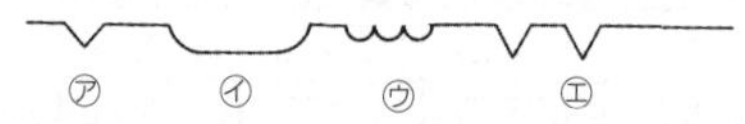

形	名称	用途	版木
	18 版木刀	**輪かく**や**細かい**線，**文字**などを彫るのに用いる。右きき用，左きき用がある。	㋐
	19 あいすき	**ゴツゴツした**線や不必要なデコボコをすきとる。**板ぼかし**の表現にも用いる。	㋑
	20 こますき	**太い**線や**広い**面を彫ったり掘り下げるのに用いる。	㋒
	三角刀	**鋭い**線などを一気に彫るのに用いる。	㋓

⑸ 製作の順序

①下絵を描く（左右が逆になることに注意する）。
②下絵を**版木**に写す。
③彫る。㋐彫るときは，**板の方をまわす**。
　　　　㋑片方の手で刀身を必ず押さえて彫る。
④試し刷り
⑤修正
⑥本刷り

⑹ 多色刷り

21. 引き付け
22. カギ

○多色刷りは，絵がらがずれぬように，**見当を彫る**。
○見当には，㋐の 21 見当と㋑の 22 見当がある。

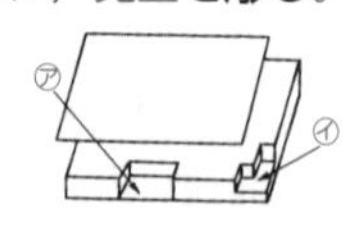

○**明るい**色から**暗い**色へと刷り重ねていく。

⑺ バレンの使い方

23. ㋒

◇下の図で，バレンの正しい使い方は 23 である。

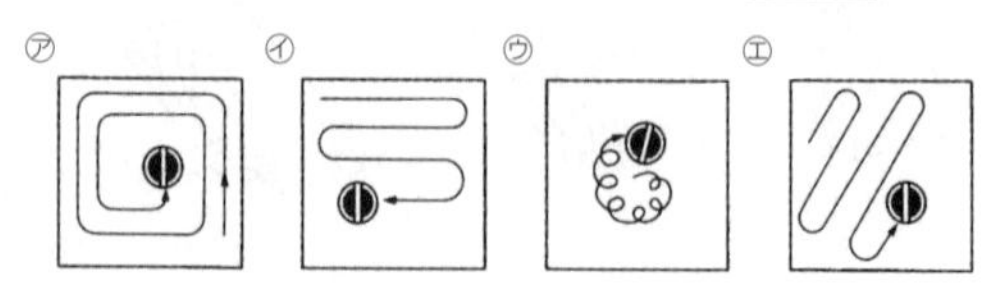

▶**凹版**

○**エッチング**…凹版の代表的な技法で**間接法**と呼ばれる。

①銅板・亜鉛板の表裏に[24]（腐蝕を防ぐ薬品）を塗り，ろうそくなどで黒くいぶしておく（線をわかりやすくするため）。

②版に下絵を[25]で，ひっかくように描く。

③[26]に浸し描いた部分を**腐蝕**させ水で洗う。

④グランドを揮発油でふきとり，タンポでインクをつめ平面をふきとる。

⑤湿らせた刷り紙を版面に置き，[27]をかぶせてプレス機で印刷する（プレス機はゆっくり回す）。

○**ドライポイント**…凹版の中では最も簡単な方法。薬品に浸さないため**ドライポイント**と呼ばれる。

①版として**透明**な[28]や**セルロイド板**を使う。

②**下絵**の上に版を置きフェルトペンなどで写す。

③版を裏返して[29]で直接ひっかくように彫る。

④タンポやタバーでインクをつめ平面を布でふきとる。

⑤刷る。方法はエッチングと同じ。紙を湿らせるのは**インク**を吸い取りやすくするため。

○**メゾチント**…**直接法**の凹版で微妙な表現ができる。

①[30]やアルミニウム板の表面を**ニードル**で縦横に傷をつける。

②黒い紙に白のコンテや色エンピツで絵を描く
（原画は**黒**を基調に**明るさ**の変化を出す）。

③原画を写す。

④[31]で凸部を削ったり，[32]で凹部をつぶして版をつくる。

⑤刷る。方法はエッチングと同じ。

◇**プレス機**

㋐～㋓の名称は何か。

㋐[33]　㋑[34]

㋒[35]　㋓[36]

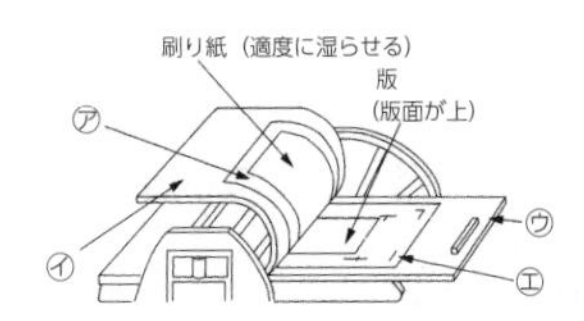

24. グランド
25. ニードル
26. 希硝酸
27. フェルト
28. 塩化ビニル板
29. ニードル
30. 銅板
31. スクレーパー
32. バニッシャー
33. 吸い取り紙
34. フェルト
35. 台（鉄板）
36. 見当紙（敷き紙）

37. シルクスクリーン

38. スキージー

39. ステンシル

40. アラビアゴム液

▶**孔版と平版**

○[37]…**多色刷り**が容易で，できあがりが新鮮な孔版。

①下絵にワックスを塗り，**ニス原紙**（片面にニスが塗ってある紙）をニス面を上にして貼り付ける。

②カッターで**ニス原紙**を切り取る。

③**ニス原紙**の上にシルクを置き，アイロン（100～120℃）で加熱しニスとシルク（スクリーン）を密着させる。

④インクをつけ，[38]（ゴム製のへら）を角度を一定にし押さえ刷り込む。

○[39]…型染めが起源といわれ，かっぱ版ともいわれる孔版。型紙を作り，ローラーやタンポでインクを刷り込んだり，下に置いた紙にうつす。

○**リトグラフ**…筆の線がそのまま表せる最も**描画**的な方法（平版）。

①亜鉛（ジンク）版，アルミ版などにクレヨンやとき墨で絵を描く。

②[40]を全面に塗り１日おいて乾かす（水と油の**反発作用**を利用し，描画していない部分に油性のインクがつかないようにする）。

③ゴム液を水で洗い流す。

④版にスポンジで**水分**を与えながら，インクをつける。

⑤水気をなくさず，インクをつけプレス機で刷る。

絵画章からのひとことHint

☒**クレヨン**…主として線描に用いる。

☒**空間遠近法**…遠くのものをぼかし，近くのものをはっきり描く。

☒**孔版**…スキージーなどを使って，版の穴を通し下の紙にインクを押す。

☒**平版**…版に凹凸を作らず油と水が反発し合うことを利用してインクがつかない面を作る。

☒**彫刻刀**…平刀は，先が平らでなく少し丸みがあるとよい。

☒**多色刷り**…輪郭線のある主版法と輪郭線のない分解法とがある。

☒**タンポ**…線にインクをつけるときはねじ込むように，面にインクをつけるときはたたくようにする。

☒**とき墨**…油脂分が多く含まれている。

8
家　　　庭

1 学習指導要領

1. 生活の営み
2. 実践的
3. 体験的
4. 基礎的
5. 課題を解決する力
6. 家族の一員

1．目　標

> [1]に係る見方・考え方を働かせ，**衣食住**などに関する[2]・[3]な活動を通して，生活をよりよくしようと工夫する資質・能力を次のとおり育成することを目指す。
>
> ⑴　**家族**や**家庭**，**衣食住**，消費や**環境**などについて，日常生活に必要な[4]な理解を図るとともに，それらに係る技能を身に付けるようにする。
>
> ⑵　**日常生活**の中から問題を見いだして課題を設定し，様々な解決方法を考え，実践を評価・改善し，考えたことを表現するなど，[5]を養う。
>
> ⑶　**家庭生活**を大切にする心情を育み，**家族**や**地域**の人々との関わりを考え，[6]として，生活をよりよくしようと工夫する**実践**的な態度を養う。

1. 生活体験
2. 評価
3. 改善

2．指導計画の作成と内容の取扱い

▶指導計画の作成

⑴　題材など内容や時間のまとまりを見通して，その中で育む資質・能力の育成に向けて，児童の**主体**的・**対話**的で深い学びの実現を図るようにすること。その際，生活の営みに係る見方・考え方を働かせ，知識を[1]等と関連付けてより深く理解するとともに，**日常生活**の中から問題を見いだして様々な**解決方法**を考え，他者と意見交流し，実践を[2]・[3]して，新たな**課題**を見いだす過程を重視した学習の充実を図ること。

⑵　内容の「A 家族・家庭生活」から「C 消費生活・環境」までの各項目に配当する授業時数及び各項目の履修学年については，児童や学校，地域の実態等に応じて各学校において適切に定めること。その際，「A 家族・家庭生活」の⑴（「自分の成長と家族・家庭生活」）のアについては，第**4**学年までの学習を踏まえ，

２学年間の学習の見通しをもたせるために，[4]に履修させるとともに，「A 家族・家庭生活」，「B 衣食住の生活」，「C 消費生活・環境」の学習と関連させるようにすること。

⑶　内容の「A 家族・家庭生活」の⑷（「[5]」）については，実践的な活動を家庭や地域などで行うことができるよう配慮し，２学年間で一つ又は二つの課題を設定して履修させること。その際，「A 家族・家庭生活」の⑵（「家庭生活と仕事」）又は⑶（「家族や地域の人々との関わり」），「B 衣食住の生活」，「C 消費生活・環境」で学習した内容との関連を図り，課題を設定できるようにすること。

⑷　内容の「B 衣食住の生活」の⑵（「調理の基礎」）及び⑸（「生活を豊かにするための布を用いた製作」）については，学習の効果を高めるため，２学年間にわたって取り扱い，平易なものから[6]に学習できるよう計画すること。

⑸　題材の構成に当たっては，児童や学校，地域の実態を的確に捉えるとともに，内容相互の関連を図り，指導の効果を高めるようにすること。その際，**他教科**等との関連を明確にするとともに，[7]の学習を見据え，系統的に指導ができるようにすること。

⑹　障害のある児童などについては，学習活動を行う場合に生じる困難さに応じた指導内容や指導方法の工夫を**計画**的，**組織**的に行うこと。

⑺　第１章総則の第１の２の⑵に示す道徳教育の目標（P.248参照）に基づき，道徳科などとの関連を考慮しながら，第３章特別の教科道徳の第２に示す内容について，**家庭科**の特質に応じて適切な指導をすること。

▶内容の取扱い

⑴　指導に当たっては，**衣食住**など**生活**の中の様々な言葉を[8]を伴って理解する学習活動や，自分の**生活**における課題を**解決**するために言葉や**図表**などを用いて生活をよりよくする方法を考えたり，説明したりするなどの学習活動の充実を図ること。

⑵　指導に当たっては，コンピュータや[9]を積極的に活用して，**実習**等における情報の収集・整理や，実

4. 第５学年の最初

5. 家族・家庭生活についての課題と実践

6. 段階的

7. 中学校

8. 実感

9. 情報通信ネットワーク

10. 発表
11. 自立の基礎
12. 実践的
13. 体験的
14. 少人数指導
15. 個に応じた指導
16. 事故防止
17. 衛生
18. 食物アレルギー

践結果の[10]などを行うことができるように工夫すること。

⑶ 生活の[11]を培う基礎的・基本的な知識及び技能を習得するために，**調理**や製作等の手順の根拠について考えたり，実践する喜びを味わったりするなどの[12]・[13]な活動を充実すること。

⑷ 学習内容の定着を図り，一人一人の**個性**を生かし伸ばすよう，児童の特性や**生活体験**などを把握し，技能の習得状況に応じた[14]や教材・教具の工夫など[15]の充実に努めること。

⑸ **家庭**や**地域**との連携を図り，児童が身に付けた知識及び技能などを**日常生活**に活用できるよう配慮すること。

▶実習の指導

⑴ 施設・設備の**安全管理**に配慮し，学習環境を整備するとともに，**熱源**や用具，機械などの取扱いに注意して[16]の指導を徹底すること。

⑵ **服装**を整え，[17]に留意して用具の手入れや保管を適切に行うこと。

⑶ 調理に用いる食品については，**生の魚**や**肉**は扱わないなど，**安全**・**衛生**に留意すること。また，[18]についても配慮すること。

3．家庭科の内容

A 家族・家庭生活

⑴ 自分の成長と家族・家庭生活	ア 自分の成長を自覚し，**家庭生活**と**家族**の大切さや**家庭生活**が**家族**の協力によって営まれていることに気付くこと。
〔内容の取扱い〕 ＊ AからCまでの各内容の学習と関連を図り，**日常生活**における様々な問題について，**家族**や**地域**の人々との協力，健康・快適・安全，持続可能な社会の構築等を視点として考え，**解決**に向けて工夫することが大切であることに気付かせるようにすること。	
⑵ 家庭生活と仕事	ア 家庭には，**家庭生活**を支える仕事があり，互いに協力し分担する必要があることや[1]の有効な使い方について理解すること。 イ 家庭の仕事の計画を考え，工夫すること。
〔内容の取扱い〕 ＊ イについては，内容の「B 衣食住の生活」と関連を図り，**衣食住**に関わる仕事を具体的に実践できるよう配慮すること。	

1. 生活時間

⑶ 家族や地域の人々との関わり	ア 次のような知識を身に付けること。 ㋐ 家族との触れ合いや[2]の大切さについて理解すること。 ㋑ 家庭生活は地域の人々との関わりで成り立っていることが分かり，地域の人々との協力が大切であることを理解すること。 イ 家族や地域の人々とのよりよい関わりについて考え，工夫すること。
〔内容の取扱い〕 ＊ 幼児又は低学年の児童や[3]など異なる世代の人々との関わりについても扱うこと。 ＊ イについては，他教科等における学習との関連を図るよう配慮すること。	
⑷ 家族・家庭生活についての課題と実践	ア 日常生活の中から問題を見いだして課題を設定し，よりよい生活を考え，計画を立てて実践できること。

2. 団らん

3. 高齢者

B 衣食住の生活

⑴ 食事の役割	ア 食事の役割が分かり，日常の食事の大切さと食事の仕方について理解すること。 イ 楽しく食べるために日常の食事の仕方を考え，工夫すること。
〔内容の取扱い〕 ＊ 日本の伝統的な生活についても扱い，生活文化に気付くことができるよう配慮すること。	
⑵ 調理の基礎	ア 次のような知識及び技能を身に付けること。 ㋐ 調理に必要な材料の分量や手順が分かり，調理計画について理解すること。 ㋑ 調理に必要な用具や食器の安全で衛生的な取扱い及び[1]の安全な取扱いについて理解し，適切に使用できること。 ㋒ 材料に応じた洗い方，調理に適した切り方，味の付け方，盛り付け，配膳及び後片付けを理解し，適切にできること。 ㋓ 材料に適したゆで方，いため方を理解し，適切にできること。 ㋔ 伝統的な日常食である米飯及びみそ汁の調理の仕方を理解し，適切にできること。 イ おいしく食べるために調理計画を考え，調理の仕方を工夫すること。

1. 加熱用調理器具

2. じゃがいも

3. 栄養的

4. 五大栄養素

5. 洗濯の仕方

〔内容の取扱い〕
＊　アの(エ)については，ゆでる材料として青菜や［ 2 ］などを扱うこと。
＊　(オ)については，和食の基本となるだしの役割についても触れること。

(3) 栄養を考えた食事	ア　次のような知識を身に付けること。 (ア)　体に必要な**栄養素**の種類と主な働きについて理解すること。 (イ)　食品の［ 3 ］な特徴が分かり，料理や食品を組み合わせてとる必要があることを理解すること。 (ウ)　献立を構成する要素が分かり，１食分の献立作成の方法について理解すること。 イ　１食分の献立について栄養の**バランス**を考え，工夫すること。

〔内容の取扱い〕
＊　アの(ア)については，［ 4 ］と食品の**体内**での主な働きを中心に扱うこと。
＊　(ウ)については，献立を構成する要素として主食，主菜，副菜について扱うこと。
＊　食に関する指導については，家庭科の特質に応じて，**食育**の充実に資するよう配慮すること。また，第４学年までの食に関する学習との関連を図ること。

(4) 衣服の着用と手入れ	ア　次のような知識及び技能を身に付けること。 (ア)　衣服の主な働きが分かり，季節や状況に応じた**日常着**の快適な着方について理解すること。 (イ)　**日常着**の手入れが必要であることや，**ボタン**の付け方及び［ 5 ］を理解し，適切にできること。 イ　日常着の快適な着方や**手入れ**の仕方を考え，工夫すること。
(5) 生活を豊かにするための布を用いた製作	ア　次のような知識及び技能を身に付けること。 (ア)　製作に必要な材料や手順が分かり，**製作計画**について理解すること。 (イ)　**手縫い**や**ミシン縫い**による目的に応じた縫い方及び用具の安全な取扱いについて理解し，適切にできること。 イ　生活を豊かにするために布を用いた物の**製作計画**を考え，製作を工夫すること。

〔内容の取扱い〕
＊　日常生活で使用する物を入れる袋などの製作を扱うこと。

⑹　快適な住まい方	ア　次のような知識及び技能を身に付けること。 ㋐　**住まい**の主な働きが分かり，季節の変化に合わせた生活の大切さや住まい方について理解すること。 ㋑　**住まい**の整理・整頓や清掃の仕方を理解し，適切にできること。 イ　**季節の変化**に合わせた住まい方，整理・整頓や清掃の仕方を考え，快適な住まい方を工夫すること。

〔内容の取扱い〕
＊　アの㋐については，主として暑さ・寒さ，通風・換気，採光，及び［ 6 ］を取り上げること。
＊　暑さ・寒さについては，⑷のアの㋐の日常着の快適な着方と関連を図ること。

6. 音

C　消費生活・環境

⑴　物や金銭の使い方と買物	ア　次のような知識及び技能を身に付けること。 ㋐　**買物**の仕組みや消費者の役割が分かり，物や**金銭**の大切さと計画的な使い方について理解すること。 ㋑　身近な物の選び方，買い方を理解し，購入するために必要な**情報**の収集・整理が適切にできること。 イ　購入に必要な**情報**を活用し，身近な物の選び方，買い方を考え，工夫すること。

〔内容の取扱い〕
＊　内容の「A 家族・家庭生活」の⑶，「B 衣食住の生活」の⑵，⑸及び⑹で扱う用具や実習材料などの身近な物を取り上げること。
＊　アの㋐については，［ 1 ］の基礎について触れること。

1. 売買契約

⑵　環境に配慮した生活	ア　自分の生活と身近な環境との関わりや**環境**に配慮した物の使い方などについて理解すること。 イ　**環境**に配慮した生活について物の使い方などを考え，工夫すること。

〔内容の取扱い〕
＊　内容の「B 衣食住の生活」との関連を図り，実践的に学習できるようにすること。

2 食事と生活

1. 炭水化物
2. 組織
3. 無機質
4. ビタミン
5. 保全素
6. 熱量素
7. 4
8. 9

1. 栄養素とその働き

〈栄養素〉　〈主な働き〉

[1] ―― 熱や力のもとになる
脂　肪 ―― 熱や力のもとになる／主に体の[2]をつくる
たんぱく質 ―― 熱や力のもとになる／主に体の[2]をつくる
[3] ―― 主に体の[2]をつくる／体の調子を整える
[4] ―― 体の調子を整える

▶**栄養素の分類**

○[5]…ビタミン，無機質などのように他の栄養素では**代用**できないもの。

○[6]…炭水化物，脂肪のように体の**熱量源**になる。

○なお，たんぱく質は上記両方の性質を兼ね備える。

○炭水化物，たんぱく質は1gにつき[7]kcal，脂肪は[8]kcalの熱量をもつ。

2. ビタミン

（例）

ビタミン	欠乏症	働き	多く含む食品
ビタミンA	**夜盲症**	発育をよくする，肌あれ防止	にんじん
ビタミンB_1	**かっけ**	疲労を回復，糖質の代謝に働く	七分づき米
ビタミンB_2	口角炎	成長を助ける	セロリ
ビタミンC	壊血病	虫歯を予防	レモン
ビタミンD	**くる病**	骨や歯の発育を助ける	干ししいたけ，肝油

3. 6つの食品群

1. 動物性

▶**食事摂取基準**…国民の健康の維持・増進，エネルギー・栄養素欠乏症や**生活習慣病**，過剰摂取による健康障害の予防を目的とし，エネルギー及び各栄養素の摂取量の基準を示すもの。

▶**栄養素のとり方**…たんぱく質は，1日の所要量の40%以上を[1]のものからとるようにする。

◇次図の6つの基礎食品群（次図の[　　]）[2]～[7]の働きは①～⑥のどれか。

①カルシウムで骨や歯などをつくる（牛乳・乳製品，海藻，小魚） ②カロテンで体の調子を整える（緑黄色野菜） ③たんぱく質で骨や筋肉をつくる（魚，肉，卵，大豆，大豆製品） ④脂質でエネルギー源（油脂類） ⑤ビタミンCで体の調子を整える（緑黄色以外の野菜，果物） ⑥炭水化物でエネルギー源（米，パン，めん類，いも類（ビタミン等も多く含む））

＊□は三色食品群

2. ③
3. ①
4. ②
5. ⑤
6. ⑥
7. ④

4．生 野 菜

○新鮮な野菜に多く含まれる[1]の損失が大きいので，野菜は長い間水につけておかない。

○野菜には寄生虫の卵や農薬がついていることがあるのでよく洗う。

○フレンチソースは，[2]，[3]，[4]を混ぜ合わせる（10：10：1）。

○フレンチソースは，**食べる直前**にかける。

1. ビタミンC
2. 酢
3. サラダ油
4. 塩

〈野菜の切り方〉

輪切り　半月切り　せん切り　小口切り　ささがき　いちょう切り　乱切り

5．緑黄色野菜の油いため

○緑黄色野菜とは，食品100g中に**カロテン**を[1]μg〈ビタミンA[2]IU〉以上含むものをいう。

○**カロテン**は，体内でビタミン[3]のはたらきをし，その[4]の効力をもつ。

○[5]は**脂肪**といっしょにとると体内で吸収されやすくなる。

1. 600
2. 1000
3. A
4. 3分の1
5. カロテン

〈青菜の油いため〉

①ゆでる

○たっぷりひたるほどの水に[6]～[7]%の塩を

6. 1
7. 2

解答	本文
	入れ沸騰させる。
8. 強	○青菜を入れ，ふたをしないで，[8]火で1分くらいゆでる。
	○水にとって冷やし，すぐ水からあげる（青菜を美しくする。褐変防止）。
	②いためる
9. 5	○フライパンを火にかけ，材料の[9]%の油を入れる。
10. ビタミンC	○薄い煙が出たら青菜を入れ，**強火**で**短時間**でいためる。[10]が失われ難い。
11. 1	○材料の[11]%の塩で味をつけ火からおろす。

6．米（ごはん）

▶米

解答	本文
1. B_1	○米は胚の部分にビタミン[1]を多く含んでいる。
2. βでんぷん 3. αでんぷん	○生のでんぷん[2]は，水を加え**加熱**すると[3]に変わり**消化**がよくなる。 ➡ **糊化**という。
4. 炭水化物	○主な栄養素は[4]。

▶ごはんの炊き方

解答	本文
	①米の量をはかる
5. 80	○1人分の米の量は[5]g。
6. 180	○米1カップは[6]ml。
	②米を洗う
	○3回ぐらい水をかえ，手早く洗う。
	③吸水させる
7. 1.5 8. 1.2	○米の量の重さの[7]倍 体積の[8]倍 ｝の水を吸水させる。
	○新米は水分を**多く**含んでいるので古米よりも水加減を**少なく**する。
9. 30	○[9]分以上おく。
	④炊く
10. 強　11. 中	○初め[10]火で，**沸騰**したら[11]火にする。
12. 弱	○水がひいたら[12]火にして火を消してむらす。
13. 15 14. 65	▶米の水分は[13]%だが炊飯により[14]%の水分を含むごはんになる。
15. 2.2　16. 2.3	▶**ごはん**になると，米の重さは[15]～[16]倍にな

る。

▶**強化米**…100gあたり[17]を[18]mg添加したもの。

7．みそ汁

▶**みそ**

○みその主原料は，[1]で，良質の**たんぱく質**を含んでいる。

○こうじにする原料によって，[2]，麦みそ，大豆みそに分かれる。

┌甘みその塩分　みそ100g中に[3]～[4]g。
└辛みその塩分　みそ100g中に[5]～[6]g。

▶**みそ汁**

○みそ汁の塩分は[7]%のものがよい。

○1人分のみそ汁の量は，[8]ccで，みそは，水の重さの[9]%を使用する。

みそ…大さじ1杯[10]gになる。

○みそ汁は，[11]℃程度がおいしい。

▶**だし汁**

┌[12]（イノシン酸）…**水から火にかけ**，**沸騰後**3～5分煮てこす。
├[13]（イノシン酸）…**湯の温度80℃くらいの時に入れ**，煮たったらすぐにおろす。
└[14]（グルタミン酸）…**水に30分つけて**，そのまま火にかけ，**沸騰直前**にとり出す。

8．卵料理

▶**卵**

○卵は良質のたんぱく質，[1]，**無機質**を含む食品。

○卵の各部分の割合は，白身：黄身：殻＝[2]。

○たんぱく質は**熱**を加えるとかたまる性質がある。

黄身は約[3]～[4]℃でかたまる。

卵白は約[5]～[6]℃でかたまる。

17. ビタミンB_1
18. 150

1. 大豆
2. 米みそ
3. 5
4. 7
5. 10
6. 15
7. 1
8. 150
9. 10
10. 18
11. 65
12. にぼし
13. かつおぶし
14. こんぶ

1. 脂肪
2. 6：3：1
3. 65
4. 70
5. 70
6. 80

8 家庭

▶**卵の新旧の見分け方**

○**比重法**　右図ア～エの卵を新しい順に並べなさい。

[7]

(10%の食塩水)

○**卵黄係数**＝[8]／[9]

新しいもののほうが**数値が**[10]くなる。

▶**ゆで卵**

○卵がかぶるくらいの水を入れ，[11]火にかけ，沸騰するまで静かに箸でころがす。

(水からゆでたほうが**殻が割れなくて**よい)

○沸騰したら，ふたをして沸騰を続ける程度に火を弱め，[12]～[13]分くらいゆでる。

○卵を取り出し，すぐに**水の中**にひたす。

理由　①黄身の変色防止…卵黄の**鉄**が，卵白の**硫化水素**によって[14]になる。

②[15]

③[16]

○半熟卵…
- ○沸騰してから[17]分くらいゆでる。
- ○消化がよい。

▶**目玉焼き・いり卵**

○目玉焼きは[18]火で焼く。

○いり卵は[19]火で手ばやくかき混ぜ**半熟**で火をとめる。ふんわりしたいり卵ができる。

▶マヨネーズは**卵黄**の[20]作用を利用して作る。

9. お茶・紅茶

種類	温　度	時　間	量	湯
玉露	[1]～[2]℃	2～3分	2 g	
煎茶	[3]～[4]℃	1分	2 g	100cc
番茶	100 ℃	1分		
紅茶	100 ℃	2分	2 g	150cc

7. アーイーウーエ
8. 卵黄の高さ
9. 卵黄の直径
10. 大き
11. 中
12. 10
13. 12
14. 硫化鉄
15. 殻がむきやすくなる
16. ゆですぎ防止
17. 5
18. 弱
19. 強
20. 乳化

1. 60
2. 65
3. 80
4. 90

10. 小 麦 粉

○小麦粉には[1]というねばりを出すたんぱく質が含まれ，その量によって**強力粉**（含有量12％前後），**中力粉**（10％前後），**薄力粉**（７％前後）に分けられる。

1. グルテン

11. 調理用具

▶**計量器**

①計量器
- 計量スプーン…小さじ[1]cc
- 大さじ[2]cc
- 計量カップ…[3]cc

②食品の重さ

(単位g)

品 名	小さじ１杯	大さじ１杯	１カップ
砂 糖	3	9	120
油	4	12	160
塩，水	5	15	200
しょうゆ	6	18	240
小麦粉	3	8	110

▶用意する食品の重量＝[4]$\times\dfrac{100}{100-\text{廃棄率}}$

1. 5
2. 15
3. 200
4. 摂取重量

12. 炎の様子

○閃(せん)火の炎…空気量が（ⓐ多い，ⓑ少ない）。[1]

○正常の炎…内炎は明るい緑青色。内外炎の境がはっきりしている。

○黄炎…空気の量が（ⓐ多い，ⓑ少ない）。火が弱くすすがたまりやすい。[2]

1. ⓐ
2. ⓑ

13. 缶詰表示

○この缶詰は，みかん（MO）のシロップ漬け（Y）の小粒（S）。賞味期限は，2023年[1]月[2]日。

MOYS
230916
ABCD

○形態…Lは大，Mは中，Sは小，Tは特小の意味。

1. 9
2. 16

8 家 庭

3 住まいと生活

1．住まいと暖房

▶**暖房**…およそ室内の気温が［ 1 ］℃以下になると必要と考えてよい。

①器具の**前**のほうがとくに暖かいのは［ 2 ］式。

②部屋全体を**平均**に暖めるのは［ 3 ］式。

③反射式は（ⓐ壁ぎわ　ⓑ窓ぎわ）に置くとよい。

［ 4 ］

▶**換気**…空気の出入りの少ない部屋で長時間燃料を燃やし続けると，**酸素**が不足し［ 5 ］中毒になる恐れがあるので注意する。

▶**不快指数**…蒸し暑さを表す指数。［ 6 ］と［ 7 ］を用いて計算する。数値［ 8 ］～［ 9 ］で全員が不快に感じるとされる。

1. 10
2. 反射
3. 対流
4. ⓑ
5. 一酸化炭素
6. 気温　7. 湿度
8. 80　9. 85

2．燃料の性質

○石油石炭系（**都市ガス**）・天然ガス…COを少し含む空気より［ 1 ］い。安い。空気が不足するとCO発生。換気に注意する。

○［ 2 ］…空気より**重い**。O_2多くいる。もれると**下**にたまる。ガスもれのときは室外にあおぎ出す。

○電熱…発熱量小。高価。空気を汚さない。使用後はプラグを抜く。

○［ 3 ］…臭気。安い。扱い複雑。

○木炭…**放射熱**が強い。［ 4 ］発生。焼きものによい。

＊ガスもれのとき，すぐに**換気扇**をまわしてはならない。（爆発の危険あり）

1. 軽
2. プロパンガス
3. 石油
4. 一酸化炭素

3．明るい住まい

▶**採光**…窓の大きさは**床面積**の［ 1 ］以上である。

○**昼光率**とは，**戸外**の明るさに対する室内の明るさの割合のことである。

1. 7分の1

○**昼光率**は，$\frac{\boxed{2}}{\boxed{3}}$×100で求める。

▶**照明**…照明には，部屋全体を明るくする**全体照明**と手もとを明るくする［ 4 ］とがある。照明の仕方には，**直接照明**と**間接照明**があり，**間接照明**では光がよく拡散され，やわらかい感じになるが明るさは低下して**直接照明**の40%以下となる。

領域，作業または活動		ルクス	領域，作業または活動		ルクス
居　間	団らん	［ 5 ］	食　堂	食卓	［ 10 ］
	読書	［ 6 ］	台　所	調理台	［ 11 ］
	裁縫	［ 7 ］	寝　室	全般	［ 12 ］
子供室	勉強	［ 8 ］	浴　室	全般	［ 13 ］
	遊び	［ 9 ］	便　所	全般	［ 14 ］

＊ルクスとは，1カンデラの光源から1m離れた場所の光源に垂直な明るさ。（JISZ9110：照明基準総則をもとに作成）

▶**蛍光灯と白熱灯**

- ［ 15 ］灯…光にあたたかみがあり，平均寿命が約1000時間。点滅の激しい場所に適している。［ 16 ］%が光になる。居間などに使用。
- ［ 17 ］灯…太陽光線に近く，平均寿命が4000～6000時間。［ 18 ］%が光になる。門灯などに使用。
- ［ 19 ］照明…照明の寿命は白熱電球の40倍，蛍光灯の4～5倍で，40000時間まで点灯を維持できるとされる。**発光ダイオード**。

4．認定マーク

◇次のマークの名称を答えなさい。

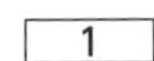

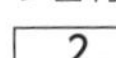

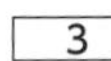

2. 室内照度
3. 全天空照度
4. 部分照明
5. 200
6. 500
7. 1000
8. 750
9. 200
10. 300
11. 300
12. 20
13. 100
14. 75
15. 白熱
16. 7
17. 蛍光
18. 20
19. LED

1. JISマーク（日本産業規格）
2. 再生紙使用（R）マーク
3. 計量検定マーク
4. 特色JASマーク

8 家庭

4 衣服と生活

1．衣　服

▶衣服の働き

①保健衛生上の働き　②生活活動上の働き

③[1]の働き

1. 社会生活上

▶下着

肌　着…汚れや汗を吸いとり体を清潔に保つ。

[2]…肌着と上着の間に着て寒さを防ぐ。

2. 中着

〈下着の選び方〉

布地……肌ざわりがよく，汗をよく吸いとるもの。洗濯がしやすく丈夫なもの。[3]やメリヤスなどが最適。

色………汚れが目立つもの，白または薄い色のもの。

大きさ…からだに合い，適当なゆるみがあって自由に動作ができるもの。

3. 綿

▶あたたかい着方

○衣服に含まれる[4]の量を多くし，熱が外に伝わりにくくする（毛など）。

○いちばん外側には，体温を逃がさず，外の冷たい空気を通しにくい細かい布地のものを着る。

○そで口，えり口のつまったもの。

○直射日光の熱をよく**吸収**する色のもの。

4. 空気

◇次の色を直射日光の熱をよく吸収する順にならべなさい。

黒　緑　赤　白　黄　紫　[5]

5. 黒－紫－赤－緑－黄－白

▶涼しい着方

○からだの表面から汗や体温が逃げやすいもの。

○うす地で織り目があらく風を通しやすいもの。

○そで口，えり口のひらいたもの。

○直射日光の熱を**吸収**しにくいもの。

▶気持ちのよい着方

衣服の最内層温度が[6]℃前後，湿度が50％前後になるようにする。

6. 32

2．繊　維

▶織り方

┌ 1 …２種類以上の繊維を混ぜた糸で織ること。
└ 2 …２種類以上の糸で織ること。

▶布の三原組織

① 3 織り… 4 ，ギンガム
② 5 織り… 6 ，サージ
③ 7 織り…ドスキン

1. 混紡
2. 交織
3. 平
4. ブロード
5. 綾
6. デニム
7. 朱子（しゅす）

3．繊維の種類

繊維			特徴（○＝長所，●＝短所）		燃え方
天然繊維	植物繊維	綿	○吸湿性大 ○水に濡れると強くなる。	●しわになりやすい。	燃えやすい。紙を燃やすにおい。
		麻	○引っ張りに強く冷感がある。	●染色しにくい。 ●弾性に乏しい。	綿と同じ燃え方だが，綿よりややおそく燃える。
	動物繊維	毛	○しわになりにくい。 ○保温性に優れる。	●アルカリに弱い。 ●日光に弱く，黄変。	じりじりとかたまって燃える。髪を燃やすにおい。灰は黒くかたまり指で押すとつぶれる。
		絹	○光沢がありしなやか。 ○しわになりにくい。	●アルカリに弱い。 ●日光に弱く，黄変。	
化学繊維	再生繊維	レーヨン	○よく染まる。 ○吸湿性あり。	●水に濡れると弱くなる。	紙のようにパッと燃える。
		キュプラ	○細くて光沢がある。		
	半合成繊維	アセテート	○吸湿性，保温性あり。 ○絹に似ている。	●熱や摩擦に弱い。	ちぢれながら，くすぶって燃える。酢のにおい。
	合成繊維	ナイロン	○摩擦に強い。	●日光に弱く黄変。	とけて燃える。冷えるとかたいガラス玉状。
		ビニロン	○綿に似ている。		
		ポリエステル	○しわになりにくい。 ○混紡しやすい。	●再汚染しやすい。	すすと黒煙を出して燃える。炎を放つとすぐ消える。
		アクリル	○毛に似ている。 ○軽く弾力性があり保温性がよい。		

4．洗濯

▶下着の手洗い

(1)　洗濯液をつくる

○水の量…洗濯物の重さの 1 ～ 2 倍の重さ。

1. 10
2. 15

3. 標準使用量
4. 小さじ
5. 毛
6. アクリル
7. 手もみ
8. 40
9. 押し
10. ⓑ
11. 10
12. 20
13. アース
14. 20
15. 中
16. 30
17. 押しつけ
18. 乳化
19. 界面活性剤

○洗剤の量…**繊維**の種類によって違うので[3]を確認する。**アルカリ性洗剤**の場合，水1 *l*につき洗剤[4]1杯（洗剤の量を多くしても，汚れを落とす力は変わらない）。

▶**洗剤の選び方**

種類		おもな用途
石けん		○白い綿・麻など
合成洗剤	アルカリ性**合成洗剤**	○白い綿・麻など ○ポリエステル・ビニロンなどの化学繊維のもの
	中性洗剤	○[5]，絹，アセテート，[6]

(2) 洗う

○綿の場合は[7]洗い。

○ナイロンの場合は押し洗い，つかみ洗い。

(3) すすぐ

○何度も水ですすぐよりも，[8]℃くらいのお湯ですすいだほうが洗剤のおちはよい。

(4) しぼる

○**綿の場合はねじりしぼり。**

○ナイロンの場合は[9]しぼり。

(5) 干す

○綿…**白いものは日向**，色ものは**日陰**に干す。

○ナイロンの場合，白いものも色ものも（ⓐ日向　ⓑ日陰）に干す。[10]

▶**電気洗濯機による洗濯**

○洗濯物の重さの[11]～[12]倍の水を使う。

○**感電**を防ぐため[13]をつけなければならない。

▶**毛のセーターの洗濯**

○水の量…洗濯物の重さの[14]倍分。

○フェルト化防止…[15]性洗剤を0.2%の濃さで用い，洗濯水は[16]℃程度のぬるま湯。

○洗い方…[17]洗い。

▶洗剤のはたらきには，**浸透**作用，[18]作用，分散作用，再汚染防止作用がある。

▶洗剤の主成分で，汚れをおとすはたらきをするものを[19]という。

▶しみ抜き

果汁	石けん液に少量の［ 20 ］を加えて洗う。
汗	［ 21 ］でとり，石けん液で洗う。
血液	次亜塩素酸ナトリウム液でとる。熱湯を使って（ⓐよい　ⓑいけない）［ 22 ］
どろ	（ⓐかわいてから　ⓑぬれたまま）たたく。［ 23 ］

20. アンモニア水
21. ベンジン
22. ⓑ
23. ⓐ

5．アイロンかけ

▶アイロンの温度と繊維の種類

	温　度	繊 維 の 種 類
高　温	［ 1 ］℃～210℃	綿，［ 2 ］
中　温	140℃～［ 3 ］℃	毛，絹，レーヨン，［ 4 ］
低　温	［ 5 ］℃～120℃	ビニロン，ナイロン，アクリル

○ビニロンのアイロンかけは，**給湿**してはならない。

1. 180
2. 麻
3. 160
4. ポリエステル
5. 80

8 家庭

6．ボタンつけ・スナップつけ

◇下の図の中から，正しいボタンのつけ方・スナップのつけ方を選びなさい。

〔ボタン〕

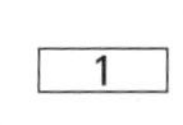

㋐  ㋑  ㋒ 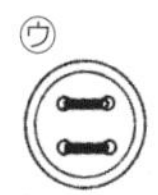

〔スナップ〕

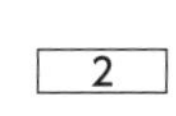

㋐ ㋑ ㋒ 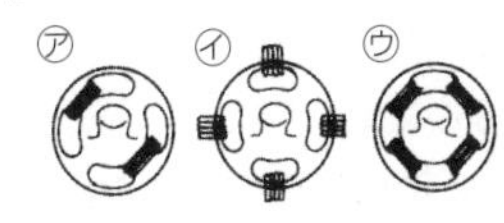

1. ㋒
2. ㋑

◇次のボタンつけの図㋐～㋒の中で，一番じょうずについているものの記号を選びなさい。［ 3 ］

㋐ 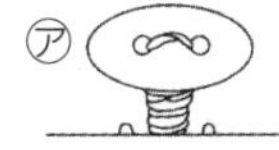 ㋑ 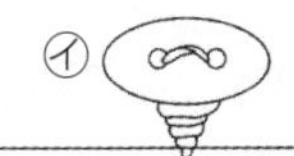 ㋒ 

○糸はボタンにできるだけ近い色の［ 4 ］～［ 5 ］番のカタン糸を使う。

○右図では，とつ型スナップは［ 6 ］に，おう型スナップは

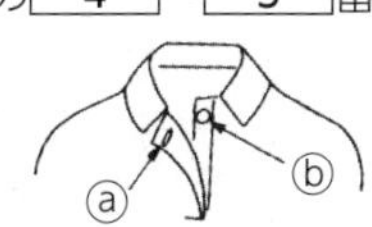

3. ㋑
4. 20
5. 30
6. ⓐ

7. ⓑ

[7]につける。

○ボタンホールの大きさ＝ボタンの**直径**＋ボタンの**厚み**

7．手 縫 い

1. 玉結び
2. 玉どめ
3. 糸こき
4. きせをかける

○縫い始める前に[1]，縫い終わりに[2]をして**糸**がぬけないようにする。

○**縫い目**が，つれないように指先で布と糸をしごくことを[3]をするという。

○縫い目の0.2cmくらい内側を折り，表に返したとき縫い目が割れないようにすることを[4]という。

▶手縫いの種類

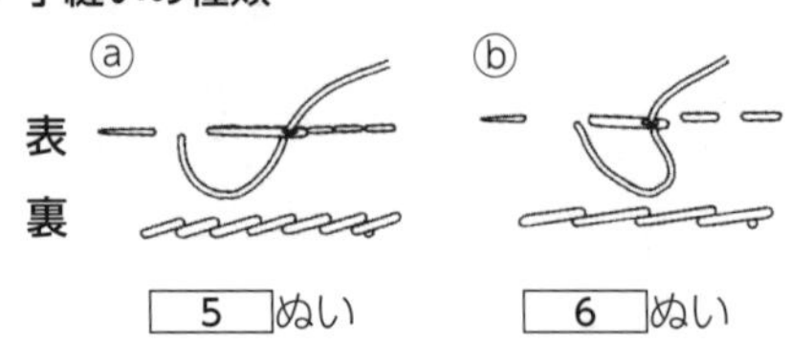

5. 本返し
6. 半返し

[5]ぬい　[6]ぬい

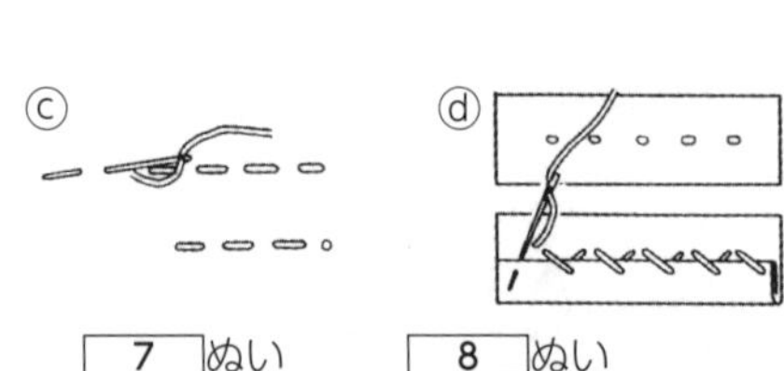

7. なみ
8. まつり

[7]ぬい　[8]ぬい

8．ミシン縫い

▶ミシンの各部の名称と働き

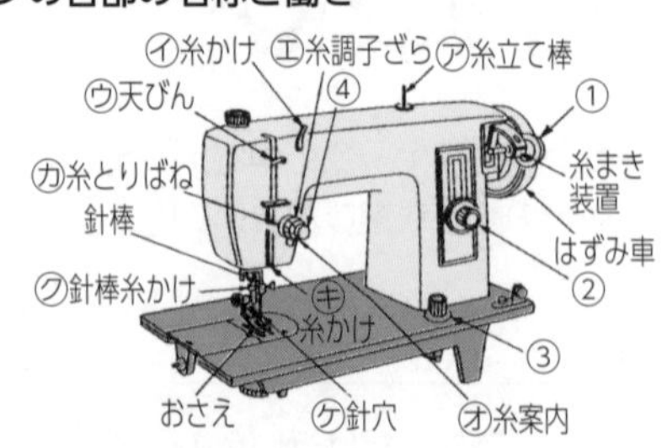

1. ストップモーション大ねじ
2. 送り調節器
3. ドロップフィード

①[1]…**はずみ車**の動きを上軸に伝える，切るなど。

②[2]…**縫い目**（針目）の大きさを調節する。

③[3]…送り歯の高さを上下する。**うす地**のとき

[4]く，厚地のとき[5]くする。
④[6]…上糸の強さを調節する。

▶**布，針，糸の関係**

薄地の布…針[7]番～[8]番
カタン糸[9]番～[10]番
厚地の布…針[11]番～[12]番
カタン糸[13]番～[14]番

○針は数字が大きいほど（ⓐ細く　ⓑ太く）なる。 [15]

○糸は数字が大きいほど（ⓐ細く　ⓑ太く）なる。 [16]

▶**上糸のかけ方**

◇上糸をかける順に左ページのミシン図の㋐～㋘をならべなさい。 [17]

▶**糸調子　〔上糸と下糸のつりあい〕**

○糸調子は，[18]から調節し，場合によっては[19]を調節する。

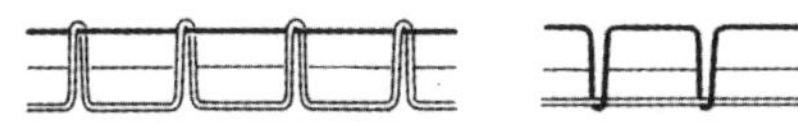

[20]が強すぎる。　[21]が強すぎる。

▶**ミシンの故障**

故　障	原　因
動かない。 重い。	○[22]に糸がくい込んでいる。 ○油が切れている。
[23]が切れる。	○上糸のかけ方が間違っている。 ○上糸調子が強すぎる。 ○布・針・糸のつりあいが悪い。
縫い目がとぶ。	○針先が曲がっている。 ○針のつけ方が悪い。 ○布・針・糸のつりあいが悪い。
針が折れる。	○針が曲がっている。 ○針のつけ方が悪い。
布が送られない。	○おさえの圧力が[24]。○送り歯が低い。
上軸が回らない。	○[25]がゆるんでいる。
[26]が切れる。	○かまに糸がからみついている。 ○ボビンケースの調子を少し強く締めすぎ。 ○ボビンケースの糸の通し方を間違った。

4. 高
5. 低
6. 上糸調節装置
7. 9
8. 11
9. 60
10. 80
11. 14
12. 16
13. 50
14. 60
15. ⓑ
16. ⓐ
17. ㋐-㋑-㋓-㋔-㋕-㋒-㋖-㋗-㋘
18. 上糸
19. 下糸
20. 上糸
21. 下糸
22. かま
23. 上糸
24. 不足
25. ストップモーション大ねじ
26 下糸

9．袋づくり

▶布の大きさ

（もとになる寸法）＋（ゆるみ）＋（ 1 ）

▶まち針の打ち方

◇打ち方の正しいものを選びなさい。 2

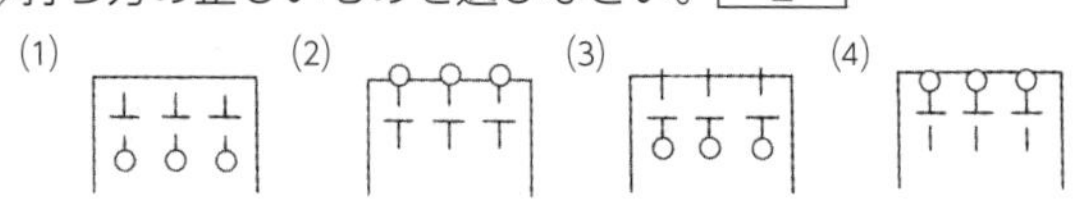

▶縫いしろの始末

◇縫いしろの始末の仕方の名称を答えなさい。

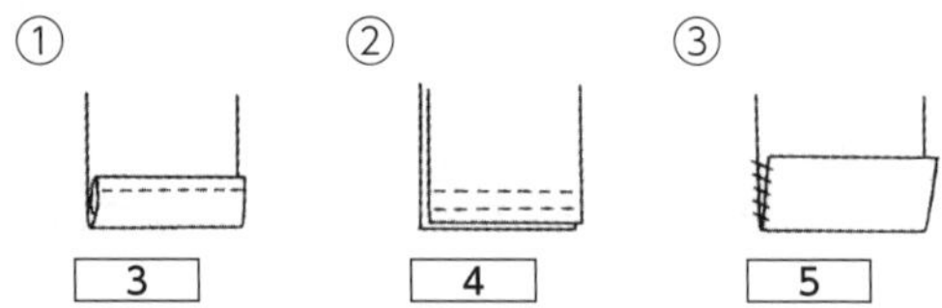

○**ピンキングばさみ**を使う方法もある。

▶針の扱い

○針の数を**実習**の始めと終わりに確認させる。○紛失したら**磁石**でありそうな場所を探す。○折れた針を捨てるときは紙にしっかりと包んで捨てる。○裁縫で糸を引くときは**針先**を下向きにする。

▶はさみの使い方

○片手で布をおさえる。○刃を大きく開き深く入れて**刃先**まで使って切る。○はさみの下側は机に当てたまま切る。○人に渡す時は，**閉じた刃の部分**をしっかり握る。○置く時は，刃先を閉じて水平で安定した場所に置く。机の端に置かない。

1. ぬいしろ

2. (3)

3. 三つ折り縫い

4. 二度縫い

5. かがり縫い

9
体　　育

1 学習指導要領

1. スポーツライフ
2. 健康・安全
3. 自己の課題
4. 体力の向上

1．目　標

体育や保健の見方・考え方を働かせ，**課題**を見付け，その**解決**に向けた学習過程を通して，**心と体**を一体として捉え，生涯にわたって心身の健康を**保持増進**し豊かな[1]を実現するための資質・能力を次のとおり育成することを目指す。

(1)　その特性に応じた各種の**運動**の行い方及び身近な生活における[2]について理解するとともに，基本的な動きや技能を身に付けるようにする。

(2)　**運動**や**健康**についての[3]を見付け，その**解決**に向けて思考し判断するとともに，**他者**に伝える力を養う。

(3)　**運動**に親しむとともに**健康**の保持増進と[4]を目指し，楽しく明るい生活を営む態度を養う。

2．指導計画の作成と内容の取扱い

▶指導計画の作成

1. 健康

(1)　単元など内容や時間のまとまりを見通して，その中で育む資質・能力の育成に向けて，児童の**主体的・対話**的で深い学びの実現を図るようにすること。その際，体育や保健の見方・考え方を働かせ，**運動**や**健康**についての自己の**課題**を見付け，その**解決**のための活動を選んだり工夫したりする活動の充実を図ること。また，**運動**の楽しさや喜びを味わったり，[1]の大切さを実感したりすることができるよう留意すること。

(2)　一部の領域の指導に偏ることのないよう授業時数を配当すること。

(3)　第３学年及び第４学年の内容の「G 保健」に配当する授業時数は，２学年間で８単位時間程度，また，第５学年及び第６学年の内容の「G 保健」に配当する授業時数は，２学年間で［　2　］単位時間程度とすること。

⑷　第３学年及び第４学年の内容の「G　保健」並びに第５学年及び第６学年の内容の「G　保健」（以下「保健」という。）については，**効果**的な学習が行われるよう適切な時期に，ある程度まとまった時間を配当すること。

⑸　低学年においては，児童が主体的に自己を発揮しながら学びに向かうことが可能となるようにすることを踏まえ，**他教科**等との関連を積極的に図り，指導の効果を高めるようにするとともに，幼稚園教育要領等に示す幼児期の終わりまでに育ってほしい姿との関連を考慮すること。特に，小学校入学当初においては，**生活科**を中心とした**合科**的・**関連**的な指導や，弾力的な時間割の設定を行うなどの工夫をすること。

⑹　障害のある児童などについては，学習活動を行う場合に生じる困難さに応じた指導内容や指導方法の工夫を**計画**的，**組織**的に行うこと。

⑺　第１章総則の第１の２の⑵に示す道徳教育の目標（P.248参照）に基づき，道徳科などとの関連を考慮しながら，第３章特別の教科道徳の第２に示す内容について，体育科の特質に応じて適切な指導をすること。

▶内容の取扱い

⑴　学校や地域の実態を考慮するとともに，個々の児童の**運動経験**や技能の程度などに応じた指導や児童自らが**運動の課題の解決**を目指す活動を行えるよう工夫すること。特に，運動を**苦手**と感じている児童や，運動に**意欲**的に取り組まない児童への指導を工夫するとともに，障害のある児童などへの指導の際には，［　3　］が様々な特性を尊重するよう指導すること。

⑵　**筋道**を立てて**練習**や**作戦**について話し合うことや，身近な**健康**の保持増進について話し合うことなど，**コミュニケーション能力**や［　4　］の育成を促すための言語活動を積極的に行うことに留意すること。

⑶　内容の指導に当たっては，**コンピュータ**や**情報通信ネットワーク**などの情報手段を積極的に活用し，各領

2.　16

3.　周りの児童

4.　論理的な思考力

5. 情報機器

6. 具体的な体験

7. A 体つくりの運動遊び

8. A 体つくり運動

9. 心得

10. フェアなプレイ

11. A 体つくりの運動遊び

12. A 体つくり運動

13. 水辺活動

14. 食育

15. 学校給食

16. 健康

域の特質に応じた学習活動を行うことができるように工夫すること。その際，[5]の基本的な操作についても，内容に応じて取り扱うこと。

⑷ 運動領域におけるスポーツとの多様な関わり方や**保健**領域の指導については，[6]を伴う学習を取り入れるよう工夫すること。

⑸ 内容の「[7]」及び「[8]」の⑴のアについては，各学年の各領域においてもその趣旨を生かした指導ができること。

⑹ 内容の「D 水遊び」及び「D 水泳運動」の指導については，適切な**水泳場**の確保が困難な場合にはこれらを取り扱わないことができるが，これらの[9]については，必ず取り上げること。

⑺ **オリンピック・パラリンピック**に関する指導として，[10]を大切にするなど，児童の発達の段階に応じて，各種の運動を通して**スポーツ**の**意義**や**価値**等に触れることができるようにすること。

⑻ **集合**，**整頓**，**列**の増減などの行動の仕方を身に付け，能率的で安全な集団としての行動ができるようにするための指導については，内容の「[11]」及び「[12]」をはじめとして，各学年の各領域（保健を除く。）において適切に行うこと。

⑼ 自然との関わりの深い**雪遊び**，**氷上遊び**，**スキー**，**スケート**，[13]などの指導については，学校や地域の実態に応じて積極的に行うことに留意すること。

⑽ 保健の内容のうち**運動**，**食事**，**休養**及び**睡眠**については，[14]の観点も踏まえつつ，健康的な**生活習慣**の形成に結び付くよう配慮するとともに，保健を除く第3学年以上の各領域及び[15]に関する指導においても関連した指導を行うようにすること。

⑾ 保健の指導に当たっては，[16]に関心をもてるようにし，健康に関する**課題**を**解決**する学習活動を取り入れるなどの指導方法の工夫を行うこと。

3．各学年の目標

▶知識及び技能に関する目標

学年		
第1・2学年	(1) 各種の運動遊びの楽しさに触れ，その行い方を知るとともに，	[1]を身に付けるようにする。
第3・4学年	(1) 各種の運動の楽しさや喜びに触れ，その行い方及び**健康**で**安全**な生活や**体の発育・発達**について理解するとともに，	基本的な動きや[2]を身に付けるようにする。
第5・6学年	(1) 各種の運動の楽しさや喜びを味わい，その行い方及び**心の健康**や**けがの防止**，**病気の予防**について理解するとともに，	[3]及び**健康**で**安全**な生活を営むための技能を身に付けるようにする。

▶思考力，判断力，表現力等に関する目標

学年		
第1・2学年	(2) 各種の**運動遊び**の行い方を工夫するとともに，	考えたことを**他者**に伝える力を養う。
第3・4学年	(2) 自己の運動や**身近な生活**における健康の課題を見付け，その解決のための方法や活動を工夫するとともに，	
第5・6学年	(2) 自己や**グループ**の運動の課題や身近な健康に関わる課題を見付け，その解決のための方法や活動を工夫するとともに，	自己や**仲間**の考えたことを**他者**に伝える力を養う。

▶学びに向かう力，人間性等に関する目標

学年		
第1・2学年	(3) 各種の運動遊びに進んで取り組み，きまりを守り誰とでも仲よく運動をしたり，健康・安全に留意したりし，	[1]に運動をする態度を養う。
第3・4学年	(3) 各種の運動に進んで取り組み，きまりを守り誰とでも仲よく運動をしたり，**友達の考え**を認めたり，場や用具の安全に留意したりし，	最後まで努力して[2]をする態度を養う。
	また，健康の大切さに気付き，自己の**健康**の保持増進に進んで取り組む態度を養う。	
第5・6学年	(3) 各種の運動に積極的に取り組み，約束を守り助け合って運動をしたり，**仲間の考え**や取組を認めたり，場や用具の安全に留意したりし，	自己の最善を尽くして運動をする態度を養う。
	また，健康・安全の大切さに気付き，自己の**健康**の保持増進や[3]に進んで取り組む態度を養う。	

1. 基本的な動き
2. 技能
3. 基本的な技能

1. 意欲的
2. 運動
3. 回復

9 体育

4．体育科の内容

(1) 知識及び技能（各運動領域の内容）

A 体つくり運動系

	第１学年	第２学年	第３学年	第４学年	第５学年	第６学年
系統	**体つくりの運動遊び**		**体つくり運動**			
運動の特性	体を動かす**楽しさ**や**心地よさ**を味わい運動好きになるとともに，心と体との関係に気付いたり，仲間と交流したりすることや，様々な基本的な体の動きを身に付けたり，体の動きを高めたりして，体力を高めるために行われる運動。					

第１・２学年	第３・４学年	第５・６学年
体ほぐしの運動遊び	体ほぐしの運動	
＊　次の運動を通して，心と体の変化に気付いたり，みんなで関わり合ったりすること ○伸び伸びとした動作で新聞紙やテープ，ボール，なわ，体操棒，フープなど，操作しやすい用具などを用いた**運動遊び**を行うこと ○リズムに乗って，心が弾むような動作で**運動遊び**を行うこと ○動作や人数などの条件を変えて，歩いたり走ったりする**運動遊び**を行うこと ○伝承遊びや集団による**運動遊び**を行うこと	＊　次の運動を通して，心と体の変化に気付いたり，みんなで関わり合ったりすること ○伸び伸びとした動作でボール，なわ，体操棒，フープなどの用具を用いた運動を行うこと ○リズムに乗って，心が弾むような動作での運動を行うこと ○動作や人数などの条件を変えて，歩いたり走ったりする運動を行うこと ○伝承遊びや集団による運動を行うこと	＊　次の運動を通して，心と体との関係に気付いたり，仲間と関わり合ったりすること ○伸び伸びとした動作で全身を動かしたり，ボール，なわ，体操棒，フープなどの用具を用いた運動を行ったりすること ○リズムに乗って，心が弾むような動作での運動を行うこと ○ペアになって背中合わせに座り，体を前後左右に揺らし，リラックスできる運動を行うこと ○動作や人数などの条件を変えて，歩いたり走ったりする運動を行うこと ○**グループ**や**学級**の**仲間**と力を合わせて挑戦する運動を行うこと ○伝承遊びや集団による運動を行うこと
多様な動きをつくる運動遊び	多様な動きをつくる運動	体の動きを高める運動
[体のバランスをとる運動遊び] ○回るなどの動き ○寝転ぶ，起きるなどの動き ○座る，立つなどの動き ○体のバランスを保つ動き [体を移動する運動遊び] ○這う，歩く，走るなどの動き ○跳ぶ，はねるなどの動き ○一定の速さでのかけ足（**2**〜**3**分）	[体のバランスをとる運動] ○回るなどの動き ○寝転ぶ，起きるなどの動き ○座る，立つなどの動き ○渡るなどの動き ○体のバランスを保つ動き [体を移動する運動] ○這う，歩く，走るなどの動き ○跳ぶ，はねるなどの動き ○登る，下りるなどの動き ○一定の速さでのかけ足（**3**〜**4**分）	[体の柔らかさを高めるための運動] ＊　**徒手**での運動 ○体の各部位を大きく広げたり曲げたりする姿勢を維持する ○全身や各部位を振ったり，回したり，ねじったりする ＊　**用具**などを用いた運動 ○ゴムひもを張りめぐらせて作った空間や，棒の下や輪の中をくぐり抜ける

[用具を操作する運動遊び] ○用具をつかむ，持つ，降ろす，回す，転がすなどの動き ○用具をくぐるなどの動き ○用具を運ぶなどの動き ○用具を投げる，捕るなどの動き ○用具を跳ぶなどの動き ○用具に乗るなどの動き [力試しの運動遊び] ○人を押す，引く動きや力比べをするなどの動き ○人を運ぶ，支えるなどの動き	[用具を操作する運動] ○用具をつかむ，持つ，降ろす，回す，転がすなどの動き ○用具をくぐる，運ぶなどの動き ○用具を投げる，捕る，振るなどの動き ○用具を跳ぶなどの動き ○用具に乗るなどの動き [力試しの運動] ○人を押す，引く動きや力比べをするなどの動き ○人を運ぶ，支えるなどの動き [基本的な動きを組み合わせる運動] ○バランスをとりながら移動するなどの動き ○用具を操作しながら移動するなどの動き	[巧みな動きを高めるための運動] ＊　人や物の動き，**場の状況**に対応した運動 ○長座姿勢で座り，足を開いたり閉じたりする相手の動きに応じ，開脚や閉脚を繰り返しながら跳ぶ ○マーカーをタッチしながら，素早く往復走をする ＊　**用具**などを用いた運動 ○短なわや長なわを用いていろいろな跳び方をしたり，なわ跳びをしながらボールを操作したりする ○フープを転がし，回転しているフープの中をくぐり抜けたり，跳び越したりする [力強い動きを高めるための運動] ＊　人や物の重さなどを用いた運動 ○二人組，三人組で互いに持ち上げる，運ぶなどの運動をする [動きを持続する能力を高めるための運動] ＊　**時間**や**コース**を決めて行う**全身運動** ○短なわ，長なわを用いての跳躍やエアロビクスなどの全身運動を続ける ○無理のない速さで5～6分程度の持久走をする
〔内容の取扱い〕 ＊　２学年にわたって指導するものとする。	〔内容の取扱い〕 ＊　２学年にわたって指導するものとする。	〔内容の取扱い〕 ＊　２学年にわたって指導するものとする。 ＊　(1)のイについては，体の柔らかさ及び巧みな動きを高めることに重点を置いて指導するものとする。その際，音楽に合わせて運動をするなどの工夫を図ること。 ＊　(1)のアと「G 保健」の(1)のアの(ウ)については，相互の関連を図って指導するものとする。

B　器械運動系

系統	第1学年	第2学年	第3学年	第4学年	第5学年	第6学年
	器械・器具を使っての運動遊び		器械運動			
運動の特性	「回転」，「支持」，「懸垂」等の運動で構成され，様々な動きに取り組んだり，自己の能力に適した技や発展技に挑戦したりして技を身に付けたときに楽しさや喜びを味わうことのできる運動。					

種目	系	技群	グループ	第1・2学年 運動遊び	第3・4学年 基本的な技（発展技）	第5・6学年 発展技（更なる発展技）
マット運動	回転系	接転技	前転	ゆりかご，前転がり，後ろ転がり，背支持倒立（首倒立），だるま転がり，丸太転がり，かえるの逆立ち，かえるの足打ち，うさぎ跳び，壁上り逆立ち	前転，易しい場での開脚前転（開脚前転）	補助倒立前転（倒立前転）（跳び前転），開脚前転（易しい場での伸膝前転）
			後転		後転，開脚後転（伸膝後転）	伸膝後転（後転倒立）
		ほん転技	倒立回転	背支持倒立（首倒立），壁上り逆立ち，ブリッジ，かえるの逆立ち，かえるの足打ち，うさぎ跳び，支持での川跳び，腕立て横跳び越し，肋木	補助倒立ブリッジ（倒立ブリッジ），側方倒立回転（ロンダート）	倒立ブリッジ（前方倒立回転，前方倒立回転跳び），ロンダート
			はね起き		**首はね起き**（頭はね起き）	[2]
	巧技系	平均立ち技	倒立		[1]（補助倒立），頭倒立	補助倒立（倒立）
鉄棒運動	支持系	前方支持回転技	前転	ふとん干し，ツバメ，足抜き回り，ぶたの丸焼き，さる，こうもり，ぶら下がり，跳び上がり・跳び下り，前に回って下りる ＊固定施設を使った運動遊び ○ジャングルジム ○雲梯 ○登り棒 ○肋木	前回り下り（前方支持回転），かかえ込み前回り（前方支持回転），**転向前下り**（片足踏み越し下り）	前方支持回転（前方伸膝支持回転），**片足踏み越し下り**（横とび越し下り）
			前方足掛け回転		膝掛け振り上がり（腰掛け上がり），前方片膝掛け回転（前方もも掛け回転）	膝掛け上がり（もも掛け上がり），前方もも掛け回転
		後方支持回転技	後転		補助逆上がり（逆上がり），かかえ込み後ろ回り（後方支持回転）	[4]，後方支持回転（後方伸膝支持回転）
			後方足掛け回転		[3]（後方もも掛け回転），両膝掛け倒立下り（両膝掛け振動下り）	後方もも掛け回転，両膝掛け振動下り
跳び箱運動	切り返し系		切り返し跳び	馬跳び，タイヤ跳び，うさぎ跳び，ゆりかご，前転がり，背支持倒立（首倒立），かえるの逆立ち，かえるの足打ち，壁上り下り倒立，支持でまたぎ乗り・またぎ下り，支持で跳び乗り・跳び下り，踏み越し跳び	**開脚跳び**（かかえ込み跳び）	**かかえ込み跳び**（屈身跳び）
	回転系		回転跳び		**台上前転**（伸膝台上前転）	[6]
					[5]（頭はね跳び）	頭はね跳び（前方屈腕倒立回転跳び）

1. 壁倒立
2. 頭はね起き
3. 後方片膝掛け回転
4. 逆上がり
5. 首はね跳び
6. 伸膝台上前転

C　陸上運動系

系統	第1学年	第2学年	第3学年	第4学年	第5学年	第6学年
	走・跳の運動遊び		走・跳の運動		陸上運動	
運動の特性	「走る」,「跳ぶ」などの運動で構成され，自己の能力に適した課題や記録に挑戦したり，競走（争）したりする楽しさや喜びを味わうことのできる運動。					

第1・2学年		第3・4学年		第5・6学年	
走・跳の運動遊び		走・跳の運動		陸上運動	
走の運動遊び	＊　30〜40m程度のかけっこ ○いろいろな形状の線上等を真っ直ぐに走ったり，蛇行して走ったりする ＊　折り返しリレー遊び，低い障害物を用いてのリレー遊び ○相手の手の平にタッチをしたり，バトンの受渡しをしたりして走る ○いろいろな間隔に並べられた低い障害物を走り越える	かけっこ・リレー	＊ [1] 程度のかけっこ ○いろいろな走り出しの姿勢から，素早く走り始める ○真っ直ぐ前を見て，腕を前後に大きく振って走る ＊ [3] ○走りながら，タイミングよくバトンの受渡しをする ○コーナーの内側に体を軽く傾けて走る	短距離走・リレー	＊ [2] 程度の短距離走 ○スタンディングスタートから，素早く走り始める ○体を軽く前傾させて全力で走る ＊　いろいろな距離でのリレー（一人が走る距離40〜60m程度） ○**テークオーバーゾーン**内で，減速の少ないバトンの受渡しをする
		小型ハードル走	＊　いろいろなリズムでの小型ハードル走 ○インターバルの距離や小型ハードルの高さに応じたいろいろなリズムで小型ハードルを走り越える ＊30〜40m程度の小型ハードル走 ○一定の間隔に並べられた小型ハードルを一定のリズムで走り越える	ハードル走	＊　40〜50m程度のハードル走 ○第1ハードルを決めた足で踏み切って走り越える ○スタートから最後まで，体のバランスをとりながら真っ直ぐ走る ○インターバルを3歩または5歩で走る
跳の運動遊び	＊　幅跳び遊び ○助走を付けて片足でしっかり地面を蹴って前方に跳ぶ ＊　ケンパー跳び遊び ○片足や両足で，いろいろな間隔に並べられた輪等を連続して前方に跳ぶ ＊　ゴム跳び遊び ○助走を付けて片足でしっかり地面を蹴って上方に跳ぶ ○片足や両足で連続して上方に跳ぶ	幅跳び	＊　短い助走からの幅跳び ○5〜7歩程度の助走から踏切り足を決めて前方に強く踏み切り，遠くへ跳ぶ ○膝を柔らかく曲げて，両足で着地する	走り幅跳び	＊　リズミカルな助走からの走り幅跳び ○7〜9歩程度のリズミカルな助走をする ○幅30〜40cm程度の踏み切りゾーンで力強く踏み切る ○かがみ跳びから両足で着地する
		高跳び	＊　短い助走からの高跳び ○3〜5歩程度の短い助走から踏切り足を決めて上方に強く踏み切り，高く跳ぶ ○膝を柔らかく曲げて，足から着地する	走り高跳び	＊　リズミカルな助走からの走り高跳び ○5〜7歩程度のリズミカルな助走をする ○上体を起こして力強く踏み切る ○**はさみ跳び**で，足から着地する
〔内容の取扱い〕 ＊　児童の実態に応じて投の運動遊びを加えて指導することができる。		〔内容の取扱い〕 ＊　児童の実態に応じて，投の運動を加えて指導することができる。			

1.　30〜50m
2.　40〜60m
3.　周回リレー

9　体育

D　水泳運動系

<table>
<tr><td rowspan="2">系統</td><td>第１学年</td><td>第２学年</td><td>第３学年</td><td>第４学年</td><td>第５学年</td><td>第６学年</td></tr>
<tr><td colspan="2">水遊び</td><td colspan="4">水泳運動</td></tr>
<tr><td>運動の特性</td><td colspan="6">水の中という特殊な環境での活動におけるその物理的な特性（浮力，水圧，抗力・揚力など）を生かし，「浮く」，「呼吸する」，「進む」などの課題を達成し，水に親しむ楽しさや喜びを味わうことのできる運動。</td></tr>
</table>

<table>
<tr><th colspan="2">第１・２学年</th><th colspan="2">第３・４学年</th><th colspan="3">第５・６学年</th></tr>
<tr><td rowspan="2">水の中を移動する運動遊び</td><td rowspan="2">＊　水につかっての水かけっこ，まねっこ遊び
○水を手ですくって友達と水をかけ合う
○水につかっていろいろな動物の真似をしながら歩く
＊　水につかっての電車ごっこ，リレー遊び，鬼遊び
○自由に歩いたり走ったり，方向を変えたりする
○手で水をかきながら速く走る</td><td rowspan="2">浮いて進む運動</td><td rowspan="2">＊　け伸び
○プールの壁を力強く蹴りだした勢いで，体を一直線に伸ばした姿勢で進む
＊　初歩的な泳ぎ
○呼吸をしながら手や足を動かして進む
○［　1　］やかえる足泳ぎ</td><td rowspan="2">姿勢を維持しながらの運動</td><td>クロール</td><td>＊　25～50ｍ程度を目安にしたクロール
○手を交互に前方に伸ばして水に入れ，かく
○リズミカルなばた足をする
○顔を横に上げて呼吸をする
＊　ゆったりとしたクロール
○両手を揃えた姿勢で片手ずつ大きく水をかく
○ゆっくりと動かすばた足をする</td></tr>
<tr><td rowspan="2">安全確保につながる運動</td><td>＊　10～20秒程度を目安にした背浮き
○顔以外の部位が水中に入った姿勢を維持する
○姿勢を崩さず手や足をゆっくり動かす</td></tr>
<tr><td rowspan="2">もぐる・浮く運動遊び</td><td rowspan="2">＊　水中でのじゃんけん，にらめっこ，石拾い
○水に顔をつけたり，もぐって目を開けたりする
○手や足を使っていろいろな姿勢でもぐる
＊　［　2　］，伏し浮き，大の字浮き
○壁や補助具につかまって浮く
○息を吸って止め，全身の力を抜いて浮く
＊　バブリングやボビング
○水中で息を止めたり吐いたりする
○跳び上がって息を吐いた後，すぐに吸ってまたもぐる</td><td rowspan="2">もぐる・浮く運動</td><td rowspan="2">＊　プールの底にタッチ，股くぐり，変身もぐり
○体の一部分をプールの底につける
○友達の股の下をくぐり抜ける
○水の中でもぐった姿勢を変える
＊　背浮き，［　3　］，変身浮き
○全身の力を抜いていろいろな浮き方をする
○ゆっくりと浮いた姿勢を変える
＊　簡単な浮き沈み
○だるま浮きの状態で，浮上する動きをする
○ボビングを連続して行う</td><td rowspan="2">浮き沈みをしながらの運動</td><td>＊　３～５回程度を目安にした浮き沈み
○浮いてくる動きに合わせて両手を動かし，顔をあげて呼吸をした後，再び息を止めて浮いてくるまで姿勢を保つ</td></tr>
<tr><td>平泳ぎ</td><td>＊　25～50ｍ程度を目安にした平泳ぎ
○円を描くように左右に開き水をかく
○足の裏や脚の内側で水を挟み出すかえる足をする
○水をかきながら，顔を前に上げて呼吸をする
＊　ゆったりとした平泳ぎ
○キックの後に顎を引いた伏し浮きの姿勢を保つ</td></tr>
</table>

1. ばた足泳ぎ
2. くらげ泳ぎ
3. だるま浮き

				〔内容の取扱い〕 ＊　(1)のア及びイについては，水中からの**スタート**を指導するものとする。 ＊　学校の実態に応じて**背泳ぎ**を加えて指導することができる。

〔水泳の心得〕（水遊び及び水泳運動：「学びに向かう力，人間性等」より）

第1・2学年	第3・4学年	第5・6学年
＊　準備運動や整理運動をしっかり行う，丁寧にシャワーを浴びる，プールサイドは走らない，プールに飛び込まない，友達とぶつからないように動く，など。 ＊　また，水遊びをする前には，体（爪，耳，鼻，頭髪など）を清潔にしておくこと。	＊　準備運動や整理運動を正しく行う，バディで互いを確認しながら活動する，シャワーを浴びてからゆっくりと水の中に入る，プールに飛び込まない，など。	＊　プールの底・水面などに危険物がないかを確認したり，自己の体の調子を確かめてから泳いだり，**仲間の体の調子にも気を付ける**，など。

E　ボール運動系

系統	第1学年	第2学年	第3学年	第4学年	第5学年	第6学年
	ゲーム				ボール運動	
運動の特性	**競い合う**楽しさに触れたり，友達と**力を合わせて**競争する楽しさや喜びを味わったりすることができる運動。					

第1・2学年			第3・4学年			第5・6学年	
ボールゲーム	ボール操作	＊　ねらったところに緩やかにボールを転がす，投げる，蹴る，的に当てる，得点する ＊　相手コートに緩やかにボールを投げ入れたり，捕ったりする ＊　ボールを捕ったり止めたりする	ゴール型ゲーム	ボール操作	＊　味方へのボールの**手渡し**，**パス**，**シュート**，ゴールへのボールの**持ち込み**	ゴール型	＊　近くにいるフリーの味方への**パス** ＊　相手に取られない位置での**ドリブル** ＊　パスを受けてのシュート
ボールゲーム	ボールを持たないときの動き	＊　ボールが飛んだり，転がったりしてくるコースへの移動 ＊　ボールを操作できる位置への移動	ゴール型ゲーム	ボールを持たないときの動き	＊　ボール保持時に体をゴールに向ける ＊　ボール保持者と自分の間に**守備者**がいないように移動	ゴール型	＊　ボール保持者と自分の間に**守備者**が入らない位置への移動 ＊　得点しやすい場所への移動 ＊　ボール保持者とゴールの間に体を入れた守備
（鬼遊び）			ネット型ゲーム	ボール操作	＊　いろいろな高さのボールを片手，両手もしくは用具などではじいたり，打ちつけたりする ＊　相手コートから返球されたボールの片手，両手，用具での**返球**	ネット型	＊　自陣のコート（中央付近）から相手コートへのサービス ＊　味方が受けやすいようにボールをつなぐ ＊　片手，両手，用具を使っての相手コートへの**返球**
			ネット型ゲーム	ボールを持たないときの動き	＊　ボールの方向に体を向けること，もしくは，ボールの落下点や操作しやすい位置への移動	ネット型	＊　ボールの方向に体を向けることとボール方向への素早い移動

<table>
<tr><td rowspan="2">鬼遊び</td><td rowspan="2">* 空いている場所を見付けて，速く走ったり，急に曲がったり，身をかわしたりする
* 相手（鬼）のいない場所への移動，駆け込み
* 少人数で連携して相手（鬼）をかわしたり，走り抜けたりする
* 逃げる相手を追いかけてタッチしたり，マーク（タグやフラッグ）を取ったりする</td><td>ボール操作</td><td rowspan="2">ベースボール型ゲーム</td><td>* ボールをフェアグラウンド内に蹴ったり打ったりする
* 投げる手と反対の足を一歩前に踏み出してボールを投げる</td><td rowspan="2">ベースボール型</td><td>* 止まったボール，易しいボールをフェアグラウンド内に打つ
* 打球の捕球
* 捕球する相手に向かっての投球</td></tr>
<tr><td>ボールを持たないときの動き</td><td>* 向かってくるボールの正面への移動
* ベースに向かって全力で走り，かけ抜けること</td><td>* 打球方向への移動
* 簡易化されたゲームにおける塁間の全力での走塁
* 守備の隊形をとって得点を与えないようにする</td></tr>
<tr><td colspan="2"></td><td colspan="3">〔内容の取扱い〕
* (1)のアについては，味方チームと相手チームが入り交じって得点を取り合うゲーム及び陣地を取り合うゲームを取り扱うものとする。</td><td colspan="2">〔内容の取扱い〕
* (1)については，アはバスケットボール及びサッカーを，イはソフトバレーボールを，ウはソフトボールを主として取り扱うものとするが，これらに替えてハンドボール，タグラグビー，フラッグフットボールなどア，イ及びウの型に応じたその他のボール運動を指導することもできるものとする。
* 学校の実態に応じてウは取り扱わないことができる。</td></tr>
</table>

F 表現運動系

系統	第1学年	第2学年	第3学年	第4学年	第5学年	第6学年
	表現リズム遊び		**表現運動**			
運動の特性	自己の心身を解き放して，イメージやリズムの世界に没入してなりきって踊ったり，互いのよさを生かし合って仲間と交流して踊ったりする楽しさや喜びを味わうことのできる運動。					

		第1・2学年	第3・4学年	第5・6学年
表現系	題材の例	* 特徴が捉えやすく多様な感じを多く含む題材 * 特徴が捉えやすく速さに変化のある動きを多く含む題材	* 身近な生活からの題材 * 空想の世界からの題材	* 激しい感じの題材 * 群（集団）が生きる題材 * 多様な題材
	ひと流れの動きで即興的に表現	* いろいろな題材の特徴や様子を捉え，高低の差や速さの変化のある全身の動きで即興的に踊る * どこかに「大変だ！○○だ！」などの急変する場面を入れて簡単な話にして続けて踊る	* 題材の主な特徴を捉え，動きに差をつけて誇張したり，表したい感じを2人組で対応する動きや対立する動きで変化を付けたりして，メリハリ（緩急・強弱）のあるひと流れの動きで即興的に踊る	* 題材の特徴を捉えて，表したい感じやイメージを，動きに変化を付けたり繰り返したりして，メリハリ（緩急・強弱）のあるひと流れの動きにして即興的に踊る
	簡単なひとまとまりの動きで表現			* 表したい感じやイメージを「はじめ－なか－おわり」の構成や群の動きを工夫して簡単なひとまとまりの動きで表現する
	発表の様子	* 続けて踊る	* 感じを込めて踊る	* 感じを込めて通して踊る

リズム系	リズムの例	＊　弾んで踊れるようなロックやサンバなどの軽快なリズム	＊　軽快なテンポやビートの強いロックのリズム ＊　陽気で小刻みなビートのサンバのリズム	(加えて指導可)
	リズムに乗って全身で即興的に踊る	＊　へそ（体幹部）を中心に軽快なリズムの音楽に乗って即興的に踊る ＊　友達と関わって踊る	＊　ロックやサンバなどのリズムの特徴を捉えて踊る ＊　へそ（体幹部）を中心にリズムに乗って全身で即興的に踊る ＊　動きに変化をつけて踊る ＊　友達と関わり合って踊る	
	発表や交流	＊　友達と一緒に踊る	＊　踊りで交流する	
フォークダンス	踊りと特徴	(含めて指導可) ＊　軽快なリズムと易しいステップの繰り返しで構成される簡単なフォークダンス	(加えて指導可)	＊　日本の民踊：軽快なリズムの踊り，力強い踊り ＊　外国のフォークダンス：シングルサークルで踊る力強い踊り，パートナーチェンジのある軽快な踊り，特徴的な隊形と構成の踊り
	発表や交流	＊　友達と一緒に踊る		＊　踊りで交流する
		〔内容の取扱い〕 ＊　(1)のイについては，簡単なフォークダンスを含めて指導することができる。	〔内容の取扱い〕 ＊　(1)については，学校や地域の実態に応じて**フォークダンス**を加えて指導することができる。	〔内容の取扱い〕 ＊　(1)については，学校や地域の実態に応じて**リズムダンス**を加えて指導することができる。

●**CHECK!**　世界の代表的なフォークダンスの紹介文です。何という踊りか答えなさい。

1．スウェーデンの踊り。4組のカップルが**方形**をつくって踊る。前半は**王宮**でのダンスを意味し，後半は**農民**の踊りを表している。

2．イスラエルの踊り。題名は水の意味で，**水源発見**の喜びを表している。

3．題名は行商人の「小行李」の意味を表す。ウクライナやシベリアの大地を旅する行商人の粘り強さをたたえた詩に旋律をつけたものである。

4．ドイツの踊り。17世紀に兵士たちによりヨーロッパ全土に流布された**フィンガー・ダンス**の1つ。題名は「子供のポルカ」の意味。

1.　グスタフス・スコール

2.　マイム・マイム

3.　コロブチカ

4.　キンダー・ポルカ

1. 思春期
2. 心
3. 薬物乱用
4. けがの防止
5. 交通事故

G　保健

第3学年	第4学年	第5学年	第6学年
ア　健康な生活について理解すること。 (ア)　健康の状態は主体の要因や周囲の環境の要因が関わっていること。 (イ)　運動，食事，休養及び睡眠の調和のとれた生活と体の清潔。 (ウ)　明るさの調節，換気などの生活環境。	ア　体の発育・発達について理解すること。 (ア)　年齢に伴う体の変化と個人差。 (イ)　[1]の体の変化。 ○体つきの変化。 ○初経，精通など。 ○異性への関心の芽生え。 (ウ)　体をよりよく発育・発達させるための生活。	ア　心の発達及び不安や悩みへの対処について理解するとともに，簡単な対処をすること。 (ア)　[2]の発達。 (イ)　心と体との密接な関係。 ウ　不安や悩みへの対処の知識及び技能。	ア　病気の予防について理解すること。 (ア)　病気の起こり方。 (イ)　病原体が主な要因となって起こる病気の予防。 ○病原体が体に入るのを防ぐこと。 ○病原体に対する体の抵抗力を高めること。 (ウ)　生活習慣病など生活行動が主な要因となって起こる病気の予防。 ○適切な運動，栄養の偏りのない食事をとること。 ○口腔の衛生を保つこと。 (エ)　喫煙，飲酒，[3]と健康。 ○健康を損なう原因 (オ)　地域の保健に関わる様々な活動。
		ア　[4]に関する次の事項を理解するとともに，けがなどの簡単な手当をすること。 (ア)　[5]や身の回りの生活の危険が原因となって起こるけがの防止。 ○周囲の危険に気付くこと。	

		○的確な判断の下に安全に行動すること。 ○環境を安全に整えること。 (イ) けがなどの簡単な手当の知識及び技能。	

〔内容の取扱い〕 ＊ 内容の「G 保健」については，(1)を第**3**学年，(2)を第**4**学年で指導するものとする。 ＊ 内容の「G 保健」の(1)については，学校でも，健康診断や学校給食など様々な活動が行われていることについて触れるものとする。 ＊ 内容の「G 保健」の(2)については，自分と他の人では発育・発達などに違いがあることに気付き，それらを肯定的に受け止めることが大切であることについて触れるものとする。	〔内容の取扱い〕 ＊ 内容の「G 保健」については，(1)及び(2)を第**5**学年，(3)を第**6**学年で指導するものとする。また，けがや病気からの回復についても触れるものとする。 ＊ 内容の「G 保健」の(3)のアの(エ)の薬物については，**有機溶剤**の心身への影響を中心に取り扱うものとする。また，**覚醒剤**等についても触れるものとする。

2 体力・保健

1. 行動力
2. 敏捷性
3. 巧緻性
4. 抵抗力
5. 平衡性

1．体　力

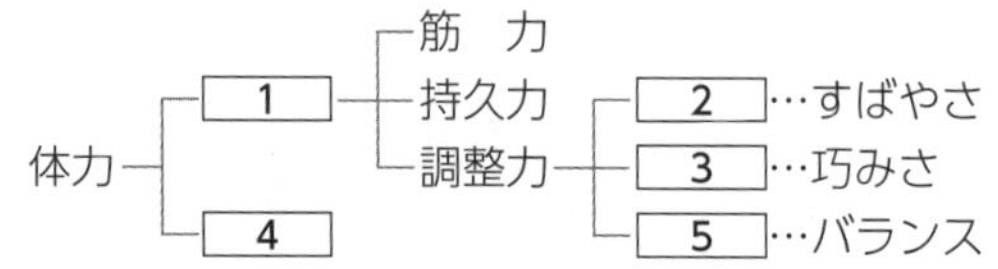

1. 上体起こし
2. 20mシャトルラン
3. 長座体前屈

2．スポーツテスト

▶**新体力テスト（6～11歳）**

［種目］50m走，ソフトボール投げ，握力，反復横とび，立ち幅とび，

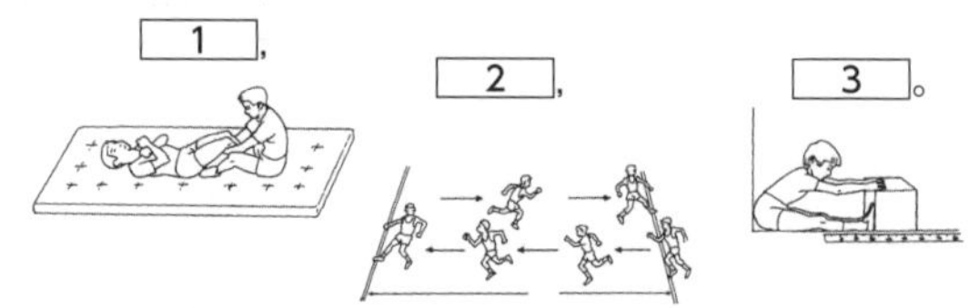

1. インターバル
2. サーキット
3. ウェイト

3．トレーニング

▶［ 1 ］トレーニング…**強い**運動と**軽い**運動を繰り返して行う。（持久力）

▶レペティショントレーニング…十分な**休憩**をとりながら強い**負荷運動**を行う。（スピード・酸素負荷能力）

▶［ 2 ］トレーニング…いろいろな**種目**の運動を繰り返して行う。**休憩**なしで少なくとも3回以上行う。（筋力，持久力）

▶［ 3 ］トレーニング…**最大筋力**の60％の負荷をかける。（筋力・筋持久力）

1. フリッカーテスト
2. ドナジオ反応

4．疲労の測定

▶点滅する光を見て**疲労度**を測定する方法を［ 1 ］という。

▶尿に出る**疲労物質**を測定する検査を［ 2 ］テストという。

5．応急処置

▶児童が水泳指導中，おぼれた場合

プールサイドに寝かせる。

(1) **反応の有無**…名前を呼んだり，肩を軽くたたいたりして**意識**の確認をする。
なし・判断に迷う
➡〈応援を呼ぶ，119番通報，AED依頼〉

(2) **呼吸の有無**…普段どおりの呼吸はあるか。

なし・判断に迷う
➡〈胸骨圧迫，技術があれば人工呼吸〉

a) 口対口人工呼吸

①あごを上に持ち上げ**気道**を確保する。
＝**気道確保**

②鼻をつまみ**息**を吹き込む。

＊約［ 1 ］秒間かけて吹き込む。

＊吹き込みは［ 2 ］回まで。

＊３分以内に**人工呼吸**を行えば，［ 3 ］%の確率で生命をとりとめる。

b) 心臓マッサージ

相手が大人の場合，［ 4 ］の手の平を重ねて**胸**を真上から，毎分約［ 5 ］回の速さで押す。（乳幼児の場合は指で押す）

▶日射病・脳貧血の処置

(1) 日射病…涼しい所で，頭を［ 6 ］し，**衣服**をゆるめ顔を横にし，頭や額を冷やす。気が付いたら冷たい水を飲ませる。

(2) 脳貧血…風通しのよい所で，頭を［ 7 ］し，**衣服**をゆるめ**意識**が回復したら温かいものを飲ませる。

1. 1
2. 2
3. 75
4. 両方
5. 100～120
6. 高く
7. 低く

〔演習問題〕　空欄に当てはまる記号を選びなさい。

◇人の一生のうち身長や体重が急激に増えるのは，［ 1 ］のころと［ 2 ］のころである。

㋐赤ちゃん　㋑小学校１年～３年
㋒小学校５年～中学生　㋓高校生から大学生

1. ㋐
2. ㋒

9 体育

3 運　動

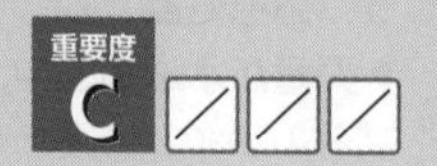

1．陸上運動

▶短距離走

⑴　走り方

○スタートには，**スタンディング**スタートと[1]スタートがある。

○コーナーは，体を**内側**に傾けて，[2]側の手を大きく振って，なるべく線の**近く**を走る。

⑵　ルール

○**フライング**した選手は**失格**となる。

○順位の決定については，ゴールラインに[3]が触れた順番が基準。記録は3個の時計で計る。

▶リレー

⑴　スタート

○第1走者のバトンの先はスタートラインの前の地面に触れてもよい。

○あらかじめ走るコースが決められている場合を[4]コースといい，走るコースが決まっていない場合を[5]コースという。

⑵　バトンパス

○一般に[6]で受け取り，直ぐに[7]に持ちかえる。

○バトンを受け渡す区域を[8]という。この範囲内で**バトンパス**を行わなければならない。

○次走者が走りはじめてよい位置を示す線は[9]。

○前走者が決められた地点（例：第3コーナー）を通過した順に，次走者がゾーンの**内側**から順番に並ぶことを[10]という。

○バトンを落とした場合，バトンが次走者の手に触れた後なら，どちらの走者が拾ってもよい。

▶障害走　（ハードルの跳び越し方）

○上体を前に傾けて，足を真っ直ぐに振り上げる。

○できるだけハードルの[11]から踏み切る。

○ハードルは[12]またぎ越すようにする。

1. クラウチング
2. 外
3. 胴体
4. セパレート
5. オープン
6. 右手
7. 左手
8. テイクオーバーゾーン
9. 助走線
10. コーナートップ
11. 遠く
12. 低く

○踏み切り足は，足の裏を**外側**に向ける。

○できるだけ[13]に着地する。

○ハードル間は[14]歩で**リズミカル**に走り抜ける。

▶**走り幅跳び**

最も大切な技能は[15]である。踏み切り地点で最も**速い**スピードが出るようにする。踏切りの３歩くらい手前からやや上体をおこして，最後の一歩は歩幅を[16]しももを高くあげ，**足の裏**全体で強く踏み切る。

◇踏み切る板を[17]という。

◇正しい測定方法は㋐～㋓のどれか。[18]

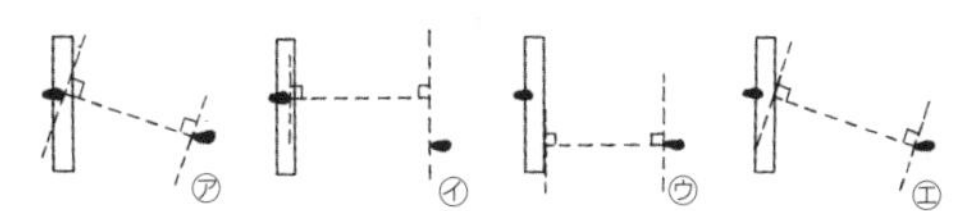

▶**走り高跳び**

(1)　跳び方には，はさみ跳び，[19]，背面跳びなどがあるが，小学校では**はさみ跳び**を行う。

(2)　走り高跳びでは，最後の１歩は，**足の裏**全体で[20]踏み切る。

2．器械運動

▶**鉄棒**

(1)　**鉄棒の握り方**

[1]　[2]　[3]

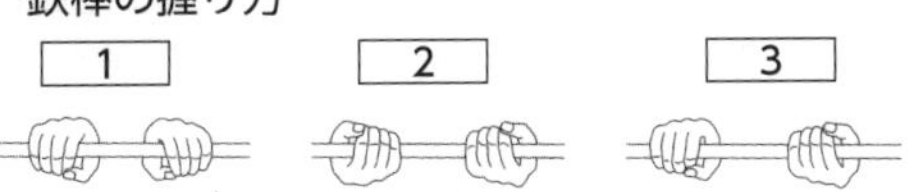

13. 近く
14. 3（または5）
15. 助走
16. 狭く
17. 踏み切り板
18. ㋒
19. ベリーロール
20. 高く

1. 順手
2. 逆手
3. 片逆手

● Reference

[上がる技]

○**逆上がり**…肩幅で**順手**で鉄棒を握り，腕を曲げて腰をすばやく鉄棒にひきつけて手首を返して上がる。

○**膝掛け上がり**…順手で鉄棒を握り，片足を鉄棒に掛け，もう一方の足の膝を伸ばして大きな円を描くように振り上げる。足を手の外側に掛ける方法もある。

[回る技]

○**後方支持回転**…腕立て懸垂の姿勢から足を後ろに振り上げて，その反動で体を後ろに倒しながら腰と膝を曲げ，下腹を鉄棒から離さないよう回る。

○**後方片膝掛け回転**…足掛けの姿勢から，足を後ろに振り上げて体を後ろに倒しながら，腕と膝を伸ばしたまま大きく後ろに回転し手首を返して起き上がる。

○**前方支持回転**…腕立て懸垂の姿勢から，胸を張って頭ができるだけ遠くを回

● Reference

るように腕を伸ばして膝を曲げ鉄棒に巻き付くように回り手首を返す。
○**前方片膝掛け回転**…逆手で鉄棒を握り，伸ばしたほうの足を軽く前に振って，その反動を利用して遠くへ円を描くように大きく回る。
[下りる技]
○**転向前下り**…片足を鉄棒に掛けた状態から，掛けた足のほうを逆手，一方を順手にもちかえて，掛けていない方の足をひきあげて，順手のほうを離して鉄棒に対して体の向きが直角になるように下りる。
○**片足踏み越し下り**…腕立て懸垂の姿勢から，片足を鉄棒にのせる。伸ばしたままの足のほうの手を，逆手にもちかえて，鉄棒を飛び越して下りる。

▶跳び箱

跳び箱運動は，助走，**踏み切り**，空中姿勢，着地から成り立っている。

(1) **跳び越し**

○**開脚跳び**…体を起こして両足をそろえ，**足の裏**全体で強く[4]踏み切り，体の位置を高くして跳ぶ。この時，跳び箱の先に**両手**をつくとともに，**両足**を大きくひらいて飛び越す。

○かかえ込み跳び…両足を揃え，遠い踏み切り位置から強く高く踏み切る。両手幅は，開脚跳びよりも広くし，両足を揃えて膝を胸に引きつけるように飛び越す。

(2) **回転**

○**台上前転**…両足で強く高く踏み切り，両手を跳び箱の[5]のほうにつき，腰を高くあげて両腕で体を支え背中を丸くし前転する。

○**頭はね跳び**…腰の位置が[6]より前に来たら，腰を伸ばし腕を突き放して回転し降りる。

4. 高く
5. 手前
6. 頭

▶マット運動

● Reference

○**屈しつ前転**…両手を肩幅につき，後頭部→背中→腰の順について回る。
○**屈しつ後転**…手の平を上にして耳の近くにつけ，腰→背中→手のひらの順に後ろに回り，マットに手がついたら，すぐに腕を伸ばす（ひじは左右に広げない)。
○**開脚前転**…膝を伸ばして前転し，足がマットにつく直前に足を開いて，両手をももの近くにつける。
○**開脚後転**…腰をおろして膝を伸ばしたまま後ろに振り上げる。足を開いて手の近くに降ろす。
○**側方倒立回転**…倒立して一直線上を横に回転する。

3．水　　泳

▶**クロール**（最もスピードが出る泳ぎ方）

(1)　腕の動き…できるだけ遠くに[1]から入水する。体の**中心線**にそってももの近くまでかき，手首を少し曲げる。[2]からぬくようにする。水中では[3]字を書くように動かす。

(2)　足の動き…ひざ，足首の力を抜いて，**足全体**で水を下に押すようにする。ももから動かすようにする。クロールの足の使い方は[4]といい，足首までしっかり伸ばす。

(3)　呼吸…水中で息を**はき出し**，腕をぬく瞬間に顔を[5]に向けて吸う。

(4)　コンビ…両腕を１回かく間に足を[6]回打つようにする。

▶**平泳ぎ**（長い距離を泳ぐのによい泳ぎ方）

(1)　腕の動き…両手のひらを**外側**に向け，開きながら水をかき，**胸**の前で腕をまとめて前に戻す。両手を前に突き出した時には，手のひらは[7]を向くようにする。

(2)　足の動き…足先を[8]に向け，足首を[9]**足の裏全体**で水を蹴る。

▶**スタート**

(1)　あまり高く飛び上がらないで，できるだけ**遠く**に飛ぶようにする。

(2)　両腕で[10]をはさむように**頭**の先に手を伸ばし，**指先**から水に飛び込む。

(3)　水に入ったら，手先を反らせる。

▶**ルール**

(1)　スタートには１回制と２回制があり，[11]ごとに事前に決められる。１回制の場合は，**フォルススタート**（不正出発）した**競技者**は失格となる。２回制の場合は，１回目のフォルススタートはやり直す。２回目に**フォルススタート**が繰り返された場合は，１回目と同じ**競技者**であるか否かにかかわらず，２回目に違反した**競技者**のみが失格。

(2)　ターンは，平泳ぎ・バタフライは[12]手，クロール・背泳ぎは[13]手で行う。

1. 指先
2. ひじ
3. S
4. ばた足
5. 横
6. 6
7. 下
8. 外側
9. 曲げて
10. 耳
11. 競技会
12. 両
13. 片

14. バタフライ
15. 背泳ぎ
16. 平泳ぎ
17. 自由形（クロール）
18. 23
19. 0.4
20. 1.0
21. バディ

⑶　個人メドレーは［14］⇒［15］⇒［16］⇒［17］の順で泳ぐ。

▶**水泳の指導**

⑴　プールの水温は［18］℃以上が望ましい。

⑵　プールの残留塩素は［19］〜［20］mg/lが適当である。

⑶　水泳を安全に指導するため，２人１組のグループをつくり指導する方法を［21］システムという。

4．ボール運動

1. ネイスミス
2. 5
3. ジャンプボール
4. フィールドゴール
5. フリースロー
6. ショルダーパス
7. ピボット
8. マンツーマン
9. ゾーン
10. 3
11. ダブルドリブル

▶**バスケットボール**…カナダ人の［1］がアメリカで考案。

⑴　競技の方法

○１チーム［2］人，各10分間のクォーター制。

○［3］で始まる。ボールが上がっている途中でさわってはいけない。

○得点には，２点の［4］と，１点の［5］と３点のスリーポイントシュートがある。

⑵　個人のプレー

○チェストパス…相手の胸をねらい床と平行にパス。

○バウンズパス…コートにバウンドさせてパス。

○［6］…肩の上から押し出すように投げる。

○［7］…片足を軸に回転しボールを取られないようにする。

⑶　ディフェンス

○［8］ディフェンス…マークする相手を決め防御。

○［9］ディフェンス…守る位置を決め防御。

【主な反則】

○**バイオレーション**（反則した地点に近いサイドラインからスローイン）

①トラベリング…ボールを持ち［10］歩以上歩く。

②［11］…両手でドリブルしたり，ドリブルを止めて，またドリブルをする。

③３秒ルール…ボールを保持しているチームが，相手チームの制限区域内に３秒以上いる。

○**パーソナルファウル**（シュート動作中の場合，シュート成功なら得点を認め，フリースロー１個，

不成功の場合は2個，3ポイントエリアの場合は3個与えられる。その他の場合はスローイン）

①[12]…相手の体を押す。

②[13]…相手の体をつかまえる。

③チャージング…相手につきあたる。

④イリーガルユースオブハンズ…相手を[14]。

○[15]ファウル…スポーツマンらしくない行為。

○**アンスポーツマンライク・ファウル**

○**ディスクォリファイング・ファウル**（退場）

○**ダブルファウル**（オルタネイティング・ポゼッション・ルールにより交互にスローイン）…同時にパーソナルファウルを犯した時。[16]のように，両チームの選手がボールの取り合いになった時も交互に**スローイン**となる。

○ファウルを[17]回すると**退場**させられる（バイオレーションは，反則に記録されない）。

⑷ コート

㋐[18]　㋒[20]

㋑[19]　㋓[21]

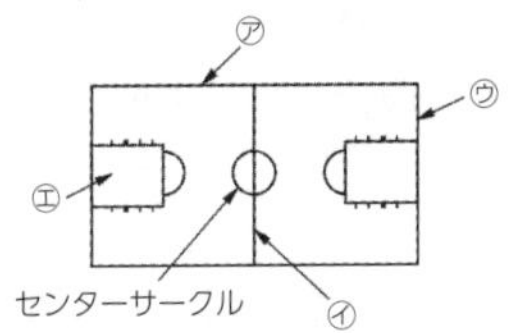

▶**サッカー**

⑴ 競技の方法

①1チーム[22]人で行う。

②ゲームは[23]で始まる。

③得点は，ボールが**ゴールライン**を完全に通過した時，1点入る。

⑵ コート

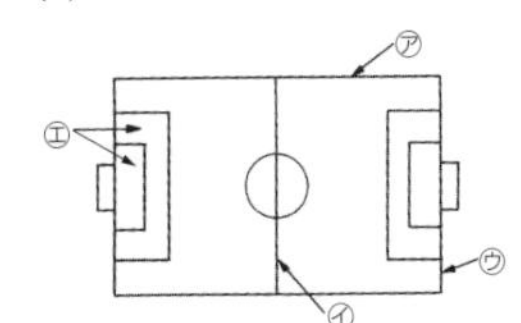

㋐[24]

㋑[25]

㋒[26]

㋓[27]

⑶ 個人のプレー

○**インステップキック**…足の[28]を使う。シュートや遠くに飛ばすのに使う。

○[29]キック…足のくるぶしのすぐ下で，近くに蹴

12. プッシング
13. ホールディング
14. たたく
15. テクニカル
16. ヘルドボール
17. 5
18. サイドライン
19. センターライン
20. エンドライン
21. 制限区域
22. 11
23. キックオフ
24. タッチライン
25. ハーフウェイライン
26. ゴールライン
27. ペナルティエリア
28. 甲
29. インサイド

るのに使う。
○**トゥキック**…足のつま先ですくいあげるよう蹴る。
○[30]**キック**…飛んできたボールを地面に落ちる前に蹴る。
○**ヘッディング**…空中にあるボールをあごを引き，額にあてて飛ばす。
○[31]…足，胸などで飛んできたボールを止める。
(4) ルール
○**コーナーキック**…ゴールラインから守備側がボールを出した時，ボールが出た地点から近い方のコーナーエリアから攻撃側のチームが蹴る。
○**ゴールキック**…ゴールラインから攻撃側がボールを出した時，守備側が直接ペナルティエリア外に蹴る。
○**スローイン**…[32]ラインからボールが出た時，相手側の選手が，両足をつけ，両手で頭の上を通して投げ入れる。
【主な反則】
○**直接フリーキック**（直接シュート可）
①[33]…ボールを手で扱うこと。
②キッキング…相手を蹴ること。
③**トリッピング**…相手を[34]こと。
④[35]…乱暴または危険なプレー。
○**間接フリーキック**（直接シュート不可）
①[36]…ボールをプレーせずに故意に相手を妨害すること。
②6秒ルール…ゴールキーパーがペナルティエリア内でボールを手や腕で6秒以上保持すること。

30. ボレー
31. トラッピング
32. タッチ
33. ハンドリング
34. つまずかせる
35. チャージング
36. インピード

※ボール運動領域のルールは一般化されたスポーツの公式ルールが基にされるが，全ての児童がゲームを楽しむには難しいと考えられるため，学習指導要領に示された，それぞれの型ごとの指導内容が楽しく学習できるよう，ルールや様式の工夫が必要である。

10 外国語科・外国語活動

1 学習指導要領

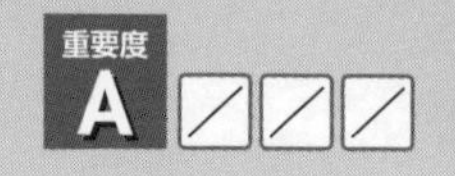

1. 目　標

	外国語活動	外国語科
	外国語によるコミュニケーションにおける見方・考え方を働かせ，外国語による**聞くこと，話すこと**の言語活動を通して，コミュニケーションを図る［ 1 ］となる資質・能力を次のとおり育成することを目指す。	外国語によるコミュニケーションにおける見方・考え方を働かせ，外国語による**聞くこと，読むこと，話すこと，書くこと**の言語活動を通して，コミュニケーションを図る［ 2 ］となる資質・能力を次のとおり育成することを目指す。
知識及び技能	(1) 外国語を通して，言語や文化について［ 3 ］に理解を深め，日本語と外国語との音声の違い等に気付くとともに，外国語の音声や基本的な表現に［ 4 ］ようにする。	(1) 外国語の音声や文字，［ 5 ］，［ 6 ］，［ 7 ］，［ 8 ］などについて，日本語と外国語との違いに気付き，これらの知識を理解するとともに，**読むこと，書くこと**に慣れ親しみ，**聞くこと，読むこと，話すこと，書くこと**による実際のコミュニケーションにおいて活用できる［ 9 ］を身に付けるようにする。
思考力、判断力、表現力等	(2) 身近で簡単な事柄について，外国語で聞いたり話したりして自分の**考えや気持ち**などを伝え合う力の［ 10 ］を養う。	(2) コミュニケーションを行う目的や場面，状況などに応じて，身近で簡単な事柄について，聞いたり話したりするとともに，音声で十分に慣れ親しんだ外国語の**語彙**や基本的な表現を［ 11 ］しながら読んだり，［ 12 ］を意識しながら書いたりして，自分の**考えや気持ち**などを伝え合うことができる［ 13 ］を養う。
学びに向かう力、人間性等	(3) 外国語を通して，［ 14 ］やその**背景**にある**文化**に対する理解を深め，［ 15 ］に配慮しながら，主体的に外国語を用いてコミュニケーションを図ろうとする態度を養う。	(3) 外国語の**背景**にある**文化**に対する理解を深め，［ 16 ］に配慮しながら，主体的に外国語を用いてコミュニケーションを図ろうとする態度を養う。

1. 素地
2. 基礎
3. 体験的
4. 慣れ親しむ
5. 語彙
6. 表現
7. 文構造
8. 言語の働き
9. 基礎的な技能
10. 素地
11. 推測
12. 語順
13. 基礎的な力
14. 言語
15. 相手
16. 他者

2. 指導計画の作成と内容の取扱い

▶指導計画の作成に当たっての配慮事項

外国語活動	外国語科
指導計画の作成に当たっては，第５学年及び第６学年並びに中学校及び高等学校における指導との接続に留意しながら，次の事項に配慮するものとする。	指導計画の作成に当たっては，第３学年及び第４学年並びに中学校及び高等学校における指導との接続に留意しながら，次の事項に配慮するものとする。
ア　単元など内容や時間のまとまりを見通して，その中で育む資質・能力の育成に向けて，児童の主体的・対話的で深い学びの実現を図るようにすること。	
その際，具体的な課題等を設定し，児童が外国語によるコミュニケーションにおける見方・考え方を働かせながら，コミュニケーションの目的や場面，状況などを意識して活動を行い，英語の**音声**や**語彙**，**表現**などの知識を，［ 1 ］における実際のコミュニケーションにおいて活用する学習の充実を図ること。	その際，具体的な課題等を設定し，児童が外国語によるコミュニケーションにおける見方・考え方を働かせながら，コミュニケーションの目的や場面，状況などを意識して活動を行い，英語の**音声**や**語彙**，**表現**などの知識を，［ 2 ］における実際のコミュニケーションにおいて活用する学習の充実を図ること。
イ　学年ごとの目標を適切に定め，２学年間を通じて外国語活動の目標の実現を図るようにすること。	イ　学年ごとの目標を適切に定め，２学年間を通じて外国語科の目標の実現を図るようにすること。
ウ　実際に英語を用いて互いの**考え**や**気持ち**を伝え合うなどの言語活動を行う際は，２の(1)に示す［ 3 ］について理解したり練習したりするための指導を必要に応じて行うこと。	ウ　実際に英語を使用して互いの**考え**や**気持ち**を伝え合うなどの言語活動を行う際は，２の(1)に示す［ 5 ］について理解したり練習したりするための指導を必要に応じて行うこと。
また，英語を初めて学習することに配慮し，簡単な**語句**や基本的な**表現**を用いながら，友達との関わりを大切にした［ 4 ］な言語活動を行うこと。	また，第３学年及び第４学年において第４章外国語活動を履修する際に扱った簡単な**語句**や基本的な**表現**などの学習内容を［ 6 ］し定着を図ること。

1. 三つの領域
2. 五つの領域
3. 事項
4. 体験的
5. 言語材料
6. 繰り返し指導

<table>
<tr><td></td><td>エ　児童が英語に多く触れることが期待される英語学習の特質を踏まえ，必要に応じて，特定の事項を取り上げて［　7　］分から［　8　］分程度の短い時間を活用して指導を行うことにより，指導の効果を高めるよう工夫すること。
このような指導を行う場合には，当該指導のねらいやそれを関連付けて指導を行う事項との関係を明確にするとともに，単元など内容や時間のまとまりを見通して資質・能力が偏りなく育成されるよう計画的に指導すること。</td></tr>
<tr><td colspan="2">エ（外国語科では項番「オ」）　言語活動で扱う題材は，児童の興味・関心に合ったものとし，国語科や音楽科，図画工作科など，他（の）教科等で児童が学習したことを活用したり，［　9　］で扱う内容と関連付けたりするなどの工夫をすること。</td></tr>
<tr><td>オ　外国語活動を通して，外国語や外国の文化のみならず，［　10　］や我が国の文化についても併せて理解を深めるようにすること。言語活動で扱う題材についても，我が国の文化や，英語の背景にある文化に対する関心を高め，理解を深めようとする態度を養うのに役立つものとすること。</td><td></td></tr>
<tr><td colspan="2">カ　障害のある児童などについては，学習活動を行う場合に生じる困難さに応じた指導内容や指導方法の工夫を計画的，組織的に行うこと。</td></tr>
<tr><td>キ　学級担任の教師又は外国語活動を担当する教師が指導計画を作成し，授業を実施するに当たっては，ネイティブ・スピーカーや英語が堪能な地域人材などの協力を得る等，指導体制の充実を図るとともに，指導方法の工夫を行うこと。</td><td>キ　学級担任の教師又は外国語を担当する教師が指導計画を作成し，授業を実施するに当たっては，ネイティブ・スピーカーや英語が堪能な地域人材などの協力を得る等，指導体制の充実を図るとともに，指導方法の工夫を行うこと。</td></tr>
</table>

7. 10
8. 15

9. 学校行事

10. 国語

▶内容の取扱いにおける配慮事項

外国語活動	外国語科
ア　英語でのコミュニケーションを体験させる際は，児童の発達の段階を考慮した表現を用い，児童にとって**身近**なコミュニケーションの場面を設定すること。	ア　2の(1)に示す言語材料については，**平易**なものから**難しい**ものへと段階的に指導すること。また，児童の発達の段階に応じて，聞いたり読んだりすることを通して意味を理解できるように指導すべき事項と，話したり書いたりして表現できるように指導すべき事項とがあることに留意すること。
イ　文字については，児童の学習負担に配慮しつつ，**音声**によるコミュニケーションを補助するものとして取り扱うこと。	イ　音声指導に当たっては，日本語との違いに留意しながら，**発音練習**などを通して2の(1)のアに示す言語材料を指導すること。また，**音声**と**文字**とを関連付けて指導すること。
	ウ　文や文構造の指導に当たっては，次の事項に留意すること。 (ア)　児童が日本語と英語との語順等の違いや，関連のある文や文構造のまとまりを認識できるようにするために，効果的な指導ができるよう工夫すること。 (イ)　文法の用語や用法の指導に偏ることがないよう配慮して，**言語活動**と効果的に関連付けて指導すること。
ウ　**言葉によらない**コミュニケーションの手段もコミュニケーションを支えるものであることを踏まえ，ジェスチャーなどを取り上げ，その役割を理解させるようにすること。	
エ　身近で簡単な事柄について，友達に質問をしたり質問に答えたりする力を育成するため，**ペア・ワーク**，**グループ・ワーク**などの学習形態について適宜工夫すること。	

その際，相手とコミュニケーションを行うことに課題がある児童については，個々の児童の特性に応じて指導内容や指導方法を工夫すること。	その際，他者とコミュニケーションを行うことに課題がある児童については，個々の児童の特性に応じて指導内容や指導方法を工夫すること。
オ　児童が身に付けるべき資質・能力や児童の実態，教材の内容などに応じて，**視聴覚教材**や**コンピュータ**，**情報通信ネットワーク**，**教育機器**などを有効活用し，児童の興味・関心をより高め，指導の効率化や言語活動の更なる充実を図るようにすること。	
カ　各単元や各時間の指導に当たっては，コミュニケーションを行う目的，場面，状況などを明確に設定し，言語活動を通して育成すべき資質・能力を明確に示すことにより，児童が学習の見通しを立てたり，振り返ったりすることができるようにすること。	

▶指導計画の作成と内容の取扱い

外国語活動	外国語科
1　外国語活動においては，言語やその背景にある文化に対する理解が深まるよう指導するとともに，外国語による聞くこと，話すことの言語活動を行う際は，**英語**を取り扱うことを原則とすること。	1　外国語科においては，**英語**を履修させることを原則とすること。
2　第１章総則の第１の２の(2)に示す道徳教育の目標に基づき，道徳科などとの関連を考慮しながら，第３章特別の教科道徳の第２に示す内容について，外国語活動の特質に応じて適切な指導をすること。	2　第１章総則の第１の２の(2)に示す道徳教育の目標に基づき，道徳科などとの関連を考慮しながら，第３章特別の教科道徳の第２に示す内容について，外国語科の特質に応じて適切な指導をすること。

3．各言語の目標及び内容等

▶【英語】の目標

外国語活動	外国語科
英語学習の特質を踏まえ，以下に示す，［ 1 ］，［ 2 ］，［ 3 ］の三つの領域別に設定する目標の実現を目指した指導を通して，	英語学習の特質を踏まえ，以下に示す，［ 5 ］，［ 6 ］，［ 7 ］，［ 8 ］，［ 9 ］の五つの領域別に設定する目標の実現を目指した指導を通して，
第１の(1)及び(2)に示す資質・能力を［ 4 ］に育成するとともに，その過程を通して，第１の(3)に示す資質・能力を育成する。	

1. 聞くこと
2. 話すこと［やり取り］
3. 話すこと［発表］
4. 一体的
5. 聞くこと
6. 読むこと
7. 話すこと［やり取り］
8. 話すこと［発表］
9. 書くこと

▶各領域における目標

	外国語活動	外国語科
聞くこと	ア　ゆっくりはっきりと話された際に，自分のことや身の回りの物を表す［　1　］を聞き取るようにする。	ア　ゆっくりはっきりと話されれば，自分のことや身近で簡単な事柄について，簡単な語句や［　2　］を聞き取ることができるようにする。
	イ　ゆっくりはっきりと話された際に，身近で簡単な事柄に関する基本的な表現の意味が分かるようにする。	イ　ゆっくりはっきりと話されれば，日常生活に関する身近で簡単な事柄について，［　3　］を聞き取ることができるようにする。
	ウ　文字の読み方が発音されるのを聞いた際に，どの文字であるかが分かるようにする。	ウ　ゆっくりはっきりと話されれば，日常生活に関する身近で簡単な事柄について，［　4　］を捉えることができるようにする。
読むこと		ア　活字体で書かれた文字を識別し，その読み方を発音することができるようにする。
		イ　音声で十分に慣れ親しんだ簡単な語句や基本的な表現の意味が分かるようにする。
話すこと［やり取り］	ア　基本的な表現を用いて挨拶，［　5　］，簡単な指示をしたり，それらに応じたりするようにする。	ア　基本的な表現を用いて指示，依頼をしたり，それらに応じたりすることができるようにする。
	イ　自分のことや身の回りの物について，［　6　］を交えながら，自分の考えや気持ちなどを，簡単な語句や基本的な表現を用いて伝え合うようにする。	イ　日常生活に関する身近で簡単な事柄について，自分の考えや気持ちなどを，簡単な語句や基本的な表現を用いて伝え合うことができるようにする。
	ウ　サポートを受けて，自分や相手のこと及び身の回りの物に関する事柄について，簡単な語句や基本的な表現を用いて質問をしたり質問に答えたりするようにする。	ウ　自分や相手のこと及び身の回りの物に関する事柄について，簡単な語句や基本的な表現を用いてその場で質問をしたり質問に答えたりして，伝え合うことができるようにする。

1. 簡単な語句
2. 基本的な表現
3. 具体的な情報
4. 短い話の概要
5. 感謝
6. 動作

7. 実物

8. 整理

9. 語順

10. 書き写す

11. 例文

話すこと［発表］	ア　身の回りの物について，人前で［ 7 ］などを見せながら，簡単な**語句**や基本的な**表現**を用いて話すようにする。	ア　日常生活に関する身近で簡単な事柄について，簡単な**語句**や基本的な**表現**を用いて話すことができるようにする。
	イ　自分のことについて，人前で実物などを見せながら，簡単な**語句**や基本的な**表現**を用いて話すようにする。	イ　自分のことについて，伝えようとする内容を［ 8 ］した上で，簡単な**語句**や基本的な**表現**を用いて話すことができるようにする。
	ウ　日常生活に関する身近で簡単な事柄について，人前で実物などを見せながら，自分の**考え**や**気持ち**などを，簡単な**語句**や基本的な**表現**を用いて話すようにする。	ウ　身近で簡単な事柄について，伝えようとする内容を整理した上で，自分の**考え**や**気持ち**などを，簡単な**語句**や基本的な**表現**を用いて話すことができるようにする。
書くこと		ア　大文字，小文字を活字体で書くことができるようにする。また，［ 9 ］を意識しながら音声で十分に慣れ親しんだ簡単な**語句**や基本的な**表現**を［ 10 ］ことができるようにする。
		イ　自分のことや身近で簡単な事柄について，［ 11 ］を参考に，**音声**で十分に慣れ親しんだ簡単な**語句**や基本的な**表現**を用いて書くことができるようにする。

3. 外国語活動と外国語科の内容

〔知識及び技能〕

外国語活動	外国語科
英語の特徴等に関する事項	**英語の特徴やきまりに関する事項**
実際に英語を用いた言語活動を通して，次の事項を**体験**的に身に付けることができるよう指導する。	実際に英語を用いた言語活動を通して，次に示す言語材料のうち，１に示す五つの領域別の目標を達成するのにふさわしいものについて理解するとともに，言語材料と言語活動とを効果的に関連付け，実際のコミュニケーションにおいて活用できる技能を身に付けることができるよう指導する。

ア　言語を用いて主体的にコミュニケーションを図ることの楽しさや大切さを知ること。 イ　日本と外国の言語や文化について理解すること。 (ア)　英語の音声やリズムなどに慣れ親しむとともに，日本語との違いを知り，言葉の面白さや豊かさに気付くこと。 (イ)　日本と外国との生活や習慣，行事などの違いを知り，多様な考え方があることに気付くこと。 (ウ)　異なる文化をもつ人々との交流などを体験し，文化等に対する理解を深めること。	ア　音声 次に示す事項のうち基本的な語や句，文について取り扱うこと。 (ア)　現代の標準的な発音。 (イ)　語と語の連結による音の変化。 (ウ)　語や句，文における基本的な強勢。 (エ)　文における基本的なイントネーション。 (オ)　文における基本的な区切り。
	イ　文字及び［ 1 ］ (ア)　活字体の大文字，小文字。 (イ)　終止符や疑問符，コンマなどの基本的な符号 。
	ウ　語，連語及び［ 2 ］ (ア)　1に示す五つの領域別の目標を達成するために必要となる，第３学年及び第４学年において第４章外国語活動を履修する際に取り扱った語を含む［ 3 ］～［ 4 ］語程度の語 。 (イ)　連語のうち，get up, look at などの活用頻度の高い基本的なもの。 (ウ)　慣用表現のうち，［ 5 ］, I see, ［ 6 ］, thank you, you' re welcome などの活用頻度の高い基本的なもの。
	エ　文及び文構造 次に示す事項について，日本語と英語の語順の違い等に気付かせるとともに，基本的な表現として，［ 7 ］でのコミュニケーションの中で繰り返し触れることを通して活用すること。 (ア)　文 ⓐ 単文 ⓑ 肯定，否定の平叙文 ⓒ 肯定，否定の命令文 ⓓ 疑問文のうち，［ 8 ］で始まるものや助動詞（can，doなど）で始まるもの，疑問詞（who,

1. 符号
2. 慣用表現
3. 600
4. 700
5. excuse me
6. I'm sorry
7. 意味のある文脈
8. be動詞

	what, when, where, why, how）で始まるもの ⓔ 代名詞のうち，I，you，he，sheなどの基本的なものを含むもの ⓕ 動名詞や過去形のうち，活用頻度の高い基本的なものを含むもの (イ) 文構造 ⓐ［主語＋動詞］ ⓑ［主語＋動詞＋補語］のうち， 主語＋be動詞＋{名詞／代名詞／形容詞} ⓒ［主語＋動詞＋目的語］のうち， 主語＋動詞　＋{名詞／代名詞}

〔思考力，判断力，表現力等〕

<table>
<tr><th>外国語活動</th><th>外国語科</th></tr>
<tr><td colspan="2">情報を整理しながら考えなどを形成し，
英語で表現したり，伝え合ったりすることに関する事項</td></tr>
<tr><td colspan="2">具体的な課題等を設定し，コミュニケーションを行う目的や場面，状況などに応じて，</td></tr>
<tr><td>情報や考えなどを表現することを通して，次の事項を身に付けることができるよう指導する。</td><td>情報を整理しながら考えなどを形成し，これらを表現することを通して，次の事項を身に付けることができるよう指導する。</td></tr>
<tr><td>ア　自分のことや身近で簡単な事柄について，簡単な語句や基本的な表現を使って，相手に配慮しながら，伝え合うこと。</td><td>ア　身近で簡単な事柄について，伝えようとする内容を［　1　］した上で，簡単な語句や基本的な表現を用いて，自分の考えや気持ちなどを伝え合うこと。</td></tr>
<tr><td>イ　身近で簡単な事柄について，自分の考えや気持ちなどが伝わるよう，工夫して質問をしたり質問に答えたりすること。</td><td>イ　身近で簡単な事柄について，音声で十分に慣れ親しんだ簡単な語句や基本的な表現を推測しながら読んだり，［　2　］を意識しながら書いたりすること。</td></tr>
</table>

1. 整理

2. 語順

▶言語活動及び言語の働きに関する事項

①言語活動

	外国語活動	外国語科
聞くこと	(ア) 身近で簡単な事柄に関する短い話を聞いておおよその内容が分かったりする活動。	(ア) 自分のことや学校生活など，身近で簡単な事柄について，簡単な**語句**や基本的な**表現**を聞いて，それらを表す**イラスト**や**写真**などと結び付ける活動。
	(イ) 身近な人や身の回りの物に関する簡単な**語句**や基本的な**表現**を聞いて，それらを表すイラストや写真などと結び付ける活動。	(イ) [1]や時刻，値段などを表す表現など，日常生活に関する身近で簡単な事柄について，具体的な情報を聞き取る活動。
	(ウ) 文字の読み方が発音されるのを聞いて，活字体で書かれた文字と結び付ける活動。	(ウ) 友達や家族，学校生活など，身近で簡単な事柄について，簡単な**語句**や基本的な**表現**で話される短い会話や説明を，**イラスト**や**写真**などを参考にしながら聞いて，[2]を得る活動。
読むこと		(ア) 活字体で書かれた文字を見て，どの文字であるかやその文字が**大文字**であるか**小文字**であるかを識別する活動。
		(イ) 活字体で書かれた文字を見て，その読み方を適切に発音する活動。
		(ウ) 日常生活に関する身近で簡単な事柄を内容とする**掲示**や**パンフレット**などから，自分が必要とする情報を得る活動。
		(エ) 音声で十分に慣れ親しんだ簡単な**語句**や基本的な**表現**を，[3]などの中から識別する活動。
	(ア) 知り合いと簡単な挨拶を交わしたり，[4]や簡単な指示，依頼をして，それらに応じたりする活動。	(ア) 初対面の人や知り合いと挨拶を交わしたり，相手に指示や依頼をして，それらに応じたり断ったりする活動。

1. 日付

2. 必要な情報

3. 絵本

4. 感謝

5. 好み

6. 欲しい物

7. 趣味

8. 区切り

話すこと［やり取り］	(イ) 自分のことや身の回りの物について，動作を交えながら，［ 5 ］や要求などの自分の考えや気持ちなどを伝え合う活動。	(イ) 日常生活に関する身近で簡単な事柄について，自分の**考え**や**気持ち**などを伝えたり，簡単な質問をしたり質問に答えたりして伝え合う活動。
	(ウ) 自分や相手の好み及び欲しい物などについて，簡単な質問をしたり，質問に答えたりする活動。	(ウ) 自分に関する簡単な質問に対してその場で答えたり，相手に関する簡単な質問をその場でしたりして，短い会話をする活動。
話すこと［発表］	(ア) 身の回りの物の数や形状などについて，人前で実物や**イラスト**，**写真**などを見せながら話す活動。	(ア) 時刻や日時，場所など，日常生活に関する身近で簡単な事柄を話す活動。
	(イ) 自分の好き嫌いや，［ 6 ］などについて，人前で実物や**イラスト**，**写真**などを見せながら話す活動。	(イ) 簡単な**語句**や基本的な**表現**を用いて，自分の［ 7 ］や得意なことなどを含めた自己紹介をする活動。
	(ウ) 時刻や曜日，場所など，日常生活に関する身近で簡単な事柄について，人前で実物や**イラスト**，**写真**などを見せながら，自分の考えや気持ちなどを話す活動。	(ウ) 簡単な語句や基本的な表現を用いて，学校生活や地域に関することなど，身近で簡単な事柄について，自分の**考え**や**気持ち**などを話す活動。
書くこと		(ア) 文字の読み方が発音されるのを聞いて，活字体の**大文字**，**小文字**を書く活動。
		(イ) 相手に伝えるなどの目的を持って，身近で簡単な事柄について，**音声**で十分に慣れ親しんだ簡単な**語句**を書き写す活動。
		(ウ) 相手に伝えるなどの目的をもって，語と語の［ 8 ］に注意して，身近で簡単な事柄について，**音声**で十分に慣れ親しんだ基本的な**表現**を書き写す活動。
		(エ) 相手に伝えるなどの目的をもって，名前や年齢，趣味，好き嫌いなど，自分に関する簡単な事柄について，音声で十分に慣れ親しんだ簡単な語句や基本的な表現を用いた例の中から言葉を選んで書く活動。

②言葉の働き

外国語活動	外国語科
言語活動を行うに当たり，主として次に示すような言語の使用場面や言語の働きを取り上げるようにする。	
ア　言語の使用場面の例 (ア)　児童の身近な暮らしに関わる場面 ○家庭での生活 ○学校での学習や活動 ○地域の行事 ○［ 1 ］　など (イ)　特有の表現がよく使われる場面 ○挨拶 ○自己紹介 ○買物 ○食事 ○道案内　など	ア　言語の使用場面の例 (ア)　児童の身近な暮らしに関わる場面 ○家庭での生活 ○学校での学習や活動 ○地域の行事　など (イ)　特有の表現がよく使われる場面 ○挨拶 ○自己紹介 ○買物 ○食事 ○道案内 ○［ 2 ］　など
イ　言語の働きの例 (ア)　コミュニケーションを円滑にする ○挨拶をする ○相づちを打つ　など (イ)　気持ちを伝える ○礼を言う ○褒める　など (ウ)　事実・情報を伝える ○説明する ○答える　など (エ)　考えや意図を伝える ○申し出る ○意見を言う　など (オ)　相手の行動を促す ○質問する ○依頼する ○命令する　など	イ　言語の働きの例 (ア)　コミュニケーションを円滑にする ○挨拶をする ○［ 3 ］ ○相づちを打つ ○聞き直す ○繰り返す　など (イ)　気持ちを伝える ○礼を言う ○褒める ○［ 4 ］　など (ウ)　事実・情報を伝える ○説明する ○［ 5 ］ ○発表する　など (エ)　考えや意図を伝える ○申し出る ○意見を言う ○賛成する ○［ 6 ］ ○断る　など (オ)　相手の行動を促す ○質問する ○依頼する ○命令する　など

1.　子供の遊び

2.　旅行

3.　呼び掛ける

4.　謝る

5.　報告する

6.　承諾する

1. 社会
2. 鼻
3. 頬
4. あご
5. 消しゴム
6. calligraphy
7. P.E.
8. Home economics
9. arts and crafts
10. shoulder
11. knee
12. toe
13. elbow
14. eyebrow
15. brush
16. ruler
17. note book
18. triangle
19. 保育士
20. 大工
21. 消防士
22. バス停
23. 水族館
24. astronaut
25. baker
26. cartoonist
27. dentist
28. barbershop
29. department store
30. fire station
31. botanical garden
32. giraffe
33. zebra
34. hippopotamus
35. polar bear
36. deer

♠演習１ ～単語～

	日本語	英語		日本語	英語
教科	書写	6	職業	宇宙飛行士	24
	1	social studies		19	nursery school teacher
	体育	7		パン職人	25
	家庭科	8		20	carpenter
	図工	9		漫画家	26
身体	肩	10		歯医者	27
	ひざ	11		21	firerfighter
	足の指	12	建物	理髪店	28
	2	nose		22	bus stop
	ひじ	13		デパート	29
	3	cheek		消防署	30
	4	chin		23	aquarium
	まゆ毛	14		植物園	31
文房具	筆	15	動物	きりん	32
	5	eraser		しまうま	33
	定規	16		かば	34
	ノート	17		しろくま	35
	三角定規	18		しか	36

♠演習２ ～アクセント～

●**CHECK!**　下線はアクセントを示しています。正しいアクセントのものを１つ選びましょう。

① ア **um**-brel-la　イ um-**brel**-la　ウ um-brel-**la**
② ア **cu**-cum-ber　イ cu-**cum**-ber　ウ cu-cum-**ber**
③ ア **vol**-un-teer　イ vol-**un**-teer　ウ vol-un-**teer**
④ ア **de**-part-ment　イ de-**part**-ment　ウ de-part-**ment**
⑤ ア **al**-pha-bet　イ al-**pha**-bet　ウ al-pha-**bet**
⑥ ア **de**-li-cious　イ de-**li**-cious　ウ de-li-**cious**
⑦ ア **e**-ner-gy　イ e-**ner**-gy　ウ e-ner-**gy**
⑧ ア **el**-e-va-tor　イ el-**e**-va-tor　ウ el-e-**va**-tor
⑨ ア **en**-vi-ron-ment　イ en-**vi**-ron-ment　ウ en-vi-ron-**ment**

⑩　ア<u>mu</u>-se-um　イmu-<u>se</u>-um　ウmu-se-<u>um</u>

♠演習３ ～長文問題～

●**CHECK!**

①次の教室における会話文の空欄ア～エに入れるべき英文Ａ～Ｄの組み合わせとして適切なものを，下の１～４から１つ選びましょう。

Mr. Kato : Hello, everyone. We will go to a hamburger shop.

He shows some picture cards(hamburger , juice , milk , potato chips)

Mr. Kato : Yoko . What do you want ?

Yoko : I want hamburger .

Mr. Kato : OK !（　ア　）

He gives Yoko the hamburger card .

Yoko : Thank you .

Mr. Kato :（　イ　）Taro . What do you want ?

Taro : I want juice .

Mr. Kato :（　ウ　）

Taro : Unn･･･　I want potato chips .

Mr. Kato : OK !（　ア　）

Taro : Thank you .

Mr. Kato : Excuse me , James.　Will you be the hamburger shop staff ?

James : No problem . Everyone , come to my shop !

Mr. Kato : OK . Everyone .（　エ　）Let's go to the hamburger shop !

A	Are you ready !	B	Here you are .
C	Anything else ?	D	You are welcome.

1	ア—A	イ—D	ウ—B	エ—C
2	ア—B	イ—C	ウ—D	エ—A
3	ア—C	イ—B	ウ—D	エ—A
4	ア—B	イ—D	ウ—C	エ—A

①イ　②ア　③ウ
④イ　⑤ア　⑥イ
⑦ア　⑧ア　⑨イ
⑩イ

①-4

♠演習4 ～クラスルーム・イングリッシュ～

●**CHECK!** ［　　］の中に当てはまる単語を入れましょう。

＜挨拶・授業開始と終了＞

日本語	英文例
今日は何曜日ですか。 教科書を開けなさい。 立って下さい。 今日は，これで終わりです。	What [1] is it today? Open your [2] . [3] up,please. That's [4] for today.

1. day
2. textbook
3. Stand
4. all

＜ゲームや活動中の指示＞

日本語	英文例
一緒に歌いましょう。 ペアになりなさい。 テキスト～ページを開けなさい。 絵を指差しなさい。 □に数字を書きなさい。 よく聞いて言葉を繰り返し言いなさい。 英語では何と言いますか。 答えが分かる人は誰ですか。 覚えていますか。	Let's sing [5]. (Please) [6] pairs. Open your textbook [7] page～. Point [8] the picture. Write the numbers [9] the squares. Listen [10] and repeat the word. [11] do you say～in English. Who [12] the answer? [13] you remember?

5. together
6. Make
7. to
8. at
9. in
10. carefully
11. How
12. knows
13. Do

○英語で表現！

(1) 挨拶

日本語	英文例
みなさん，こんにちは。 英語の時間です。 みんないますか。 今日はこれで終わります。 今日の授業は楽しかったですか。	Hello,everyone. It's time for English **class**. Is **everybody** here? That's all for today./We're finished. Did you **enjoy** today's class?

(2) 授業の開始

日本語	英文例
立ちなさい。 席に戻りなさい。 準備はいいですか。 始めましょう。	**Stand up.** **Go back** to your seat. **Are you ready**? **Let's begin.**/Shall we begin?

(3) ほめる

日本語	英文例
正解です。	That's **right**!
素晴らしい。いいね。	Wonderful!/Excellent!/Marvelous! Fantastic!/Super!/Perfect!
がんばりましたね。	You did a good **job**!
おめでとう。	Congratulations!
彼に拍手しましょう。	Let's give him a **big hand**.

(4) 励ます

日本語	英文例
あきらめないで。	Don't give up.
心配しないで。	Don't worry.
間違えても大丈夫ですよ。	It's OK to make **mistakes**.
よくがんばったね。	Nice try!/Good try!
君ならできるよ。	You can do it.

(5) 活動の開始

日本語	英文例
歌を歌いましょう。	Let's sing a song.
はさみが必要です。	**You** need scissors.
机を寄せなさい。	Put your desks **together**.
机を後ろに下げなさい。	Move your desks to the **back**.

(6) ゲームや活動

日本語	英文例
並びなさい。	**Line** up.
ペアになりなさい。	Make pairs./Get **into** pairs.
相手を代えなさい。	Change **partners**.
前に来なさい。	Come to the **front**.
やりたい人はいますか。	Any **volunteers**?
あなたの番です。	It's your **turn**./You're **next**.
答えが分かった人はいますか。	**Who** knows the answer?
質問はありますか。	Do you have **any** questions?

(7) 基本表現

日本語	英文例
テキストの４ページを開きなさい。	Open your textbook to **page four**.
ページをめくりなさい。	**Turn** the page.
絵を指差しなさい。	**Point at** the picture.

ワークシートに名前を書きなさい。	Write your name on the worksheet.
ていねいに描きなさい。	Draw it **neatly**.
もう一度いってください。	Pardon me?/Could you say that again?
私の後について繰り返しなさい。	**Repeat** after me.
見せなさい。	**Show** it to me.
あと１分です。	One minute left.
もう１分延長します。	I'll give you one more minute.
グループで話し合いなさい。	**Talk** in your group./**Discuss** it in groups.

(8)ALT（Assistant Language Teacher：外国語指導助手）との会話

日本語	英文例
スキットをやって見せましょう。	Let's **demonstrate** the skit for everyone.
もう少しゆっくり言いなさい。	A **little** more slowly.
まわって児童を手伝いなさい。	Walk **around** and help the students.
５年１組の授業は４時間目です。	Gread five,class one will be in the fourth **period**.
どう発音するのですか。	How do you **pronounce** it?
サイモン・セズ・ゲームをしていただけませんか。	**Could** you play Simon Says?

11

特別の教科 道徳

1 学習指導要領

1．目　　標

> 第1章総則の第1の2の(2)に示す道徳教育の目標に基づき，よりよく生きるための基盤となる［ 1 ］を養うため，［ 2 ］についての理解を基に，自己を見つめ，物事を**多面的・多角的**に考え，自己の**生き方**についての考えを深める学習を通して，［ 3 ］，［ 4 ］，［ 5 ］と態度を育てる。

1. 道徳性
2. 道徳的諸価値
3. 道徳的な判断力
4. 心情
5. 実践意欲

（第1章 総則の第1の2の(2)）

道徳教育や体験活動，多様な表現や鑑賞の活動等を通して，豊かな心や**創造性**の涵養を目指した教育の充実に努めること。

学校における道徳教育は，特別の教科である道徳（以下「道徳科」という。）を**要**として学校の教育活動**全体**を通じて行うものであり，道徳科はもとより，各教科，外国語活動，総合的な学習の時間及び特別活動のそれぞれの特質に応じて，児童の発達の段階を考慮して，適切な指導を行うこと。

道徳教育は，教育基本法及び学校教育法に定められた教育の**根本精神**に基づき，自己の**生き方**を考え，主体的な判断の下に行動し，**自立**した人間として**他者**と共によりよく生きるための基盤となる［ 1 ］を養うことを目標とすること。

道徳教育を進めるに当たっては，［ 2 ］の精神と生命に対する**畏敬の念**を家庭，学校，その他社会における具体的な生活の中に生かし，豊かな心をもち，**伝統**と**文化**を尊重し，それらを育んできた我が国と**郷土**を愛し，個性豊かな文化の創造を図るとともに，平和で**民主的**な国家及び社会の形成者として，［ 3 ］を尊び，社会及び国家の発展に努め，他国を尊重し，**国際社会**の平和と発展や環境の保全に貢献し未来を拓く**主体性**のある日本人の育成に資することとなるよう特に留意すること。

1. 道徳性
2. 人間尊重
3. 公共の精神

2．指導計画の作成と内容の取扱い

▶指導計画に当たっての配慮事項

> 各学校においては，道徳教育の[1]に基づき，**各教科**，外国語活動，総合的な学習の時間及び特別活動との関連を考慮しながら，道徳科の**年間指導計画**を作成するものとする。なお，作成に当たっては，各学年段階の内容項目について，相当する各学年において**全て**取り上げることとする。その際，児童や学校の**実態**に応じ，２学年間を見通した重点的な指導や内容項目間の関連を密にした指導，一つの内容項目を**複数**の時間で扱う指導を取り入れるなどの工夫を行うものとする。

○年間指導計画の意義

ア　６学年間を見通した計画的，発展的な指導を可能にする。

イ　個々の学級において道徳科の[2]を立案するよりどころとなる。

ウ　学級**相互**，学年**相互**の教師間の**研修**などの手掛かりとなる。

○年間指導計画作成上の創意工夫と留意点

①　主題の設定と配列を工夫する。

②　計画的，発展的な指導ができるように工夫する。

③　[3]ができるように工夫する。

④　**各教科**等，**体験活動**等との関連的指導を工夫する。

⑤　**複数**時間の関連を図った指導を取り入れる。

⑥　特に必要な場合には他学年段階の内容を加える。

⑦　計画の弾力的な取扱いについて配慮する。

⑧　年間指導計画の評価と改善を計画的に行うようにする。

1.　全体計画

2.　学習指導案

3.　重点的指導

4. 道徳教育推進教師

5. 発展的

6. 実態

7. 十分でない

8. 目標

▶内容の指導に当たっての配慮事項

(1) 校長や教頭などの参加，他の教師との**協力**的な指導などについて工夫し，[4]を中心とした指導体制を充実すること。

○道徳科は，主として学級の児童を周到に理解している**学級担任**が計画的に進めるものである。
○指導に際して**全教師**が協力し合う指導体制を充実することが大切である。

(2) 道徳科が学校の**教育活動全体**を通じて行う道徳教育の要としての役割を果たすことができるよう，計画的・[5]な指導を行うこと。特に，**各教科**，外国語活動，総合的な学習の時間及び**特別活動**における道徳教育としては取り扱う機会が**十分でない**内容項目に関わる指導を補うことや，児童や学校の[6]等を踏まえて指導をより一層深めること，内容項目の相互の関連を捉え直したり発展させたりすることに留意すること。

○道徳科は，各教科等で行う道徳教育としては取り扱う機会が[7]内容項目に関わる指導を補う補充や，児童や学校の**実態**等を踏まえて指導をより一層深める深化，内容項目の相互の関連を捉え直したり発展させたりする**統合**の役割を担っている。

(3) 児童が自ら**道徳性**を養う中で，自らを振り返って**成長**を実感したり，これからの課題や[8]を見付けたりすることができるよう工夫すること。その際，**道徳性**を養うことの意義について，児童自らが考え，理解し，**主体**的に学習に取り組むことができるようにすること。

(4) 児童が多様な**感じ方**や**考え方**に接する中で，考えを深め，判断し，**表現**する力などを育むことができるよう，自分の考えを基に話し合ったり書いたりするなどの**言語活動**を充実すること。

○言語活動の指導方法の工夫

ア　児童が[9]をもち，意欲的に考え，主体的に話し合うことができるよう，ねらい，児童の実態，教材や学習指導過程などに応じて，**発問**，**話合い**，[10]，表現活動などを工夫する。

イ　教材や体験などから感じたこと，考えたことをまとめ，発表し合ったり，**話合い**などにより**異なる考え**に接し，多面的・多角的に考え，協同的に議論したりするなどの工夫をする。

ウ　[11]に関わる様々な課題について**議論**を行い**自分**との関わりで考察できるような工夫をする。

9. 問題意識

10. 書く活動

11. 道徳的諸価値

(5)　児童の発達の段階や特性等を考慮し，指導のねらいに即して，**問題解決**的な学習，道徳的行為に関する[12]等を適切に取り入れるなど，指導方法を工夫すること。その際，それらの活動を通じて学んだ内容の**意義**などについて考えることができるようにすること。また，特別活動等における多様な**実践活動**や**体験活動**も道徳科の授業に生かすようにすること。

12. 体験的な学習

○問題解決的な学習　→道徳科における問題とは**道徳的価値**に根差した問題であり，単なる日常生活の諸事象とは異なる。

○体験的な学習　→**体験的行為**や活動を通じて学んだ内容から**道徳的価値**の意義などについて考えを深めるようにすることが重要である。

(6)　児童の発達の段階や特性等を考慮し，第２に示す内容との関連を踏まえつつ，[13]に関する指導を充実すること。また，児童の発達の段階や特性等を考慮し，例えば，**社会**の**持続可能**な発展などの現代的な課題の取扱いにも留意し，身近な**社会的課題**を[14]との関係において考え，それら

13. 情報モラル

14. 自分

の**解決**に寄与しようとする意欲や態度を育てるよう努めること。なお，**多様**な見方や考え方のできる事柄について，特定の見方や考え方に偏った指導を行うことのないようにすること。

○情報モラル　→**情報社会**で適正な活動を行うための基になる考え方と態度（情報社会の倫理，法の理解と遵守といった内容を中心に取り扱う）。

○現代的な課題の取扱い

15. 一面的な理解

* **多様**な見方や考え方があり，［ 15 ］では解決できないことに気付かせる。
* **多様**な価値観の人々と**協働**して問題を解決していこうとする意欲を育む。
* 安易に結論を出させたり，**特定**の見方や考え方に偏って指導を行ったりすることのないよう留意する。
* 自分と**異なる**考えや立場についても理解を深められるよう配慮する。

16. 地域教材

⑺　道徳科の授業を**公開**したり，授業の実施や［ 16 ］の開発や活用などに**家庭**や**地域**の人々，各分野の専門家等の積極的な参加や協力を得たりするなど，**家庭**や**地域社会**との共通理解を深め，相互の連携を図ること。

▶教材についての配慮事項

17. 地域の実情

⑴　児童の発達の段階や特性，［ 17 ］等を考慮し，多様な教材の活用に努めること。特に，**生命の尊厳**，自然，伝統と文化，先人の伝記，スポーツ，**情報化への対応**等の現代的な課題などを題材とし，児童が**問題意識**をもって**多面**的・**多角**的に考えたり，感動を覚えたりするような充実した教材の開発や活用を行うこと。

○主たる教材として教科用図書を使用しなければなら

ない。
＊　各地域に根ざした**地域教材**など，多様な教材を併せて活用することが重要である。
＊　多様なメディアや書籍，**身近**な出来事等に強い関心をもち，［18］をもち，教材を広く求める姿勢が大切である。

18. 柔軟な発想

> ⑵　教材については，**教育基本法**や**学校教育法**その他の法令に従い，次の観点に照らし適切と判断されるものであること。
> ア　児童の発達の段階に即し，ねらいを達成するのにふさわしいものであること。
> イ　**人間尊重**の精神にかなうものであって，悩みや葛藤等の［19］，**人間関係**の理解等の課題も含め，児童が［20］ができ，人間としてよりよく生きる喜びや勇気を与えられるものであること。
> ウ　**多様**な見方や考え方のできる事柄を取り扱う場合には，［21］や考え方に偏った取扱いがなされていないものであること。

19. 心の揺れ
20. 深く考えること
21. 特定の見方

○教材は，教育基本法や学校教育法その他の法令はもとより，学習指導要領に準拠したものが求められる。

▶評価について

> 児童の学習状況や道徳性に係る**成長**の様子を**継続**的に把握し，指導に生かすよう努める必要がある。ただし，**数値**などによる評価は行わないものとする。

●**CHECK!** 次の文章は，「特別の教科 道徳」の評価の在り方に関する記述である。正しいものには○，誤っているものには×を付けなさい。

1．道徳性の諸様相について，学習状況を分析的に捉える観点別評価を通じて見取ろうとすることが必要である。

2．個々の内容項目ごとに評価し，児童がいかに成長したかを積極的に受け止めて個人内評価として記述式で行うことが求められる。

3．道徳科の評価は，選抜に当たり客観性・公平性が求められる入学者選抜とはなじまないものであり，入学者選抜の合否判定に活用することのないようにする。

4．道徳科の評価では，学級担任が，評価は個々の教師が個人として責任をもち，意図的・計画的に行われることが重要である。

5．他の児童との比較による評価ではなく，児童がいかに成長したかを積極的に受け止めて認め，励ます個人内評価として記述式で行う。

6．道徳科の学習活動に着目し，年間や学期といった一定の時間的なまとまりの中で，児童の学習状況や道徳性に係る成長の様子を把握する必要がある。

1. ×

2. ×

3. ○

4. ×

5. ○

6. ○

12
総合的な
学習の時間

1 学習指導要領

1. 横断的
2. 総合的
3. 自己の生き方
4. 概念
5. 問い
6. 整理
7. 分析
8. 参画

1．目　標

（第1　目標）

探究的な見方・考え方を働かせ，［ 1 ］・［ 2 ］な学習を行うことを通して，よりよく**課題**を**解決**し，［ 3 ］を考えていくための資質・能力を次のとおり育成することを目指す。

(1)　探究的な学習の過程において，**課題**の**解決**に必要な知識及び技能を身に付け，**課題**に関わる［ 4 ］を形成し，探究的な学習のよさを理解するようにする。

(2)　**実社会**や**実生活**の中から［ 5 ］を見いだし，自分で**課題**を立て，情報を集め，［ 6 ］・［ 7 ］して，まとめ・表現することができるようにする。

(3)　探究的な学習に**主体**的・**協働**的に取り組むとともに，互いのよさを生かしながら，積極的に**社会**に［ 8 ］しようとする態度を養う。

2．各学校において定める目標及び内容

各学校においては，第1の目標（上掲）を踏まえ，各学校の総合的な学習の時間の目標を定める。

(1)　各学校において定める目標については，各学校における**教育目標**を踏まえ，総合的な学習の時間を通して育成を目指す資質・能力を示すこと。

○各学校の教育目標を設定するに当たっては，第5章総合的な学習の時間の第2の1に基づき定められる目標との関連を図るものとする。

(2)　各学校において定める目標及び内容については，**他教科**等の目標及び内容との違いに留意しつつ，**他教科**等で育成を目指す資質・能力との関連

を重視すること。

○総合的な学習の時間の目標及び内容を設定する際には，**他教科**等の資質・能力との関連を重視することが大切である。

(3) 各学校において定める目標及び内容については，[1]や**社会**との関わりを重視すること。

○日常生活や社会との関わりを重視する意味
① [2]や**実生活**において生きて働く資質・能力の育成が期待されていること。
② 児童が**主体**的に取り組む学習が求められていること。
③ 児童にとっての学ぶ**意義**や**目的**を明確にすることが重視されていること。

(4) 各学校において定める内容については，目標を実現するにふさわしい**探究課題**，**探究課題**の[3]を通して育成を目指す具体的な**資質**・**能力**を示すこと。

○探究課題　→探究的に関わりを深める人・もの・ことを示したもの。
○探究課題の解決を通して育成を目指す具体的な資質・能力　→各学校において定める**目標**に記された資質・能力を，各探究課題に即して具体的に示したもの。

(5) 目標を実現するにふさわしい探究課題については，学校の実態に応じて，例えば，国際理解，情報，環境，福祉・健康などの[4]な諸課題に対応する**横断**的・**総合**的な課題，**地域**の人々の暮らし，**伝統**と**文化**など地域や学校の特色に応じた課題，児童の**興味**・**関心**に基づく課題などを踏まえて設定すること。

1. 日常生活

2. 実社会

3. 解決

4. 現代的

○目標を実現するにふさわしい探究課題　→**目標**の実現に向けて学校として設定した，児童が探究的な学習に取り組む課題。

＊　国際理解，情報，環境，福祉・健康などの**現代**的な諸課題に対応する**横断**的・**総合**的な課題

…社会の変化に伴って切実に意識されるようになってきた現代社会の諸課題。

＊　**地域**の人々の暮らし，**伝統**と**文化**など地域や学校の特色に応じた課題

…町づくり，伝統文化，**地域経済**，**防災**など，各地域や各学校に固有な諸課題。

＊　児童の興味・関心に基づく課題

…児童がそれぞれの発達段階に応じて**興味・関心**を抱きやすい課題。

> ⑹　探究課題の解決を通して育成を目指す具体的な資質・能力については，次の事項に配慮すること。
>
> ア　知識及び技能については，他教科等及び総合的な学習の時間で習得する知識及び技能が**相互**に関連付けられ，**社会**の中で生きて働くものとして形成されるようにすること。
>
> イ　思考力，判断力，表現力等については，**課題**の設定，**情報**の収集，整理・分析，まとめ・表現などの［ 5 ］な学習の過程において発揮され，［ 6 ］の状況において**活用**できるものとして身に付けられるようにすること。
>
> ウ　［ 7 ］に向かう力，**人間性**等については，**自分自身**に関すること及び［ 8 ］や**社会**との関わりに関することの両方の視点を踏まえること。

5. 探究的
6. 未知
7. 学び
8. 他者

○「知識及び技能」　→複数の事実に関する知識や手順に関する技能が**相互**に関連付けられ，**統合**されることによって概念として形成されるようにする。

○「思考力，判断力，表現力等」　→「知識及び技能」を**未知**の状況において**活用**できるものとして身に付けるようにする。

○「学びに向かう力，人間性等」 →**自分自身**に関すること及び**他者**や**社会**との関わりに関することの両方の視点を含むようにする。

> ⑺ 目標を実現するにふさわしい探究課題及び探究課題の**解決**を通して**育成**を目指す具体的な資質・能力については，**教科**等を越えた全ての学習の[9]となる資質・能力が育まれ，活用されるものとなるよう配慮すること。

9. 基盤

○教科等を越えた全ての学習の基盤となる資質・能力
→それぞれの学習活動との関連において，言語活動を通じて育成される**言語能力**（読解力や語彙力等を含む），言語活動やICTを活用した学習活動等を通じて育成される**情報活用能力**，問題解決的な学習を通じて育成される**問題発見・解決能力**など。

3．指導計画の作成と内容の取扱い

▶指導計画の作成に当たっての配慮事項

> ⑴ 年間や，単元など内容や時間のまとまりを見通して，その中で育む資質・能力の育成に向けて，児童の**主体**的・[1]で深い**学び**の実現を図るようにすること。その際，児童や学校，地域の実態等に応じて，児童が**探究**的な見方・考え方を働かせ，教科等の枠を超えた**横断**的・**総合**的な学習や児童の**興味**・**関心**等に基づく学習を行うなど[2]を生かした**教育活動**の充実を図ること。

1. 対話的

2. 創意工夫

○児童の実態 →児童の**実際**の姿（知的な側面，情意的な側面，身体的な側面など）と，これまでの経験
○学校の実態 →学校の**規模**（児童数や学級数など），職員数や職員構成，**校内環境**や学校の**風土**や**伝統**など
○地域の実態 →**自然環境**（学校が設置されている地域の山や川など），**社会環境**（町やそこにある機関，歴史や文化など），**人的環境**（そこに住む人やその

営み，思いや願いなど)

> ⑵　**全体計画**及び**年間指導計画**の作成に当たっては，学校における［　3　］との関連の下に，目標及び内容，学習活動，指導方法や指導体制，学習の評価の計画などを示すこと。

○全体計画　→学校として，第３学年から第６学年までを見通して，この時間の教育活動の基本的な在り方を**概括**的・**構造**的に示すもの。
○年間指導計画　→**全体計画**を踏まえ，その実現のために，どのような学習活動を，どのような時期に，どのくらいの時数で実施するのかなどを示すもの。

> ⑶　他教科等及び総合的な学習の時間で身に付けた資質・能力を相互に関連付け，学習や生活において生かし，それらが総合的に働くようにすること。 その際，**言語能力**，［　4　］など全ての学習の基盤となる資質・能力を重視すること。

○言語能力　→「創造的思考とそれを支える論理的思考」，「感性・情緒」，「他者とのコミュニケーション」の三つの側面の力を働かせて，**情報**を理解したり**文章**や**発話**により表現したりする資質・能力。
○情報活用能力　→**情報**及び**情報技術**を適切かつ効果的に活用して，**問題**を**発見**・**解決**したり自分の考えを形成したりしていくために必要な資質・能力。

> ⑷　他教科等の目標及び内容との違いに留意しつつ，第１の目標並びに第２の各学校において定める目標及び内容を踏まえた適切な学習活動を行うこと。

○総合的な学習の時間において探究的な学習が行われる中で**体験活動**を実施した結果，学校行事として同様の成果が期待できる場合にのみ，特別活動の学校行事を実施したと判断してもよい。

3.　全教育活動

4.　情報活用能力

例）　総合的な学習の時間に行われる自然体験活動…遠足・集団宿泊的行事，ボランティア活動…勤労生産・奉仕的行事

> ⑸　各学校における総合的な学習の時間の名称については，各学校において適切に定めること。

> ⑹　障害のある児童などについては，学習活動を行う場合に生じる困難さに応じた指導内容や指導方法の工夫を**計画**的，**組織**的に行うこと。

> ⑺　第１章総則の第１の２の(2)に示す**道徳教育**の目標に基づき，**道徳科**などとの関連を考慮しながら，第３章特別の教科道徳の第２に示す内容について，総合的な学習の時間の特質に応じて適切な指導をすること。

●CHECK!　次の文章は，総合的な学習の時間に関する記述である。正しいものには○，誤っているものには×を付けなさい。

1．年度途中においても，学習活動の展開が必ずしも計画通りに進まない場合には，当初の計画を固定的なものとしてとらえるのではなく，必要に応じて適宜見直していくことも必要である。

2．各学校が総合的な学習の時間の目標を設定するに当たっては，各学校における教育目標を踏まえて設定することが必要である。

3．各教科等との関連を図るために，総合的な学習の時間に補充学習のような特定教科の知識技能習得を図る学習活動，運動会準備等と関連させた学習活動を行ったりすることが必要である。

4．探究課題は，従来「学習対象」と説明してきたものに相当するが，課題を探究することを通して学ぶという学習過程も重要であることを含めて明確にす

1. ○

2. ○

3. ×

4. ○

5. ×

5. 協働

6. 分類

るために，平成29年の改訂では「探究課題」として示した。

5．総合的な学習の時間の授業時数は，第3学年及び第4学年は年間105時間，第5学年及び第6学年は，年間70時間を標準授業時数とする。

▶内容の取扱いについての配慮事項

⑴　各学校において定める**目標**及び内容に基づき，児童の学習状況に応じて教師が適切な指導を行うこと。

⑵　探究的な学習の過程においては，**他者**と［ 5 ］して**課題を解決**しようとする学習活動や，言語により**分析**し，まとめたり表現したりするなどの学習活動が行われるようにすること。その際，例えば，比較する，［ 6 ］する，関連付けるなどの考えるための技法が活用されるようにすること。

○他者と協働して課題を解決しようとする学習活動

〈 多様な他者と協働して学習活動を行う意義 〉

① 他者へ**説明**することにより生きて働く**知識**及び**技能**の習得が図られる。

② 他者から**多様**な情報が収集できる。

③ よりよい考えが作られる。

○言語により分析し，まとめたり表現したりする学習活動

言語能力は全ての学習の基盤…自らの学びを意味付けたり価値付けたりして**自己変容**を自覚し，次の学びへと向かうために特に大切にすべきことである。

○「考えるための技法」の活用

考えるための技法…考える際に必要になる情報の処理方法（「比較する」「分類する」「関連付ける」等）

→技法のように様々な場面で具体的に使えるよう

にすること。

(3) 探究的な学習の過程においては，**コンピュータ**や[7]などを適切かつ効果的に活用して，情報を収集・整理・発信するなどの学習活動が行われるよう工夫すること。その際，コンピュータで文字を入力するなどの学習の基盤として必要となる情報手段の基本的な操作を習得し，**情報**や**情報手段**を[8]的に**選択**し活用できるよう配慮すること。

7. 情報通信ネットワーク

8. 主体

○情報手段の基本的な操作スキルの習得 →探究的な学習過程における情報収集・整理・発信などの場面を通して習得

…コンピュータで文字を入力するという操作スキル，デジタルカメラやタブレット型端末の基本的な操作スキル等

(4) **自然体験**やボランティア活動などの[9]，ものづくり，生産活動などの**体験活動**，観察・実験，見学や調査，発表や討論などの**学習活動**を積極的に取り入れること。

9. 社会体験

(5) **体験活動**については，第1の目標並びに第2の各学校において定める目標及び内容を踏まえ，探究的な学習の過程に適切に位置付けること。

○「探究的な学習の過程に適切に位置付ける」とは

① 設定した**探究課題**に迫り，課題の解決につながる体験活動であること。

② 児童が**主体**的に取り組むことのできる**体験活動**であること。

(6) [10]や**異年齢集団**による学習などの多様な学習形態，地域の人々の協力も得つつ，全教師が一体となって指導に当たるなどの指導体制について

10. グループ学習

工夫を行うこと。

(7) **学校図書館**の活用，他の学校との連携，公民館，図書館，博物館等の**社会教育施設**や社会教育関係団体等の各種団体との連携，地域の教材や学習環境の積極的な活用などの工夫を行うこと。

(8) **国際理解**に関する学習を行う際には，**探究**的な学習に取り組むことを通して，諸外国の生活や文化などを**体験**したり**調査**したりするなどの学習活動が行われるようにすること。

(9) **情報**に関する学習を行う際には，**探究**的な学習に取り組むことを通して，情報を[11]・整理・発信したり，情報が**日常生活**や**社会**に与える影響を考えたりするなどの学習活動が行われるようにすること。第１章総則の第３の１の(3)のイに掲げる**プログラミング**を体験しながら[12]を身に付けるための学習活動を行う場合には，**プログラミング**を体験することが，**探究**的な学習の過程に適切に位置付くようにすること。

11. 収集

12. 論理的思考力

○プログラミングを体験しながら**論理**的思考力を身に付けるための学習活動

＊「**プログラミング的思考**」→自分が**意図**する一連の活動を実現するために，どのような動きの組み合わせが必要か，どのように改善していけばより**意図**した活動に近づくのかということを**論理**的に考えていく力のひとつ。

＊プログラミングのための言語を用いて記述する方法（コーディング）の習得が目的ではない。

● **CHECK!** 次の文章は，総合的な学習の時間に関する記述である。正しいものには○，誤っているものには×を付けなさい。

1．児童の主体性を重視するので教師が児童の学習に対して積極的に関わらないで，常に潜在的な力が発揮されるように児童の変容していく姿を見守る。

2．計画や指導に当たっては，様々な教職員がかかわるのではなく，特定の教師のみが担当し，効率的に指導できる体制を整えることが重要である。

3．児童の学習状況の評価に当たっては，これまでと同様に，ペーパーテストなどの評価の方法によって数値的に評価することは，適当ではない。

4．プログラミングを体験しながら論理的思考力を身に付ける学習活動とは，「プログラミング的思考」の育成を目指すものであり，プログラミングのための言語を用いて記述する方法（コーディング）を覚え習得することを目的として行われる。

1. ×

2. ×

3. ○

4. ×

2026年度版　新ポケットランナー　小学校全科

（2023年度版　2021年12月24日　初版　第1刷発行）

2024年9月25日　初　版　第1刷発行

編　著　者　東　京　教　友　会
発　行　者　多　田　敏　男
発　行　所　TAC株式会社　出版事業部（TAC出版）

〒101-8383
東京都千代田区神田三崎町3-2-18
電話 03(5276)9492（営業）
FAX 03(5276)9674
https://shuppan.tac-school.co.jp

組　　版　朝日メディアインターナショナル株式会社
印　　刷　株式会社　ワ　コ　ー
製　　本　株式会社　常　川　製　本

ISBN 978-4-300-11241-0
N.D.C. 370

(2024年2月現在)

書籍のご購入は

1 全国の書店、大学生協、ネット書店で

2 TAC各校の書籍コーナーで

資格の学校TACの校舎は全国に展開!
校舎のご確認はホームページにて

資格の学校TAC ホームページ
https://www.tac-school.co.jp

3 TAC出版書籍販売サイトで

TAC 出版 で 検索

https://bookstore.tac-school.co.jp/

新刊情報をいち早くチェック!

たっぷり読める立ち読み機能

学習お役立ちの特設ページも充実!

TAC出版書籍販売サイト「サイバーブックストア」では、TAC出版および早稲田経営出版から刊行されている、すべての最新書籍をお取り扱いしています。
また、会員登録(無料)をしていただくことで、会員様限定キャンペーンのほか、送料無料サービス、メールマガジン配信サービス、マイページのご利用など、うれしい特典がたくさん受けられます。

サイバーブックストア会員は、特典がいっぱい!(一部抜粋)

通常、1万円(税込)未満のご注文につきましては、送料・手数料として500円(全国一律・税込)頂戴しておりますが、1冊から無料となります。

専用の「マイページ」は、「購入履歴・配送状況の確認」のほか、「ほしいものリスト」や「マイフォルダ」など、便利な機能が満載です。

メールマガジンでは、キャンペーンやおすすめ書籍、新刊情報のほか、「電子ブック版TACNEWS(ダイジェスト版)」をお届けします。

書籍の発売を、販売開始当日にメールにてお知らせします。これなら買い忘れの心配もありません。

書籍の正誤に関するご確認とお問合せについて

書籍の記載内容に誤りではないかと思われる箇所がございましたら、以下の手順にてご確認とお問合せをしてくださいますよう、お願い申し上げます。
なお、正誤のお問合せ以外の**書籍内容に関する解説および受験指導などは、一切行っておりません。**
そのようなお問合せにつきましては、お答えいたしかねますので、あらかじめご了承ください。

1 「Cyber Book Store」にて正誤表を確認する

TAC出版書籍販売サイト「Cyber Book Store」の
トップページ内「正誤表」コーナーにて、正誤表をご確認ください。

CYBER BOOK STORE TAC出版書籍販売サイト

URL:https://bookstore.tac-school.co.jp/

2 1の正誤表がない、あるいは正誤表に該当箇所の記載がない ⇒ 下記①、②のどちらかの方法で文書にて問合せをする

★ご注意ください★

お電話でのお問合せは、お受けいたしません。
①、②のどちらの方法でも、お問合せの際には、「お名前」とともに、
「対象の書籍名(○級・第○回対策も含む)およびその版数(第○版・○○年度版など)」
「お問合せ該当箇所の頁数と行数」
「誤りと思われる記載」
「正しいとお考えになる記載とその根拠」
を明記してください。
なお、回答までに1週間前後を要する場合もございます。あらかじめご了承ください。

① ウェブページ「Cyber Book Store」内の「お問合せフォーム」より問合せをする

【お問合せフォームアドレス】

https://bookstore.tac-school.co.jp/inquiry/

② メールにより問合せをする

【メール宛先 TAC出版】

syuppan-h@tac-school.co.jp

※土日祝日はお問合せ対応をおこなっておりません。
※正誤のお問合せ対応は、該当書籍の改訂版刊行月末日までといたします。

乱丁・落丁による交換は、該当書籍の改訂版刊行月末日までといたします。なお、書籍の在庫状況等により、お受けできない場合もございます。
また、各種本試験の実施の延期、中止を理由とした本書の返品はお受けいたしません。返金もいたしかねますので、あらかじめご了承くださいますようお願い申し上げます。

TACにおける個人情報の取り扱いについて
■お預かりした個人情報は、TAC(株)で管理させていただき、お問合せへの対応、当社の記録保管にのみ利用いたします。お客様の同意なしに業務委託先以外の第三者に開示、提供することはございません(法令等により開示を求められた場合を除く)。その他、個人情報保護管理者、お預かりした個人情報の開示等及びTAC(株)への個人情報の提供の任意性については、当社ホームページ(https://www.tac-school.co.jp)をご覧いただくか、個人情報に関するお問い合わせ窓口(E-mail:privacy@tac-school.co.jp)までお問合せください。

(2022年7月現在)